Flexibles Lernen an Hochschulen gestalten

Claude Müller, Petra Barthelmess, Christian Berger,
Gunther Kucza, Maximilian Müller & Philipp Sieber (Hrsg.)

Flexibles Lernen an Hochschulen gestalten

Zeitschrift für Hochschulentwicklung
Jg. 14 / Nr. 3 (November 2019)

Impressum

Zeitschrift für Hochschulentwicklung
Jg. 14 / Nr. 3 (November 2019)

Flexibles Lernen an Hochschulen gestalten

herausgegeben vom Verein Forum Neue Medien in der Lehre Austria

Graz, 2019

Herausgeber/innen
Claude Müller, Petra Barthelmess, Christian Berger, Gunther Kucza,
Maximilian Müller & Philipp Sieber

ISBN
9783750416529

Herstellung und Verlag
BoD- Books on Demand, Norderstedt

Inhalt

Vorwort

Als wissenschaftliches Publikationsorgan des Vereins Forum Neue Medien in der Lehre Austria kommt der Zeitschrift für Hochschulentwicklung besondere Bedeutung zu. Zum einen, weil sie aktuelle Themen der Hochschulentwicklung in den Bereichen Studien und Lehre aufgreift und somit als deutschsprachige, vor allem aber auch österreichische Plattform zum Austausch für Wissenschafter/innen, Praktiker/innen, Hochschulentwickler/innen und Hochschuldidaktiker/innen dient. Zum anderen, weil die ZFHE als Open-Access-Zeitschrift konzipiert und daher für alle Interessierten als elektronische Publikation frei und kostenlos verfügbar ist.

Es werden ca. 8.700 Artikel pro Monat geladen. Das zeigt die hohe Beliebtheit und Qualität der Zeitschrift sowie auch die große Reichweite im deutschsprachigen Raum. Gleichzeitig hat sich die Zeitschrift mittlerweile einen fixen Platz unter den hundert besten deutschsprachigen Wissenschaftspublikationen laut Google Scholar Metrics gesichert.

Dieser Erfolg ist einerseits dem international besetzten Editorial Board sowie den wechselnden Herausgeberinnen und Herausgebern zu verdanken, die mit viel Engagement dafür sorgen, dass jährlich mindestens vier Ausgaben erscheinen. Andererseits gewährleistet das österreichische Bundesministerium für Wissenschaft, Forschung und Wirtschaft durch seine kontinuierliche Förderung das langfristige Bestehen der Zeitschrift. Im Wissen, dass es die Zeitschrift ohne diese finanzielle Unterstützung nicht gäbe, möchten wir uns dafür besonders herzlich bedanken.

Das momentan große Interesse am Thema Flexibles Lernen zeigt sich an der Vielzahl an eingereichten Beiträgen für diese Ausgabe. Die ausgewählten 22 Beiträge dieses Sonderheftes zum Higher and Professional Education Forum 2019 in Winterthur diskutieren die folgenden Themenschwerpunkte zu flexiblem Lernen: Studentische Bedürfnisse, Kompetenzförderung, Implementation und Evaluation, Digitale Tools und Lernumgebungen sowie Didaktisches Design. Sie geben einen guten Überblick über den Forschungs- und Praxisstand zu flexiblem Lernen in der akademischen Grund- und Weiterbildung im deutschsprachigen Raum.

Seit der Ausgabe 9/3 ist die ZFHE auch in gedruckter Form erhältlich und beispielsweise über Amazon beziehbar. Als Verein Forum Neue Medien in der Lehre Austria freuen wir uns, das Thema „Hochschulentwicklung" durch diese gelungene Ergänzung zur elektronischen Publikation noch breiter in der wissenschaftlichen Community verankern zu können.

In diesem Sinn wünschen wir Ihnen viel Freude bei der Lektüre der vorliegenden Ausgabe!

Martin Ebner und Hans-Peter Steinbacher
Präsidenten des Vereins Forum Neue Medien in der Lehre Austria

Claude MÜLLER[1], Petra BARTHELMESS, Christian BERGER, Gunther KUCZA, Maximilian MÜLLER & Philipp SIEBER (ZHAW)

Editorial: Flexibles Lernen an Hochschulen gestalten

Zum Themenschwerpunkt

Die zunehmenden Herausforderungen an Hochschulen, sei es der digitale Wandel oder das zunehmend kompetitive Umfeld mit anspruchsvollen, hochgradig mobilen und globalisierten Studierenden, führen dazu, dass von Hochschulen mehr Flexibilität und Individualisierung in ihren Bildungsangeboten erwartet wird. Flexibles Lernen oder Flexible Learning ist ein breiter Begriff mit unterschiedlichen Interpretationen (DE BOER & COLLIS, 2005; LI & WONG, 2018). Ganz allgemein formuliert, sollen flexible Lernangebote durch verschiedene Optionen beim Lernangebot den Studierenden ermöglichen, ihre Aus- und Weiterbildung bestmöglich an ihren individuellen Lebenskontext anzupassen (MÜLLER & JAVET, 2019). Im Zentrum von flexiblem Lernen stehen damit die Lernenden mit ihren Bedürfnissen, und die Bildungsangebote sollen ihnen die Möglichkeit geben, selber zu entscheiden, was, wann, wie und wo gelernt wird (HEA, 2015). Flexibilität kann sich auf unterschiedliche Aspekte im Lehr-/Lernprozess beziehen; gemäß LI und WONG (2018) sind dies: Zeit (time), Inhalt (content), Zugangsvoraussetzungen (entry requirement), Bereitstellung (delivery), didaktische Gestaltung (instructional approach), Beurteilung und Bewertung (assessment), Lernressourcen und Support (resource and support) sowie Orientierung und Ziele (orientation and goal). Heutzutage wird flexibles Lernen vor allem durch den Einsatz neuer Technologien realisiert (TUCKER & MORRIS, 2012). Flexibles Lernen, digitales Lernen, Blended

---

[1] E-Mail: muew@zhaw.ch

oder Distance Learning werden denn auch häufig sinngleich verwendet. Die obengenannten Dimensionen zeigen jedoch, dass flexibles Lernen weit mehr ist als nur der Einsatz von neuen Technologien. Diese dienen aber als wichtige Enabler, mit denen flexible Lernumgebungen gestaltet werden können.

Flexibles Lernen umfasst in seiner Breite verschiedenste Lernformen und kann, wenn vor allem die Dimensionen Ort und Zeit betont werden, eher in die Richtung des klassischen E-Learning verstanden werden, oder aber wenn es z. B. auf die Dimensionen Lernpfad und Inhalt ausgedehnt wird, auch als Seamless Learning interpretiert werden. Es schließt dann das Lernen in formellen/informellen Kontexten innerhalb und außerhalb des Unterrichts (WONG & LOOI, 2011) mit ein. Eine wichtige Frage ist dabei, wie non-formal (z. B. in betriebsinternen Kursen) und informell (z. B. durch berufliche, private Aktivitäten) erworbene Kompetenzen anerkannt werden können (CEDEFOP, 2015).

Bei der Implementation von flexiblem Lernen müssen zwei Perspektiven adressiert werden (MÜLLER, STAHL, LÜBCKE, & ALDER, 2016). Die institutionelle Perspektive stellt Fragen, wie die Lernorganisation und die didaktische Ausgestaltung aussehen müssen, um beispielsweise den zeitlich und räumlich unabhängigen Zugriff auf Lernressourcen zu gewährleisten, oder wie Schnittstellen zwischen der akademischen Ausbildung und deren Umsetzung in die Praxis gestaltet werden können. Aus Sicht der Lernenden muss beachtet werden, dass flexibles Lernen Studierende in die Lage versetzt, einen selbstbestimmten Lernweg zu wählen und das Lernen entsprechend selbst zu regulieren; sie sind stärker als zuvor für den eigenen Lernprozess verantwortlich. Dies stellt auch höhere Anforderungen an das persönliche Zeitmanagement und die Selbstregulation (MÜLLER, STAHL, ALDER & MÜLLER, 2018).

Das momentan große Interesse am Thema Flexibles Lernen zeigt sich an der Vielzahl an eingereichten Beiträgen für dieses Themenheft. Die ausgewählten 22 Beiträge dieses Sonderheftes zum Higher and Professional Education Forum 2019 in Winterthur diskutieren die aufgeführten Themenschwerpunkte zu flexiblem Lernen a) Studentische Bedürfnisse, b) Kompetenzförderung, c) Implementation und Evaluation, d) Digitale Tools und Lernumgebungen sowie e) Didaktisches Design. Sie geben einen guten Überblick über den Forschungs- und Praxisstand zu flexiblem Lernen in der akademischen Grund- und Weiterbildung im deutschsprachigen Raum.

a) Studentische Bedürfnisse

Martina Feldhammer-Kahr, Stefan Dreisiebner, Manuela Paechter, Markus Sommer und Martin Arendasy untersuchen, in welchen Bereichen der Lehre sich Studierende eine stärkere Flexibilisierung wünschen und inwieweit sich diese Wünsche von der Einschätzung Lehrender unterscheiden. Die Ergebnisse zeigen, dass Studierende und Lehrende in ihren Präferenzen zur flexiblen Lehrveranstaltungsgestaltung zum großen Teil übereinstimmen, sich aber auch in einzelnen Bereichen unterscheiden.

Barbara Neunteufl, Julia Dohr, Franziska Chen und Julia Spörk analysieren die studentischen Bedürfnisse nach Flexibilität im Studium im Zusammenhang mit ihren individuellen Lebenskontexten anhand studentischer Befragungen und setzen diese mit aktuellen Maßnahmen an der eigenen Hochschule in Bezug.

b) Kompetenzentwicklung

Sebastian Vogt und Cornelia Eube stellen anhand dreier Module der Medieninformatik dar, wie personale Kompetenzen in der Studieneingangsphase durch den Einsatz von flexiblen Studienelementen gefördert werden können.

Daniela Schmidt, Anja Hawlitschek, Andreas Kasperski, Wenke Lungenmuß, Marianne Merkt, Anja Schulz und Lavinia Ionica zeigen mittels einer Prä-Post-Studie auf, wie mittels eines flexiblen Online-Kurses die Entwicklung der hochschul- und vor allem mediendidaktischen Kompetenzen von Lehrenden erfolgreich gefördert werden können.

Günther Wenzel, Christa Walenta und Ingrid Wahl stellen vor, wie Flexibilität im Rahmen eines Moduls im Fernstudiengangs ermöglicht wird und durch den gezielten Einsatz strukturgebender Elemente einer mangelnden Integration und Kommunikation sowie allfälligen Schwächen beim selbstregulierten Lernen begegnet werden kann.

c) Implementation und Evaluation von flexiblem Lernen

Katrin Brinkmann diskutiert die Herausforderungen einer nachhaltigen Implementation von Maßnahmen flexiblen Lernens durch digitale Medien und zeigt anhand einer qualitativen Studie, dass dafür eine hochschulweite Strategie von zentraler Bedeutung ist.

Marlen Dubrau, Corinna Lehmann und Jana Riedel leiten eine Systematik von Flexibilisierungsmaßnahmen mit den Ebenen Lehrveranstaltung, Studiengang und Hochschule her und verorten darin die an der eigenen Hochschule erprobten Konzepte und diskutieren diese hinsichtlich ihrer Potenziale zur Übertragbarkeit.

Kim Laura Austerschmidt und Sarah Bebermeier zeigen mittels einer längsschnittlichen Befragung von Studierenden auf, dass eine zunehmende Flexibilisierung eines Psychologie-Moduls eine verstärkte Nutzung der Lernangebote und einen höheren Studienerfolg nach sich zieht.

Jeremy Dela Cruz, Christian Olivier Graf und Anika Wolter evaluieren flexibles Lernen im Rahmen einer Fallstudie und stellen ihre Vorgehensweise, welche sich an bestehende Kompetenzrahmen orientiert, sowie Ergebnisse vor.

d) Digitale Tools und Lernumgebungen

Lukas Lutz und Frank Mayer stellen den digitalen Studienassistenten „Smart Success" vor, welcher durch die Möglichkeiten der Studienverlaufsplanung, -steuerung, -beratung sowie einem Frühwarnsystem das flexible Studieren fördert.

Roger Seiler und Stefan Koruna zeigen anhand einer Lehrveranstaltung zu Emerging Technologies auf, wie eine virtualisierte Lernumgebung ein flexibles, mobiles und betriebssystemunabhängiges Lernen ermöglicht.

Bledar Fazlija beschreibt, wie der Einsatz von so genannten Intelligent Tutoring Systemen (IST) flexibles Lernen in der Hochschulbildung unterstützen kann, und demonstriert dies anhand Lernszenarien im Bereich des Assessments und Feedbacks.

Christian Glahn und Marion R. Gruber zeigen anhand einer mehrjährigen Seamless-Learning-Studie, wie mobile Technologien die Kontextualisierung und Flexibilisierung von Lehrangeboten unterstützen können.

Karin Landenfeld, Jonas Priebe und Malte Eckhoff stellen die videobasierte interaktive Online-Lernumgebung viaMINT vor, mit welcher sich die Studierenden ausgehend von ihren Vorkenntnissen individualisiert und flexibel auf ihren gewählten Studiengang vorbereiten können.

Judyta Franuszkiewicz, Silke Frye, Claudius Terkowsky und Sabrina Heix zeigen auf, wie durch ein didaktisches Redesign sowie durch den Einsatz eines Remote-Labors flexibles Lernen gefördert werden kann.

Franziska Greiner, Nicole Kämpfe, Dorit Weber-Liel, Bärbel Kracke und Julia Dietrich stellen das hochschuldidaktische Konzept der digitalen Differenzierungsmatrix vor – ein digitales Selbststudientool, welches Studierenden gemäß den unterschiedlichen Lernvoraussetzungen individuelle Lernmaterialien bereitstellt.

e) Didaktisches Design von flexiblem Lernen

Imke Buß demonstriert mittels Strukturgleichungsmodell, dass flexibles Lernen nicht nur durch E-Learning ermöglich werden kann, sondern dass auch eine geringe Anzahl an Semesterwochenstunden, ein hoher Anteil an Wahlmöglichkeiten oder die regelmäßige Verteilung von Prüfungen zentrale Faktoren sind.

Anke Hanft, Stefanie Kretschmer und Valerie Hug zeigen auf, wie ein Modul nach den Prinzipien des Inverted Classroom Models (ICM) und unter Zugrundelegung des Konzepts der individuellen Lernpfade unter Einbindung digitaler Technologien umgestaltet werden kann, und diskutieren Erfahrungen und Gelingensbedingungen.

Claudia Mertens, Fabian Schumacher, Oliver Böhm-Kasper und Melanie Basten beschreiben die Umsetzung von Inverted Classroom in einem Modul und diskutieren den Ansatz im Rahmen einer Evaluation mittels qualitativer Befragungen anhand der Dimensionen von flexiblen Lernens nach LI und WONG (2018).

Bernadette Dilger, Luci Gommers, Christian Rapp, Marco Trippel, Andreas Butz, Simon Huff, Rainer Mueller und Ralf Schimkat gehen in ihrem Artikel zu Seamless Learning auf eine Herausforderung von flexiblem Lernen ein, nämlich, dass dieses in verschiedenen Kontexten stattfinden kann. Sie stellen ihr Beratungskonzept und -tool bei der Begleitung von sieben Seamless-Learning-Umsetzungskonzepten vor und reflektieren ihre Erfahrungen.

Stefan Koruna, Michael Zbinden und Roger Seiler zeigen die Entwicklung von MOOCs in den letzten Jahren auf und diskutieren, inwiefern die Hochschulbildung durch diese flexibilisiert wird.

Elske Ammenwerth, Werner O. Hackl und Michael Felderer stellen das didaktische Design eines online-gestützten, postgraduellen Universitätslehrgangs vor – insbesondere die Lernaufgaben in Form von Etivities – und beleuchten auf Basis einer Analyse von Log-Daten, studentischer Evaluationen sowie studentischer Reflexionen die Akzeptanz sowie die Herausforderungen des flexiblen Lernens aus Sicht der Lernenden.

Abschließend gilt der Dank den vielen ehrenamtlich tätigen Gutachterinnen und Gutachtern, ohne die das Themenheft gar nie möglich wäre. Wir sagen danke in alphabetischer Reihenfolge an: Balthasar Eugster, Reinhild Fengler, Christian Glahn, Fabienne Javet, Roger Johner, Stephan Jörissen, Gerd Kortemeyer, Cécile Ledergerber, Maren Lübcke, Lisa Messenzehl-Kölbl, Christoph Negri, Charlotte Nüesch, Benno Volk, Ricarda Reimer, Christian Rapp, Andrea Reichmuth, Klaus Rummler, Ute Woschnack.

Literaturverzeichnis

Cedefop (2015). *European Guidelines for validating non-formal and informal learning.* Luxembourg: Publications Office. https://doi.org/10.2801/008370

De Boer, W. & Collis, B. (2005). Becoming more systematic about flexible learning: beyond time and distance. *ALT-J: Association for Learning Technology journal, 13*(1), 33-48.

HEA (2015). *Framework for flexible learning in higher education.* Heslington: Higher Education Academy. https://www.heacademy.ac.uk/system/files/downloads/flexible-learning-in-HE.pdf, Stand vom 30. August 2018.

Li, K. C. & Wong, B. Y. Y. (2018). Revisiting the Definitions and Implementation of Flexible Learning. In K. C. Li, K. S. Yuen & B. T. M. Wong (Hrsg.), *Innovations in Open and Flexible Education* (S. 3-13). Singapore: Springer Singapore.

Müller, C. & Javet, F. (2019). Flexibles Lernen als Lernform der Zukunft? In D. Holtsch, M. Oepke und S. Schumann (Hrsg.), *Lehren und Lernen in der Sekundarstufe II aus gymnasial- und wirtschaftspädagogischer Perspektive* (S. 85-96). Bern: Hep-Verlag.

Müller, C., Stahl, M., Alder, M. & Müller, M. (2018). Learning effectiveness and Students' perceptions in a flexible learning course. *European Journal of Open, Distance and eLearning (EURODL), 21*(2), 44-53.

Müller, C., Stahl, M., Lübcke, M. & Alder, M. (2016). Flexibilisierung von Studiengängen: Lernen im Zwischenraum von formellen und informellen Kontexten. *Zeitschrift für Hochschulentwicklung, 11*(4), 93-107.

Tucker, R. & Morris, G. (2012). By Design: Negotiating Flexible Learning in the Built Environment Discipline. *Research in Learning Technology, 20*(1), n1.

Wong, L. H. & Looi, C. K. (2011). What seams do we remove in mobile assisted Seamless Learning? A critical review of the literature. *Computers and Education, 57*(4), 2364-2381.

Herausgeber/innen

Prof. Dr. Claude MÜLLER || School of Management and Law, ZHAW Zürcher Hochschule für Angewandte Wissenschaften || CH-8400Winterthur

www.zhaw.ch/zid

muew@zhaw.ch

Prof. Dr. Petra BARTHELMESS || School of Management and Law, ZHAW Zürcher Hochschule für Angewandte Wissenschaften || CH-8400Winterthur

www.zhaw.ch/sml

base@zhaw.ch

Dr. Christian BERGER || School of Management and Law, ZHAW Zürcher Hochschule für Angewandte Wissenschaften || CH-8400Winterthur

www.zhaw.ch/sml

bere@zhaw.ch

Prof. Dr. Gunther KUCZA || School of Management and Law, ZHAW Zürcher Hochschule für Angewandte Wissenschaften || CH-8400Winterthur

www.zhaw.ch/sml

kuca@zhaw.ch

Dr. Maximilian MÜLLER || School of Management and Law, ZHAW Zürcher Hochschule für Angewandte Wissenschaften || CH-8400Winterthur

www.zhaw.ch/sml

mlxi@zhaw.ch

Prof. Dr. Philipp SIEBER || School of Management and Law, ZHAW Zürcher Hochschule für Angewandte Wissenschaften || CH-8400Winterthur

www.zhaw.ch/sml

siee@zhaw.ch

Martina FELDHAMMER-KAHR[1], Stefan DREISIEBNER,
Manuela PAECHTER, Markus SOMMER & Martin ARENDASY
(Graz, Hildesheim)

Evaluierung des flexiblen Lernbedarfs bei Studierenden – Implikationen für die Praxis

Zusammenfassung

In der vorliegenden Evaluationsstudie wurden Studierende und Lehrende einer österreichischen Universität befragt, in welchen Bereichen der Lehre sich Studierende eine stärkere Flexibilisierung wünschen und inwieweit sich diese Wünsche von der Einschätzung Lehrender unterscheiden. Die Ergebnisse zeigen, dass Studierende und Lehrende in ihren Präferenzen zur Lehrveranstaltungsgestaltung zum großen Teil übereinstimmen, sich aber auch in einzelnen Bereichen unterscheiden. Insbesondere hinsichtlich einzelner Aspekte von Zeit, Inhalt, Lernressourcen und Support, Beurteilung und Bereitstellung schätzen Studierende Flexibilität bedeutsamer ein als Lehrende. Es zeigen sich hier bedeutsame statistische Effekte.

Schlüsselwörter

Flexibles Lernen, Lehrveranstaltungsdesign, Didaktische Gestaltung, Präferenzen

---

[1] E-Mail: martina.feldhammer@uni-graz.at

Wissenschaftlicher Beitrag · DOI: 10.3217/zfhe-14-03/02

Evaluation of flexible learning needs among students – Implications for practice

Abstract

This paper presents the results of a survey conducted among students and faculty members at an Austrian University. The study investigated the areas of learning in which students would prefer more fexibility and to what extent these preferences differ from faculty members' perceptions. The results show that student preferences and faculty member perceptions are similar in some areas. However, for other aspects (e.g. time, content, teaching resources, support, assessment, content delivery), students value fexibility more than faculty members. Statistical differences showed large effect sizes.

Keywords

flexible learning, teaching design, didactic design, preferences

1 Einleitung

Bereits in den 1970iger Jahren begann man, sich in den USA mit flexiblem Lernen zu beschäftigen; vermehrt beforscht wird es seit Anfang des 21. Jahrhunderts (LI & WONG, 2018; MÜLLER & JAVET, 2019). Flexibles Lernen soll den Lernenden die Entscheidungsmöglichkeiten darin geben, *was*, *wann*, *wie* und *wo* gelernt wird (DOWLING, GODFREY & GYLES, 2003; GOODYEAR, 2008; MÜLLER & JAVET, 2019; VAN DEN BRANDE, 1993). Obwohl flexibles Lernen auch in klassischen Settings umgesetzt werden kann, wird es heute vermehrt durch den Einsatz neuer Technologien realisiert (LI & WONG, 2018; TUCKER & MORRIS, 2012), daher werden die Begriffe flexibles Lernen, digitales Lernen, Blended Learning und Distance Learning oftmals äquivalent verwendet (LI & WONG, 2018; MÜLLER & JAVET, 2019).

Flexibles Lernen steht in Zusammenhang mit Begriffen und Konzepten wie lebenslanges Lernen und selbstgesteuertes Lernen. So verstehen Jahn, Trager & Wilbers (2008) unter flexiblem Lernen „ein umfassendes Konzept selbstgesteuerten Lernens, das durch entsprechende Lernumgebungen, durch institutionelle sowie institutionsübergreifende Bedingungen unterstützt werden soll." Während das Konzept des selbstgesteuerten Lernens vor allem auf die lernende Person fokussiert, berücksichtigt das Konzept des flexiblen Lernens die institutionellen sowie institutionsübergreifenden Bedingungen (JAHN et al., 2008).

Da der Einsatz von flexiblem Lernen für Lehrende mit einem erheblichen Aufwand verbunden sein kann (vgl. CHEN, 2003; MÜLLER et al., 2016), erscheint es bei der Planung von Flexibilisierungsmaßnahmen sinnvoll, auch die Präferenzen von Lernenden zu berücksichtigen. Studien zum Einsatz von flexiblem Lernen in der Lehre greifen daher das Thema aus zwei Richtungen auf: zum einen die Betrachtung bestehender Anwendungen von flexiblem Lernen aus Lehrenden-Perspektive (AYER & SMITH, 1998; de BOER & COLLIS, 2005), zum anderen die Evaluierung von Zufriedenheit, Motivation und Erfolg von Lernenden in Zusammenhang mit dem Einsatz von flexiblem Lernen (PACHARN, BAY & FELTON, 2013; WELTERS et al., 2019).

Bestehende Untersuchungen (u. a. KENNEDY et al., 2008; LI, 2014; TUCKER & MORRIS, 2012; WANNER & PALMER, 2015) wurden primär außerhalb des deutschen Sprachraums durchgeführt. Lern- und Lehrgewohnheiten sind allerdings auch kulturell geprägt (DENMAN-MAIER, 2004; HOFSTEDE, HOFSTEDE & MINKOV, 2010), daher können die Ergebnisse nicht einfach übertragen werden.

Auf diesem Hintergrund gründen die Forschungsfragen der vorliegenden Studie: In welchen Bereichen der Lehre wünschen sich Studierende eine stärkere Flexibilisierung? Inwieweit unterscheiden sich diese Studierendenwünsche von der Einschätzung Lehrender?

2 Bisheriger Forschungsstand

Flexibilisierung in der Lehre kann in unterschiedlichen Bereichen erfolgen. Collis (1995) definierte mehrere Bereiche in Bezug auf elektronisches Lernen, präzisierte sie und legte 19 Subdimensionen für flexibles Lernen fest (u. a. COLLIS & MOONEN, 2002a, 2002b; COLLIS, VINGERHOETS & MOONEN, 1997; NIKOLOVA & COLLIS, 1998). LI & WONG (2018) analysierten diese und weitere ähnliche Definitionen in einem Überblicksartikel und erweiterten die fünf übergeordneten Dimensionen. Demnach kann flexibles Lernen in den Bereichen *Zeit, Inhalt, Zugangsvoraussetzungen, Bereitstellung, didaktische Gestaltung, Beurteilung und Bewertung, Lernressourcen und Support* sowie *Orientierung und Ziele* ansetzen (MÜLLER & JAVET, 2019).

Die in diesen Arbeiten definierten Bereiche dienten als Grundlage für Untersuchungen zu Studierenden- und Lehrendenpräferenzen hinsichtlich des Einsatzes von flexiblem Lernen. In einer australischen Studie erhoben TUCKER & MORRIS (2012) die Präferenzen zu flexiblem Lernen von Lehrenden und Studierenden der Architektur. Bezogen auf Lehrveranstaltungen mit Übungscharakter stimmte die Einschätzung von Studierenden und Lehrenden in fast allen Bereichen überein. Ausschließlich hinsichtlich des Inhalts wünschten sich Studierende weniger Flexibilität als die Lehrenden. Für Lehrveranstaltungen mit Vorlesungscharakter wünschten sich Studierende in allen Bereichen eine höhere Flexibilität als Lehrende. Der Wunsch der Studierenden nach Flexibilität in den Bereichen Zeit, Inhalt und Zugangsvoraussetzungen war jedoch generell sehr gering.

Die überwiegende Mehrheit bestehender Untersuchungen zu flexiblem Lernen aus Lehrenden- und Studierendensicht bezieht sich auf Evaluierungen konkreter Anwendungsfälle. Eine internationale Befragung von über 650 Lehrenden, Hilfskräften und Entscheidungsträgerinnen/-trägern an Hochschulen zeigte, dass flexible Ansätze vor allem in Zusammenhang mit Lernressourcen, Ort und Zeit eingesetzt werden. Hinsichtlich des Einsatzes eines Content Management Systems (CMS) zeigte sich, dass Flexibilisierung auf mehreren Ebenen für Lehrende eine Herausforderung ist und besondere institutionelle Unterstützungsmaßnahmen erfordert (de

BOER & COLLIS, 2005). Eine Umfrage an 120 britischen Hochschulen, Medizin- und Sozialinstitutionen zeigte, dass offenes Lernen mit Unterstützung von Tutorinnen/Tutoren der häufigste Ansatz ist, um flexibles Lernen einzusetzen. Die Nachfrage nach Flexibilisierung wird vor allem anhand von informellem Feedback und Studierendenanfragen erhoben (AYER & SMITH, 1998).

Andere anwendungsbezogene Untersuchungen zum Einsatz von flexiblem Lernen erfolgten anhand der Evaluierung der Zufriedenheit von Studierenden, ihrer Motivation und ihrem Lernerfolg. In einer Befragung von Studierenden eines Fernstudienprogramms in Hong Kong sollten Präfenzen zu möglichen Dimensionen flexiblen Lernens abgegeben werden. Studierende bewerteten sowohl ihr bestehendes Studienangebot als auch ihre allgemeinen Präferenzen auf einer 5-stufigen Likert-Skala von *Fix* bis *Flexibel*. Die Ergebnisse zeigten eine klare Präferenz von Studierenden für eine höhere Flexibilisierung, insbesondere hinsichtlich Lernressourcen und Support sowie Prüfungs- und Abgabezeitpunkte (LI, 2014). Eine Evaluierung von flexiblen Ansätzen in der Beurteilung von Accounting-Kursen an kanadischen Universitäten zeigte, dass eine Flexibilisierung hinsichtlich der Gewichtung einzelner Teilleistungen zu besseren Noten und einer höheren Motivation führte (PACHARN et al., 2013). Eine australische Studie untersuchte die Selbsteinschätzung von Schülerinnen und Schülern nach dem Wechsel vom klassischen Schulunterricht zum flexibilisierten Unterrichtskonzept. Es zeigte sich, dass das flexibilisierte Konzept eher den Bedürfnissen der Schülerinnen und Schülern entsprach und von diesen positiver wahrgenommen wurde (WELTERS et al., 2019). Eine weitere australische Untersuchung zur Zufriedenheit von flexiblen Lernsettings in Schulen zeigte, dass insbesondere individuelle Unterstützung positiv wahrgenommen wird (MACDONALD, BOTTRELL & JOHNSON, 2019). Die Einführung von flexiblem Lernen in Verbindung mit einem Flipped Classroom-Ansatz an einer Universität in Australien wurde von Studierenden positiv aufgenommen. Diese schätzten besonders ein angebotenes zweistündiges Tutorium und die Wahlmöglichkeit hinsichtlich Art und Zeitpunkt der Prüfungsleistungen. Es zeigte sich, dass Studierende Flexibilisierung nicht ausschließlich über Online-Aktivitäten, sondern primär interaktive, kollaborative und gut strukturierte Lernaktivitäten in Präsenzeinheiten bevorzugen (WANNER & PALMER, 2015).

3 Untersuchungsdesign

3.1 Fragebogenkonstruktion

Für die Bedarfserhebung von flexiblem Lernen für Studierende wurden vorhandene Modelle zu flexiblem Lernen (z. B. COLLIS, 1995; LI & WONG, 2018; NIKO-LOVA & COLLIS, 1998) und weiterführende Literatur (z. B. WANNER & PAL-MER, 2015) aufgegriffen. Die Modelle zeigen viele Überschneidungen, variieren aber in einzelnen Subdimensionen durch ihre Eingrenzung und der Zuordnung zu den einzelnen Dimensionen. Um die Breite des Konstruktes abzudecken, wurden die Modelle verglichen. Für die Itemkonstruktion wurde die Beschreibung der Subdimensionen aus den Originalarbeiten (z. B. LI & WONG, 2018) herangezogen, von zwei unabhängigen Übersetzerinnen/Übersetzern übersetzt und eine Erklärung hinzugefügt (z. B.: *Gewichtung einzelner Prüfungsleistungen innerhalb einer Lehrveranstaltung (z. B. Klausuren/Seminararbeiten/Referate etc.)*). In älteren Modellen (z. B. COLLIS et al., 1997) war die *Gewichtung der einzelnen Prüfungsleistungen* nicht berücksichtigt worden, diese beinhalteten wiederum andere Beschreibungen, die als relevant erachtet wurden. Aus dem Modell von NIKOLO-VA & COLLIS (1998) wurde die Subdimension „amount of learning activities expected to be competed" und aus dem Modell von LI & WONG (2018) die Subdimension „amount of learning acitivities" aufgegriffen.

„Examination dates and assignment deadline" (LI & WONG, 2018) wurde im Zuge der Übersetzung in die beiden Fragen „Prüfungstermine" und „Deadline für die Abgabe von Seminararbeiten/Hausübungen" aufgeteilt, da hier unterschiedliche Aspekte angesprochen werden.

Die Dimensionen *Zugangsvoraussetzungen* und *Lernziel* wurden nicht berücksichtigt, da durch die Curricula Einschränkungen gegeben sind und diese nicht variiert werden können. Aus diesem Prozess heraus resultierten 30 Items, die auf einer vierstufigen Likert-Ratingskala (0=unwichtig, eher unwichtig, eher wichtig, 3=wichtig) daraufhin beantwortet werden, wie wichtig Flexibilität für Studierenden in diesen Bereichen ist.

Während Studierende hinsichtlich ihrer persönlichen Präferenzen befragt wurden, wurden Lehrende hinsichtlich ihrer Einschätzung zur didaktischen Bedeutung für Studierende befragt. Zusätzlich zum Fragebogen zum flexiblen Lernen wurde erhoben, welche Formen der Lehrveranstaltung präferiert werden (fixe Lehrveranstaltungseinheiten mit Präsenzpflicht, Onlineeinheiten oder eine Kombination aus beiden). Ergänzend wurden acht Fragen zu Lernaktivitäten vorgegeben (z. B. Erklären von Lerninhalten) und die Präferenz zwischen „Präsenzeinheit mit Dozent/in" und „flexibler Einheit mit Hilfe von digitalen Medien" abgefragt.

3.2 Datenerhebung

Die Datenerhebung mit Studierenden fand im Rahmen einer computergestützten Untersuchung zwischen dem 15. und 29. 5. 2019 in Computersälen am Campus der Universität Graz statt. Die Studierenden (N=119) waren zwischen 19 und 29 Jahre alt (M=22.01, SD=2.09). Die 112 Studierenden, von denen Angaben zum Semester vorliegen, befanden sich zwischen zweitem und vierzehnten Semester (M=5.46, SD=2.66). 29.4 % gaben als Geschlecht männlich (n=35), 69.7 % weiblich (n=83) und 0.8 % gab an, sich keinem Geschlecht zugehörig zu fühlen (n=1). Bei der Mehrheit (52.1 %) der Befragten handelte es sich um Psychologiestudierende (n=62). Weiters nahmen teil: Studierende der Rechts- und Wirtschaftswissenschaften (n=10, 8.4 %), Umwelt-, Regional- und Bildungswissenschaften (Lehramt, Sportwissenschaften) (n=13, 10.9 %), Naturwissenschaften und Technik (n=16, 13.4 %), Gesundheit und Medizin (n=6, 5.0 %) und Geisteswissenschaften (Germanistik, Ethnologie etc.) (n=12, 10.1 %).

Die Online-Umfrage für Lehrende wurde von 21 Personen (47.6 % Männer, 52.4 % Frauen) ausgefüllt. Es handelte sich hierbei um Universitätsbedienstete mit

Lehrverpflichtung (*n*=11; 52.4 %), Universitätsbedienstete ohne Lehrverpflichtung mit Lehrauftrag (*n*=5; 23.8 %) sowie Lehrbeauftragte (*n*=5; 23.8 %).

4 Ergebnisse

Zunächst werden die deskriptiven Ergebnisse der Präferenzen von Studierenden und Lehrenden dargestellt. Im Anschluss folgen die Ergebnisse zur Bedeutung von Wahlmöglichkeiten in den unterschiedlichen Subdimensionen flexiblen Lernens für Studierende, aus der Perspektive der Studierenden selbst und aus der Perspektive der Lehrenden.

4.1 Präferenzen von Studierenden und Lehrenden

Es ist von Interesse, ob es eine Präferenz für eine Flexibilisierung in der Dimension Zeit bei Studierenden und Lehrenden gibt und daher zusätzlich oder sogar stattdessen Onlineeinheiten zu Präsenzeinheiten angeboten werden sollten. Die Ergebnisse sind in Abbildung 1 dargestellt. Es zeigt sich, dass sowohl Studierende (*n*=66, 55.5 %) als auch Lehrende (*n*=13, 61.9 %) eine Kombination aus Präsenz- und Online-einheit präferieren. Der Chi-Quadrat-Test zeigt zusätzlich, dass sich die Präferenzen beider Gruppen für die Lehrveranstaltungsgestaltung nicht signifikant voneinander unterscheiden ($\chi^2(2)$=.81, p=.67, φ =.08).

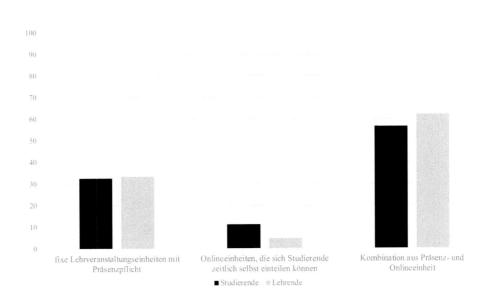

Abb. 1: Präferenz der Lehrveranstaltungsgestaltung von Studierenden und Lehrenden (%)

Um festzustellen, welche Teile einer Lehrveranstaltung als flexible Einheit mit Hilfe von digitalen Medien angeboten werden könnten, wurden Präferenzen von Studierenden und Lehrenden erhoben. Die grafischen Darstellungen in Prozent finden sich in den Abbildungen 2 und 3. Der einzige Unterschied findet sich im Aspekt *Mit Studienkolleginnen/-kollegen lernen* ($\chi^2(1)= 5.50$, p=.02, $\varphi =.20$), hier ist die Präferenz für flexible Einheiten mit Hilfe digitaler Medien bei Lehrenden noch höher. Bei allen anderen Aspekten wurden keine signifikanten Unterschiede gefunden: Erklären von Lerninhalten ($\chi^2(1)=.02$, p=.88, $\varphi =-.01$), zu den Lerninhalten Fragen stellen ($\chi^2(1)=.36$, p=.55, $\varphi =-.05$), Lerninhalte diskutieren ($\chi^2(1)=.37$, p=.54, $\varphi =-.05$), Feedback erhalten ($\chi^2(1)= .54$, p=.46, $\varphi =.06$), Wiederholen und Üben ($\chi^2(1)= 2.14$, p=.14, $\varphi =.12$), Vorbereitung auf die Prüfung ($\chi^2(1)= 3.72$, p=.05, $\varphi =.16$) und Ablegen der Prüfung ($\chi^2(1)= .51$, p=.48, $\varphi =.06$).

Abb. 2: Präferenzen von Studierenden für unterschiedliche Lernumgebungen (%)

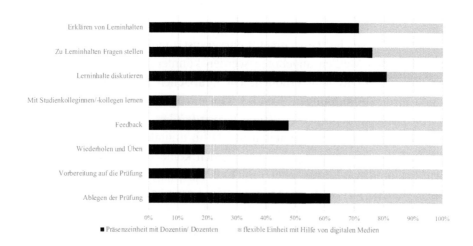

Abb. 3: Präferenzen von Lehrenden für unterschiedliche Lernumgebungen (%)

Für das Erklären von Lerninhalten, zu Lerninhalten Fragen stellen, Lerninhalte diskutieren und das Ablegen von Prüfungen präferieren Lehrende und Studierende Präsenzeinheiten mit Dozentin/Dozent. Für das Lernen mit Studienkolleginnen/Studienkollegen, Wiederholen und Üben sowie Vorbereitung auf die Prüfung wird eine flexible Einheit mit Hilfe von digitalen Medien präferiert. Beim Feedback-Erhalten zeigen Studierende und Lehrende keine klare Präferenz.

Weiters sollte untersucht werden, ob sich Studierende und Lehrende in ihrer Beurteilung der Bedeutung der Flexibilität in den Subdimensionen flexiblen Lernens voneinander unterscheiden. Hierzu wurden, einer Empfehlung von RASCH, KUBINGER & MODER (2011) folgend, mehrere Welch-Tests berechnet. Die Ergebnisse sind in Tabelle 1 zusammengefasst. Die adjustierte α-Fehler-Wahrscheinlichkeit liegt bei .0017. Bei der ersten explorative Analyse liegt der Fokus der Interpretation jedoch auf dem Effektstärkemaß (g_{Hedges}). Dieses Effektstärkemaß kann analog zu Cohens d interpretiert werden (<.20 kein, .20-.50 kleiner, .50-.80 mittlerer und >.80 großer Effekt) (COHEN, 1988).

Tab. 1: Deskriptive Statistiken zu den Subdimensionen Flexiblen Lernens

	Dimension Zeit				
	Studierende (N=119)	Lehrende (N=21)			
	M (SD)	M (SD)	t(df)	p	g_{Hedges}
Eigenes Lerntempo beim Wiederholen und Vorbereitung für Prüfungen	2.41 (.64)	2.24 (.83)	.91(24.41)	.371	-.25
Zeit und Ort, an dem mit Lehrenden und anderen Studierenden interagiert wird	1.84 (.86)	1.57 (.87)	1.31(27.41)	.202	-.31
Zeiträume, in denen man aktiv im Hörsaal/Seminarraum mit anderen interagieren kann	1.99 (.81)	1.71 (.85)	1.39(27.04)	.175	-.34
Beginn- und Enddatum der Lehrveranstaltung	2.01 (.81)	1.57 (.68)	2.65(31.01)	.013	-.56
Eigenes Lerntempo, wenn Lerninhalte beim ersten Mal erklärt werden	2.11 (.66)	1.71 (.85)	2.03(24.51)	.053	-.58
Deadline für Abgabe von Seminararbeiten etc.	1.99 (.97)	1.10 (1.04)	3.67(26.45)	.001	-.91
Prüfungstermine	2.50 (.79)	1.52 (1.12)	3.80(23.62)	.001	-1.16
	Dimension Inhalt				
Anzahl an Lernaktivitäten, die abgeschlossen werden müssen	1.86 (.78)	1.52 (.81)	1.74(26.97)	.093	-.43
Lerninhalte (Themen)	2.04 (.78)	1.62 (.87)	2.09(26.15)	.046	-.53

Schwierigkeitsgrad einzelner Teilbereiche	1.70 (.75)	1.05 (.92)	3.06(24.96)	.005	-.83

Dimension Didaktische Gestaltung

Zeitpunkt und Dauer der Lernaktivität	1.72 (.79)	1.67 (.97)	.25(24.95)	.804	-.06
Arbeits-/Vortragssprache	1.82 (1.00)	1.48 (1.12)	1.30(25.90)	.207	-.33
Abfolge der Kursinhalte (Themen)	1.61 (.92)	1.19 (1.03)	1.73(25.97)	.096	-.45
Arten von Lernaktivitäten	1.88 (.78)	1.48 (.87)	1.99(25.99)	.057	-.50
Art und Weise, wie Lerninhalte präsentiert werden	2.29 (.69)	1.90 (.89)	1.91(24.47)	.068	-.54
Soziales Lernsetting	2.13 (.88)	1.62 (1.12)	2.01(24.60)	.056	-.55
Art der Lernunterlagen	2.11 (.80)	1.57 (.98)	2.38(24.94)	.025	-.65
Selbstgesteuertes oder angeleitetes Lernen	2.18 (.78)	1.67 (.97)	2.29(24.78)	.031	-.63

Dimension Lernressourcen & Support

Zeit, die für Unterstützung zur Verfügung steht	1.87 (.93)	1.86 (.79)	0.04(30.56)	.966	-.01
Anzahl der angebotenen Lernaktivitäten	1.98 (.84)	1.57 (.75)	2.28(29.78)	.030	-.49
Ausmaß an Lernmaterialien, Hilfestellungen und Unterstützung	2.35 (.67)	1.76 (.83)	3.09(24.82)	.005	-.85
Art an Unterstützung, die zur Verfügung gestellt wird	2.50 (.62)	1.86 (1.01)	2.83(22.73)	.010	-.92

Dimension Beurteilung					
Anforderungen der Aufgaben	1.87 (.76)	1.33 (1.07)	2.19(23.71)	.0382	-.67
Prüfungsanforderungen	1.89 (.78)	1.10 (1.09)	3.20(23.73)	.004	-.95
Gewichtung einzelner Prüfungsleistungen innerhalb einer LV	2.10 (.81)	1.14 (.96)	4.30(25.19)	<.001	-1.15
Prüfungsform	2.24 (.83)	0.91 (1.04)	5.54(24.66)	<.001	-1.54
Dimension Bereitstellung					
Lernplatz	2.26 (.83)	1.90 (.89)	1.71(26.49)	.099	-.43
Methode, um an Unterstützung zu gelangen	2.24 (.76)	1.67 (.86)	2.89(25.84)	.008	-.74
Kanäle, über die Kursinformationen, Inhalte und Kommunikation transportiert werden	2.12 (.83)	1.43 (1.03)	2.91(24.75)	.008	-.81
Dimension Orientierung & Ziele					
Ausrichtung des Kurses (praktisch oder theoretisch orientiert)	2.33 (.69)	1.57 (1.21)	2.79(22.36)	.011	-.97

Generell zeigen sich auf allen Dimensionen und Subdimensionen Unterschiede in den Einschätzungen von Studierenden und Lehrenden. Studierende messen der Flexibilität insgesamt höhere Relevanz bei als Lehrende. Die Effektstärke dieser Unterschiede variiert jedoch zum Teil sowohl zwischen den Dimensionen als auch innerhalb der Dimensionen selbst. Beispielsweise zeigen sich in der Dimension *Zeit* überwiegend kleine Effektstärken. Was die Flexibilisierung von Deadlines und Prüfungsterminen anbelangt, zeigen sich jedoch große Effektstärken. Dieser Teilaspekt scheint somit Studierenden deutlich bedeutsamer zu sein als Lehrenden. Ähnliche Befunde zeigen sich in den Dimensionen *Inhalte* sowie *Didaktische Ge-*

staltung. Die Unterschiede in der Relevanzbewertung der Flexibilisierung des Schwierigkeitsgrades der einzelnen Teilbereiche erreicht jedoch eine große Effektstärke. Was die Flexibilisierung des Zeitpunktes und der Dauer der Lernaktivität betrifft, ergeben sich keine praktisch relevanten Unterschiede in den Urteilen von Studierenden und Lehrenden. Hinsichtlich der *Lernressourcen und Support* zeigen sich große Effektstärken für die Art der Unterstützung und das Ausmaß der Lernmaterialien, Hilfestellungen und Unterstützung. In der Flexibilisierung der *Beurteilung* zeigten sich Unterschiede in den Relevanzunterschieden mit generell großen Effektstärken. Eine Ausnahme hiervon bildet lediglich die Subdimension Anforderungen der Aufgaben. In diesem Teilaspekt ergeben sich lediglich Unterschiede von mittlerer Effektstärke. Studierende schätzen die Relevanz der Flexibilisierung der Ausrichtung eines Kurses bei einer großen Effektstärke deutlich höher ein als Lehrende. Aus ihrer Sicht ist auch die Flexibilisierung der *Bereitstellung* durch die Lehrenden mit überwiegend großen Effektstärken deutlich relevanter als aus Sicht der Lehrenden. Eine Ausnahme stellt die Subdimension Flexibilisierung des Lernplatzes dar. Hier erzielen die Unterschiede in den Relevanzurteilen nur eine kleine Effektstärke. In der Dimension *Orientierung und Ziele* zeigt sich ein Unterschied mit großer Effektstärke in der Relevanzbewertung der Ausrichtung des Kurses (praktisch vs. theoretisch).

5 Diskussion und Ausblick

Die vorliegende Studie zeigt, dass Studierende und Lehrende in ihren Präferenzen zur Lehrveranstaltungsgestaltung zum großen Teil übereinstimmen, sich aber auch in einzelnen Bereichen unterscheiden. Die Ergebnisse decken sich mit jenen aus vorangegangen Studien (z. B. TUCKER & MORRIS, 2012).

Die Ergebnisse zur Präferenz der Gestaltung der Lehrveranstaltungseinheiten (fixe Einheiten mit Präsenzpflicht, Onlineeinheiten, Kombination aus beiden) decken sich mit Empfehlungen aus der Literatur, wonach eine Kombination aus Präsenzeinheiten und Onlineeinheiten empfohlen bzw. gewünscht wird (MCSHANE,

PEAT & MASTERS, 2007; POINTDEXTER, 2003). Sowohl Studierende als auch Lehrende zeigen mehrheitlich den Wunsch nach dieser Gestaltungsform.

In weiterer Folge erschien von Interesse, welche Teile der Lehrveranstaltungen in welcher Lernumgebung (*Präsenzeinheit mit Dozentinnen/Dozenten* oder *flexible Einheit mit Hilfe von digitalen Medien*) stattfinden sollten. Präsenzeinheiten werden von beiden Gruppen für *Erklären von Lerninhalten, zu Lerninhalten Fragen stellen, Lerninhalte diskutieren, Ablegen der Prüfung* präferiert. Hingegen werden flexible Einheiten mit Unterstützung digitaler Medien bei *mit Studienkolleginnen/-kollegen lernen, Wiederholen und Üben, Vorbereiten auf die Prüfung* von beiden Gruppen bevorzugt. Diese Ergebnisse widersprechen diametral dem Konzept des *Flipped Classroom*, wo die Wissensaneignung im Selbststudium flexibel erfolgt, während der Präsenzunterricht hauptsächlich der Anwendung dient (vgl. MILMAN, 2012). In der Studie von WANNER & PALMER (2015) war der Flipped-Classroom-Ansatz von Studierenden durchwegs positiv aufgenommen worden, dabei handelte es sich allerdings um die Evaluierung der Umsetzung flexiblen Lernens ohne Wahlfreiheit der Lernenden. Die Unterschiede könnten jedoch auch auf die unterschiedlichen Lern- und Lehrgewohnheiten zurückzuführen sein (vgl. DENMAN-MAIER, 2004).

Studierende messen auch in dieser Studie der Flexibilität generell eine höhere Bedeutung bei als Lehrende. Unterschiede zeigen sich insbesondere hinsichtlich *Zeit* (Deadlines, Prüfungstermine), *Inhalt* (Schwierigkeitsgrad einzelner Teilbereiche), *Lernressourcen und Support* (Ausmaß der Lernmaterialien, Hilfestellungen und Unterstützung, Art an Unterstützung, die zur Verfügung gestellt wird), *Beurteilung* (Prüfungsanforderungen, Gewichtung einzelner Prüfungsleistungen innerhalb einer LV, Prüfungsform) und *Bereitstellung* (Methode um an Unterstützung zu gelangen, Kanäle über die kommuniziert wird, Ausrichtung des Kurses). Diese Ergebnisse decken sich zum Teil mit bereits vorliegenden Studien (u. a. LI, 2014; PACHARN et al., 2013, WANNER & PALMER, 2015). Hier bliebe weiter zu klären, ob die seitens der Studierenden gewünschte Flexibilisierung der Beurteilung dem Ruf nach einer Senkung des Leistungsniveaus gleichkommt.

Die in der Studie von LI (2014) gefundenen Flexibilisierungswünsche im Bereich Prüfungs- und Abgabezeitpunkte von Studierenden konnten in der vorliegenden Studie teilweise bestätigt werden. In der Studie von WANNER & PALMER (2015) wurden Lehrende interviewt um festzustellen, ob es auch Bedenken bezüglich einer Flexibilisierung in diesem Punkt geben könnte. Lehrenden wiesen darauf hin, dass sie die Aufgabe hätten, die Studierenden auf die Arbeitswelt vorzubereiten. Zu viel Flexibilisierung könnte bei den Studierenden zum Irrglauben führen, dass dies auch im Berufsalltag möglich sei. Weiters wurde bezüglich der Beurteilung darauf hingewiesen, dass Studierende noch nicht über die notwendigen Kompetenzen verfügen könnten, um einzuschätzen, was für die Überprüfung des Wissens und der Fähigkeiten relevant sei; eine Flexibilisierung in Bereichen aber Sinn machen könnte, wo selbstgesteuertes Lernen und kritisches Denken erlernt werden sollte. Diese Einschätzung deckt sich mit den Interviewangaben der Studierenden, die angaben, dass sie Fehlentscheidungen bezüglich des Prüfungsmodus und der Deadlines getroffen hätten (WANNER & PALMER, 2015). Die Befürchtungen decken sich auch mit Angaben von befragten Lehrenden der vorliegenden Studie.

Die Ergebnisse erlauben eine erste Einschätzung, welche Aspekte von Studierenden als besonders wichtig empfunden werden, und können somit eine zielgerichtete Lehrplanung unterstützen. Vor einer Umsetzung sollten allerdings in einer Studie noch ausführlicher die Befürchtungen und Erfahrungen der Lehrenden zu flexiblem Lernen mittels *Critical incident technique* (BUTTERFIELD et al., 2005; FLANAGAN, 1954) erhoben werden.

Im Rahmen von Interviews mit Lehrenden und Studierenden sollten auch die Überlegungen hinter den Prioritätseinschätzungen weiter beleuchtet werden. Insbesondere bei Lehrenden erscheint es interessant, ob Überlegungen zum Mehraufwand einzelner Flexibilisierungsmaßnahmen oder mögliche Auswirkungen auf die Integrität von Prüfungen vermehrt zu der Antwort *unwichtig* geführt haben. Gespräche mit teilnehmenden Lehrenden legen nahe, dass die Durchführbarkeit eine Rolle bei der Einschätzung der Bedeutsamkeit gespielt haben könnte. Die Flexibilisierung an der Universität könnte auch bereits so weit fortgeschritten sein (u. a. sechs Prüfungstermine), dass kein höheres Ausmaß benötigt wird.

Einschränkend sollte erwähnt werden, dass Studierende und Lehrende ausschließlich nach ihrer Einschätzung befragt wurden. Nicht alle Personen hatten bereits Erfahrungen mit allen Aspekten flexiblen Lernens. Dementsprechend könnte es Unterschiede in den Vorstellungen der konkreten Umsetzung der einzelnen Aspekte geben, die sich auf die Prioritäteneinschätzung ausgewirkt haben könnten. Ebenso könnte die individuelle Technologieaffinität der einzelnen Studierenden und Lehrenden deren Einschätzung beeinflusst haben. Eine heterogenere Stichprobe unterschiedlicher Fachrichtungen und ein ausgewogenes Geschlechterverhältnis ist für künftige Studien erstrebenswert.

7 Literaturverzeichnis

Ayer, S. & Smith, C. (1998). Planning flexible learning to match the needs of consumers: a national survey. *Journal of Advanced Nursing, 27*(5), 1034-1047.

Butterfield, L. D., Borgen, W. A., Amundson, N. E. & Maglio, A.-S. T. (2005). Fifty years of the critical incident technique: 1954-2004 and beyond. *Qualitative Research, 5*(4), 475-497.

Chen, D.-T. (2003). Uncovering the provisions behind flexible learning. *Educational Technology & Society, 6*(2), 25-30.

Cohen, J. (1988). *Statistical power analysis for the behavioral sciences* (2. Aufl.). Hillsdale: Lawrence Erlbaum Associates.

Collis, B. (1995). Flexibility combinations *TeleScopia Project Deliverable* UT/DL1001/WP 1.6. Deutsche Telecom Generalbankdirektion, Bonn.

Collis, B. & Moonen, J. (2002a). Flexible learning in a digital world. *Open Learning, 17*(3), 217-230.

Collis, B. & Moonen, J. (2002b). The contributing student: A pedagogy for flexible learning. *Computers in the Schools, 19*, 207-220. https://doi.org/10.1300/J025v19v03_16

Collis, B., Vingerhoets, J. & Moonen, J. (1997). Flexibility as a key construct in European training: experiences from the TeleScopia Project. *British Journal of Educational Technology, 28*(3), 199-217.

De Boer, W. & Collis, B. (2005). Becoming more systematic about flexible learning: beyond time and distance. *Research in Technology, 13*(1), 33-48.

Denman-Maier, E. (2004). Intercultural factors in web-based training systems. *Journal of Universal Computer Science, 10*(1), 90-104.

Dowling, C., Godfrey, J. M. & Gyles, N. (2003). Do hybrid flexible delivery teaching methods improve accounting students' learning outcome? *Accounting Education, 12*, 373-391.

Flanagan, J. C. (1954). The Critical Incident Technique. *Psychological Bulletin, 51*(4), 327-358.

Goodyear, P. (2008). Flexible learning and the architecture of learning places. In J. M. Spector, M. D. Merrill, J. van Merrienboer & M. P. Driscoll (Hrsg.), *Handbook of research and educational communications and technology* (3. Aufl., S. 251-257). New York: Taylor & Francis Group.

Hofstede, G., Hofstede, G. J. & Minkov, M. (2010). *Cultures and organizations. Software of the mind; intercultural cooperation and its importance for survival* (3. Aufl.). New York: McGraw-Hill.

Jahn, D., Trager, B. & Wilbers, K. (2008). *Qualifizierung pädagogischer Professionals für flexibles Lernen: Probleme und Lösungsansätze.* Nürnberg: Universität Erlangen-Nürnberg, Lehrstuhl für Wirtschaftspädagogik und Personalentwicklung.

Kennedy, G. E., Judd, T. S., Churchward, A., Gray, K. & Krause, K.-L. (2008). First year students' experiences with technology: Are they really digital natives? *Australasian Journal of Educational Technology, 24*(1), 108-122.

Li, K. C. (2014). How flexible do students prefer their learning to be? *AAOU Journal, 9*, 35-46. https://doi.org/10.1108/AAOUJ-09-01-2014-B004

Wissenschaftlicher Beitrag

Li, K. C. & Wong, B. Y. Y. (2018). Revisiting the Definitions and Implementation of Flexible Learning. In K. C. Li, K. S. Yuen & B. T. M. Wong (Hrsg.), *Innovations in Open and Flexible Education* (Education Innovation Series, 32, S. 3-13). Singapore: Springer Singapore.

MacDonald, F. J., Bottrell, D. & Johnson, B. (2019). Socially transformative wellbeing practices in flexible learning environments: Invoking an education of hope, *Health Education Journal, 78*(4), 377-387. https://doi.org/10.1177/0017896918777005

McShane, K., Peat, M. & Masters, A. F. (2007). Playing it safe? Students' study preferences in a flexible chemistry module. *Australian Journal of Education in Chemistry, 67*, 24-30.

Milman, N. (2012). The Flipped Classroom Strategy. What Is it and How Can it Best be Used? *Distance Learning, 9*(3), 85-87.

Müller, C. & Javet, F. (2019). Flexibles Lernen als Lernform der Zukunft? In D. Holtsch M. Oepke & S. Schumann (Hrsg.), *Lehren und Lernen auf der Sekundarstufe II: Gymnasial- und wirtschaftspädagogische Perspektiven* (S. 85-96). Bern: Hep Verlag AG.

Müller, C., Stahl, M., Lübcke, M. & Alder, M. (2016). Flexibilisierung von Studiengängen: Lernen im Zwischenraum von formellen und informellen Kontexten. *Zeitschrift für Hochschulentwicklung, 11*(4). https://doi.org/10.3217/zfhe-11-04/07

Nikolova, I. & Collis, B. (1998). Flexible learning and design of instruction. *British Journal of Educational Technology, 29*, 59-72.

Pacharn, P., Bay, D. & Felton, S. (2013). The Impact of a Flexible Assessment System on Students' Motivation, Performance and Attitude. *Accounting Education, 22*(2), 147-167. https://doi.org/10.1080/09639284.2013.765292

Poindexter, S. (2003). The case of holistic learning. *Change, 35*(1), 24-31. https://doi.org/10.1080/00091380309604741

Rasch, D., Kubinger, K. D. & Moder, K. (2011). The two-sample t test: Pre-testing its assumptions does not pay off. *Statistical Papers, 52*, 219-231.

Tucker, R. & Morris, G. (2012). By design: negotiating flexible learning in the built environment discipline. *Research in Learning Technology, 20*, 1-15.

Van den Brande, L. (1993). *Flexible and distance learning.* John Wiley: Chichester, UK.

Wanner, T. & Palmer, E. (2015). Personalising learning: Exploring student and teachers perceptions about flexible learning and assessment in flipped university course. *Computers and Education, 88*, 354-369.

Welters, R., Lewthwaite, B., Thomas, J. & Wilson, K. (2019). Re-engaged students' perceptions of mainstream and flexible learning environments – a 'semi-quantitative' approach. *International Journal of Inclusive Education, 17*, 1-17. https://doi.org/10.1080/13603116.2018.1447613

Autorinnen/Autoren

 Dr. Martina FELDHAMMER-KAHR ‖ Universität Graz, Institut für Psychologie ‖ Universitätsplatz 2, A-8010 Graz

https://psychologie.uni-graz.at/de/psychologische-diagnostik-und-methodik/team/

martina.feldhammer@uni-graz.at

 Dr. Stefan DREISIEBNER ‖ Universität Hildesheim, Institut für Informationswissenschaft und Sprachtechnologie ‖ Lübecker Str. 3, D-31141 Hildesheim

www.uni-hildesheim.de/fb3/institute/iwist/mitglieder/

dreisiebner@uni-hildesheim.de

Univ.-Prof. Dr. Manuela PAECHTER || Universität Graz, Institut für Psychologie || Strassoldogasse 10/II, A-8010 Graz

https://psychologie.uni-graz.at/de/paedagogische-psychologie/

manuela.paechter@uni-graz.at

 Dr. Markus SOMMER || Universität Graz, Institut für Psychologie || Universitätsplatz 2, A-8010 Graz

https://psychologie.uni-graz.at/de/psychologische-diagnostik-und-methodik/team/

markus.sommer@uni-graz.at

 Univ.-Prof. Dr. Martin ARENDASY || Universität Graz, Institut für Psychologie || Universitätsplatz 2, A-8010 Graz

https://psychologie.uni-graz.at/de/psychologische-diagnostik-und-methodik/team/

martin.arendasy@uni-graz.at

Barbara NEUNTEUFL[1], Julia DOHR, Franziska CHEN &
Julia SPÖRK (Wien)

Digitale Maßnahmen zur Flexibilisierung des Lernens an der Wirtschaftsuniversität Wien

Zusammenfassung

An der Wirtschaftsuniversität Wien (WU) werden bereits verschiedene digitale Maßnahmen gesetzt, um die Flexibilisierung von Lernen zu unterstützen. In diesem Werkstattbericht wird gezeigt, inwiefern diese Maßnahmen die Bedürfnisse der Studierenden hinsichtlich flexiblen Lernens aufgreifen. Die Daten aus den WU-Studierendenbefragungen zur Studienmitte wurden quantitativ und qualitativ ausgewertet, um die Bedürfnisse der Studierenden darzustellen und mit den individuellen Lebenskontexten der Studierenden zu analysieren. Die Ergebnisse dieser Untersuchung werden mit den Maßnahmen an der WU in Bezug gesetzt und zeigen ein aktuelles Bild zur Förderung flexiblen Lernens an der WU.

Schlüsselwörter

Flexibilisierung, Flexibles Lernen, digitales Lernen, digitale Maßnahmen, Bedürfnisse

---

[1] E-Mail: barbara.neunteufl@wu.ac.at

Werkstattbericht · DOI: 10.3217/zfhe-14-03/03

Barbara Neunteufl, Julia Dohr, Franziska Chen & Julia Spörk

Digital initiatives for promoting flexible learning at the Vienna University of Economics and Business

Abstract

The Vienna University of Economics and Business (WU) deploys various digital initiatives to support flexible learning approaches. This paper shows the extent to which these activities address the requirements of students concerning flexible learning. The data from the WU Student Survey on Mid-Term Studies were evaluated quantitatively and qualitatively to discover the needs of the students and to analyse them within the life contexts of the individual students. The results of this study are compared with the actions currently taken by WU to provide an up-to-date picture of the promotion of flexible learning at WU.

Keywords

flexible learning, digital learning, digital initiatives, requirements

1 Flexibilisierung an der Hochschule

Universitäten stehen aktuell vor der Herausforderung das universitäre Hochschulsystem mit den Bedürfnissen und den individuellen Lebenskontexten der Studierenden abzustimmen. Diese Anforderungen an die Universitäten resultieren aus den veränderten Lebensumständen der Studierenden. Neben dem Studium sind Studierende bspw. immer öfters berufstätig (ZAUSSINGER et al., 2016). Das Studium an den Universitäten ist noch stark an Vollzeitstudierende ausgelegt und stimmt mit der studentischen Lebenswelt mittlerweile wenig überein. Von Universitäten wird mehr Flexibilisierung erwartet, damit sie diesen veränderten Ansprüchen der Zielgruppe gerecht werden können (DER STANDARD, 2018). Die Idee der Flexibilisierung ist in den Diskussionen um Bildung im Allgemeinen nicht neu, wird aber derzeit durch den Trend der Digitalisierung wieder diskutiert, so auch in der tertiären Bildung. Auf Ebene der Organisation sollen Flexibilisierungsmaßnahmen dazu beitragen, die Prüfungsaktivität von Studierenden zu steigern (COLLIS & MOO-

NEN, 2011). Viele Hochschulen haben daher „Flexibilisierung" in ihrer Strategie fest verankert. Auf Ebene der Lehrveranstaltungen (LVs) kann Flexibilisierung Freiräume für die Präsenzlehre schaffen z. B. durch neue Kursformate (VAN ACKEREN et al., 2017). Auf der Ebene der Individuen bedeutet Flexibilisierung für Studierende eine Anpassung des Lernens an ihre Bedürfnisse und individuellen Lebenskontext (HANDKE, 2017). Für Lehrende ist Flexibilisierung die Bereitstellung von flexiblen Lerndesigns, damit Studierende jene Anpassung individuell vornehmen können.

In der Literatur finden sich unterschiedliche Konzepte dazu, auf welchen Dimensionen die Flexibilisierung des Lernens anzusetzen sei (DE BOER & COLLIS, 2005). Im Folgenden wird der Fokus auf vier Dimensionen „Ort", „Zeit", „Inhalt" und „Methode" gelegt, die als Überkategorien den meisten Einteilungen zugrunde liegen.

Örtliche und zeitliche Flexibilität sind die zentralen Charakteristika flexiblen Lernens. Örtliche Flexibilität bezieht sich auf die Wahl eines bevorzugten Lernortes. Dieser wird über die Zurverfügungstellung digitaler Lernmaterialien ermöglicht, z. B. digitaler Skripte, Selbstlerntests und Erklärvideos (VAN ACKEREN et al., 2017). Zu einem zeitlich flexiblen Lernen gehört, dass Studierende entscheiden, wie lange sie sich mit dem Lernstoff beschäftigen, in welchem Tempo und wie oft sie Inhalte wiederholen möchten (DE BOER & COLLIS, 2005). Dies wird u. a. über großzügige Zeitvorgaben und die Abwesenheit zeitlicher Restriktionen bei digitalen Lernpfaden und Online-Lernumgebungen erwirkt.

Bei der *inhaltlichen Flexibilität* geht es um eine größere Wahlfreiheit von Lerninhalten innerhalb von LVs (VAN ACKEREN et al., 2017). Lehrende können im Rahmen der im Curriculum festgelegten Lernziele inhaltliche Schwerpunkte setzen und weiterführendes Material anbieten. Für Studierende bedeutet inhaltliche Flexibilität, dass sie Inhalte interessensgesteuert und nach individuellen Kompetenzen auswählen können.

Die *methodische Flexibilität* betrifft die Wahlfreiheit der Lernformate. Lehrende können ihre LVs methodisch flexibel ausgestalten, solange dies im Einklang mit der Prüfungsordnung geschieht. Für Studierende eröffnet sich eine methodische Flexibilität, aus der sie je nach individuellem Lernverhalten auswählen können (DE BOER & COLLIS, 2005).

2 Methodisches Vorgehen und Ergebnisse

In dieser Publikation wird untersucht, welche Bedürfnisse WU-Studierende hinsichtlich flexiblen Lernens haben und inwiefern diese Bedürfnisse mit den individuellen Lebenskontexten der Studierenden in Verbindung stehen. Zur Beantwortung dieser Fragen wurden auf Daten der Studierendenbefragungen zur Studienmitte des Bachelorstudiums (70 bis 120 erreichte ECTS) zurückgegriffen, die laufend im Rahmen des WU Student Panel Monitorings erhoben werden. Für die Analyse wurden die Daten der Jahre 2015 bis 2018 (N = 4.967) ausgewählt, um aktuelle Entwicklungen in Bezug auf flexibles Lernen ermitteln zu können.

Im quantitativen Teil der Analyse wurde die Art der Prüfungsvorbereitung mit LVs, Erwerbstätigkeit und Alter verglichen. Dabei wurden die Annahmen überprüft, ob berufstätige Studierende zur Vereinbarkeit von Studium und Beruf von flexiblem Lehrangebot profitieren und ob „Digital Natives" [2] (nach 1980 geborene Studierende) (HANDKE, 2017, S. 21f.) eher mit digitalen Tools lernen. Bei der qualitativ-inhaltsanalytischen Auswertung wurden die Antworten auf offene Fragen einem mehrfachen Filterprozess unterzogen. Zuerst wurden jene Fragen ausgewählt, die sich auf (digital gestütztes) Lernen beziehen. Danach wurde eine Schlagwortsuche nach den Begriffen „Flexibilität" und „flexibel" durchgeführt. Daraus ergaben sich insgesamt 103 Antworten, die in einem weiteren Schritt deduktiv in Kategorien zusammengefasst wurden.

---

[2] Kritik am Konzept „Digital Natives" vgl. SCHULMEISTER (2012).

2.1 Ergebnisse der quantitativen Auswertung

In der Studienbefragung 2016 wurde die Prüfungsvorbereitung für verschiedene LVs explizit in den Fragebogen aufgenommen: Die Studierenden dieser Kohorte wurden gebeten, prozentuale Anteile für die Prüfungsvorbereitung mittels LV-Besuch, LEARN[3], Skripten, Büchern und Mitschriften anzugeben. Die Ergebnisse werden mit der Anzahl der bereitgestellten Lernmaterialien auf LEARN kontextualisiert.

Auffällig ist, dass sich im Schnitt die meisten Studierenden online für Prüfungen vorbereiten. Der Mittelwert liegt bei 48,2 % Nutzung von LEARN zur Prüfungsvorbereitung und variiert je nach LV von 22,2 % bis zu 63,8 %.[4] Vorbereitung mittels Skripten u. Ä. findet in fast allen LVs in ähnlich hohem Ausmaß statt (M = 43,7 %). Beides hängt vom Ausmaß der zur Verfügung gestellten Lernmaterialien ab. Die geringsten Unterschiede zeigen sich beim LV-Besuch: Je mehr Anwesenheitspflicht, desto eher bereiten sich Studierende mittels Besuch der LV auf die Prüfung vor (M = 15,3 %).

Um zu analysieren, wie die Bedürfnisse hinsichtlich flexiblen Lernens mit den individuellen Lebenskontexten der Studierenden in Verbindung stehen, wurden Erwerbstätigkeit und Alter als Einflussfaktoren herangezogen. In den folgenden Abbildungen werden die aggregierten Anteile der Prüfungsvorbereitung über alle LVs verglichen und nach Alter und Erwerbstätigkeit dargestellt.

---

[3] LEARN ist das zentrale Lern- und Informationsportal der WU und steht allen Studierenden und Mitarbeitenden der WU zur Verfügung.

[4] Der Anteil der Onlinenutzung könnte durch die Durchführung der Umfrage auf LEARN nach oben hin verzerrt werden.

Werkstattbericht

Prüfungsvorbereitung nach Alter   **Prüfungsvorbereitung nach Erwerbstätigkeit**

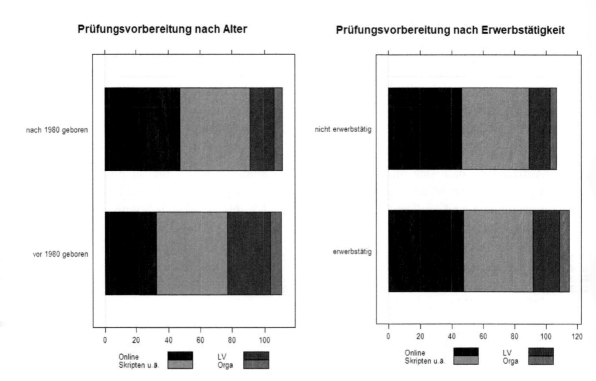

Abb. 1: Prüfungsvorbereitung nach Alter   Abb. 2: Prüfungsvorbereitung
                                                                   nach Erwerbstätigkeit

Tatsächlich zeigt sich, dass das Alter die Art der Prüfungsvorbereitung beeinflusst. Studierende, die vor 1980 geboren sind, nutzen mit 32,6 % LEARN seltener als jene, die nach 1980 geboren sind (47,4 % Nutzung) (Abb. 1). Ältere Studierende bereiten sich hingegen häufiger durch den LV-Besuch auf Prüfungen vor (26 % im Vergleich zu 15 %). Bei der Vorbereitung mittels Skripten u. Ä. besteht kein Unterschied, beide Gruppen nutzen zu etwa 44 % analoge Medien. Erwerbstätigkeit hat keinen Einfluss auf die Nutzung digitaler Tools zur Prüfungsvorbereitung (Abb. 2). Für die jüngeren Studierenden, die den Großteil der Befragten ausmachen, dürften daher andere Faktoren als die Erwerbstätigkeit – wie v. a. die Bereitstellung von digitalen Inhalten und Materialen – die Nutzung der Online-Lernumgebung beeinflussen.

2.2 Ergebnisse der qualitativen Auswertung

Im Folgenden werden die Ergebnisse nach den Kategorien „Organisation", „Inhalt", „Didaktik" sowie „Ortsunabhängigkeit" dargestellt.

Äußerungen wurden der Kategorie *Organisation* zugeordnet, wenn das Bedürfnis der Studierenden nach einem offenen Umgang des LV-Angebots im Vordergrund stand. Hinsichtlich flexibler Organisation erwähnen Studierende häufig ein zu knappes Platzangebot in LVs. Als Folge wird die LV-Anmeldung als Stressfaktor empfunden: *„Was mich am meisten ärgert, ist, dass man manchmal nicht in die Kurse kommt [...]. Ich bin zeitlich sehr unflexibel und daher komme ich teilweise noch langsamer voran als sowieso schon".* Zusätzlich wünschen sich Studierende eine seltenere zeitliche Überschneidung von LVs sowie – insbesondere erwerbstätige Studierende – mehr Wahlmöglichkeiten oder ein vermehrtes Angebot von LVs an Tagesrandzeiten.

Unter der Kategorie *Inhalt* wünschen sich Studierende einerseits inhaltliche Wahlfreiheit, um inhaltliche Schwerpunkte individuell wählen zu können: *„Fokus weg von ‚verschulten' Studienplänen hin zu mehr Flexibilität und Eigenverantwortung im Studium".* Andererseits plädieren sie für eine Aktualität und Praxisorientierung des Lernstoffs, welche mithilfe praktischer Übungen zu tagesaktuellen Ereignissen gewährt werden könne. Dabei wird eine ausgebaute Online-Lernumgebung als ein möglicher Lösungsvorschlag genannt.

Neben Inhalten wird eine Variation der didaktischen Methoden in LVs gewünscht, welche in der Analyse unter der Kategorie *Didaktik* zusammengefasst wird. Besonders kleinere Gruppenformate werden zur Förderung des Kontaktes zu den Lehrenden und Mitstudierenden sowie zur aktiven Beteiligung in den Präsenzeinheiten angesprochen. Dabei sollten aus Sicht der Studierenden Präsenz- und Online-Phasen variieren. Sie wünschen sich eine didaktisch aufbereitete Online-

Lernumgebung, welche die Kontextualisierung der Lernmaterialien sowie die Einbindung von Multimedien aufweist. Positiv hervorgehoben wurden das Online-Angebot der Übungsfragen und Musterklausuren zur Prüfungsvorbereitung: *„Mittels Kontrollfragen und Musterklausuren kann man durch die Lernplattform zeitlich flexibel lernen, da man die Prüfungen auch von daheim vorbereiten kann"*.

Die Kategorie *Ortsunabhängigkeit* bezieht sich auf das Bedürfnis, ortsunabhängig mitzuarbeiten, zu lernen und sich für Prüfungen vorzubereiten. Zusätzlich wünschen sie sich die Möglichkeit *„von zuhause aus die LV besuchen"* zu können und geben Vorlesungsaufzeichnungen an: *„Positiv sind Lecturecasts auf LEARN, die einem die Möglichkeit geben, von zuhause aus flexibel die LVs zu besuchen"*. Ortsunabhängiges Mitarbeiten soll gefördert werden, indem Lehrende Online-Aktivitäten anbieten, bei denen Leistungen erbracht werden können.

3   Flexibilisierung an der WU

Die Bereitstellung eines Lernmanagementsystems stellt an der WU – wie an vielen anderen Hochschulen – eine Maßnahme zur Flexibilisierung des Lernens dar. Wie bereits beschrieben, nutzen rund die Hälfte der Befragten das Lern- und Informationsportal LEARN zur Prüfungsvorbereitung. Die qualitative Auswertung zeigte, dass Studierende LEARN häufig in Zusammenhang mit flexiblen Lernen nennen. Da die alleinige Bereitstellung des Portals als Flexibilisierungsmaßnahme zu kurz greifen würde, werden nun unterschiedliche Szenarien mit LEARN beschrieben, die zur Flexibilisierung des Lernens an der WU eingesetzt werden.

Eine Besonderheit bei LEARN stellt das hohe Ausmaß des Angebots von vielfältigen Lernmaterialien in allen LVs der Studieneingangsphase und größtenteils im Hauptstudium dar, was inhaltliche Flexibilität ermöglicht. Lehrende bieten Studierenden zu bestimmten Schwerpunkten vertiefendes Lernmaterial, damit diese ihren eigenen Interessen und Stärken nachgehen können. Unterstützt werden die Lehrenden durch zusätzliches Personal in Form von E-Assistentinnen/-Assistenten. Durch die vermehrte Einbindung multimedialer Lernmaterialien zu aktuellen Ereignissen wird auf die Bedürfnisse der Studierenden nach Aktualität und Praxisorientierung reagiert.

Um die Fülle an Lernmaterialien zu kontextualisieren, wurden an der WU Strukturvorlagen auf LEARN implementiert, die es den Lehrenden ermöglichen, Lernmaterialien im Sinne eines mediendidaktischen Gesamtkonzeptes zu erstellen, sodass sie die einzelnen Materialien inhaltlich strukturieren und so sequenzieren, dass eine Abwechslung von Input und Aktivität besteht. Den Studierenden wird eine Orientierung für eine Lernstrategie gegeben, die dennoch an die eigenen Bedürfnisse angepasst werden kann.

Die Tatsache, dass die Hälfte der Befragten LEARN zur Prüfungsvorbereitung nutzt, liegt auch in der Implementierung von Musterklausuren begründet. Musterklausuren simulieren reale Prüfungssituationen, indem Studierende eine Online-Klausur innerhalb einer bestimmten Prüfungszeit absolvieren sowie ein automatisiertes Feedback und eine fiktive Benotung erhalten.

Neben der Bereitstellung von Lernmaterialien werden an der WU auch Online-Repetitorien angeboten. Die Inhaltsvermittlung findet über ein von den Lehrenden vorab aufgenommenes Video statt. Die Kommunikation zwischen Lehrenden und Studierenden erfolgt durch einen Chat. Dies bietet gerade für erwerbstätige Studierenden oder jenen mit Betreuungs- oder Pflegeverpflichtungen eine hohe örtliche Flexibilität. Ein weiteres Angebot für ortsungebundene Kommunikation sind Online-Sprechstunden via Chat, die neben den persönlichen Sprechstunden angeboten werden. Anknüpfend an den Wunsch der Studierenden, LVs von zuhause besuchen zu können, wurden an der WU Initiativen gestartet, die Infrastruktur der Hörsäle hinsichtlich der LV-Aufzeichnung zu optimieren, um Web-Streamings zu ermöglichen. Mit Hilfe eines begleitenden Chats während der Präsenzeinheit werden Studierende angeregt, sich interaktiv an der LV zu beteiligen. Lehrenden, die dieses Format nutzen, werden meist E-Assistentinnen/-Assistenten zugesprochen, die die Chatanfragen sortieren und priorisieren. 2018 wurde beim Ausbau des Web-Streamings auf eine userfreundliche Bedienung der Hardware geachtet, die durch eine automatische Aufzeichnung und LV-Zuordnung per Knopfdruck sowie eine einfache Bearbeitung der Videos für Lehrende gewährt wird. Das Web-Streaming stellt eine weitere Maßnahme dar, die das Ziel hat, dem Bedürfnis der örtlichen Flexibilisierung der Prüfungsvorbereitung der Studierenden – welche nicht zuletzt durch den hohen Anteil der Nutzung von LEARN evident wird – entgegenzukommen.

Durch den Ausbau der Hörsaaltechnologie wurden Lehrende angeregt, Aufnahmen außerhalb der Präsenzeinheiten durchzuführen und diese als Online-Lernmaterial den Studierenden anzubieten. Der Frontalvortrag zur Wissensvermittlung wird in die Online-Phasen verschoben und interaktive Formate werden in den Präsenzeinheiten angeboten. Dabei bietet die Integration digitaler Tools, wie zum Beispiel Student Response Systems oder interaktive Whiteboards, neben klassischen didaktischen Methoden neue Möglichkeiten der studentischen Aktivierung. Lehrende werden in Qualifizierungs- und Coachingmaßnahmen medienpädagogisch beim Einsatz solcher Tools in der Lehre unterstützt. Durch die Methodenvielfalt in ihrer LV können sie das Interesse der Studierenden anregen und individuelle Bedürfnisse berücksichtigen. Dies ermöglicht eine methodische Flexibilisierung für Studierende im Sinne der Analysekategorie „Didaktik": Hier wurde deutlich, dass sich Studierende Aktivierung und vielseitig didaktisch aufbereitete LVs wünschen.

Eine Initiative, die eine Flexibilisierung des Studiums auf allen Ebenen der WU schaffen soll, sind LVs im Blended-Learning-Format. Ab Wintersemester 2019/20 können LVs zwischen 30 % und max. 50 % der Präsenzstunden reduzieren und durch Online-Phasen ersetzen. Durch angeleitete Online-Phasen soll das eigenständige und selbstverantwortliche Lernen unterstützt werden. Die zentralen Elemente von Blended Learning – die Aktivierung der Studierenden und die Anleitung der Lernprozesse – sollen den aktiven Wissenserwerb fördern, zur vertieften Auseinandersetzung mit den Inhalten führen und sich in einer erhöhten Prüfungsaktivität niederschlagen. Die Auslagerung der Wissensaneignung bestimmter Lerninhalte in Online-Phasen erhöht jene verfügbare Zeit im Hörsaal, die für interaktive Formate und Vertiefungen verwendet werden kann. Damit möchte die WU ihren Studierenden eine größere zeitliche und örtliche Flexibilität im Studium ermöglichen und zeitgemäße Lernformen anbieten.

4 Fazit

Das Ziel dieses Beitrags war es, verschiedene Bedürfnisse der Studierenden an der WU hinsichtlich flexiblen Lernens aufzuzeigen und mit ihren individuellen Lebenskontexten in Verbindung zu setzen. Digitale Lernmaterialien werden insbesondere von Studierenden der Jahrgänge nach 1980 zur Prüfungsvorbereitung genutzt. Dabei wird die Nutzung nicht – wie vermutet – von der Erwerbstätigkeit beeinflusst, sondern kann auf Faktoren wie der strukturierten Bereitstellung digitaler Materialen in der Online-Lernumgebung zurückgeführt werden. Die qualitativen Ergebnisse zeigen, dass sich Studierende ein zunehmend ortsunabhängiges Studieren mit flexibler Organisation hinsichtlich LV-Angebot und Wahlmöglichkeiten von Lerninhalten sowie Methoden wünschen. Die WU geht bereits durch verschiedene Maßnahmen im Rahmen der digital gestützten Lehre auf diese Bedürfnisse ihrer Studierenden ein. Dabei können besonders der Ausbau und die Weiterentwicklung des Lern- und Informationsportals LEARN, die Hörsaaltechnologie sowie die Einführung des Blended-Learning-Formats hervorgehoben werden. Das dazugehörige breite mediendidaktische Unterstützungsangebot durch Qualifizierungsmaßnahmen und Coachings für Lehrende der WU, das sich an den Herausforderungen der Flexibilisierung der Lehre orientiert, wirkt ebenso förderlich auf die Flexibilisierung des Lernens. Zusätzlich werden in Rahmen von Förderprogrammen mediendidaktische Projekte an der WU durch E-Assistentinnen/-Assistenten unterstützt.

Die Erkenntnisse des vorliegenden Artikels werden zur Weiterentwicklung digitaler Flexibilisierungsmaßnahmen an der WU herangezogen, um das Studium mit der sich stetig verändernden Lebenswelt der Studierenden laufend abzustimmen.

5   Literaturverzeichnis

Collis, B. & Moonen, J. (2011). Flexibility in Higher Education: Revisiting Expectations. *Scientific Journal of Media Literacy, 37*(9), 15-24.

De Boer, W. & Collis, B. (2005). Becoming more systematic about flexible learning: beyond time and distance. *Research in Learning Technology, 13*(1), 33-48.

DerStandard (2018). *Weniger Vollzeitstudierende: Hochschulen wollen flexibler werden.* 20. September 2018, 10:30. https://derstandard.at/2000087722601/Weniger-Vollzeitstudierende-Hochschulen-wollen-flexibler-werden, Stand vom 11. Juni 2019.

Handke, J. (2017). *Handbuch Hochschullehre Digital. Leitfaden für eine moderne und mediengerechte Lehre.* Baden-Baden: Tectum.

Schulmeister, R. (2012). Vom Mythos der Digital Natives und der Net Generation. *BiBB Berufsbildung in Wissenschaft und Praxis, 3*, 42-46.

van Ackeren, I., Bilo, A., Blotevogel, U., Gollan, H., Heinrich, S., Hintze, P., Liebscher, J. & Petschenka, A. (2017). Vom Strategiekonzept zur Entwicklung der Lehr-/Lernkultur? Ein Überblick über bisherige Rahmenbedingungen und Maßnahmen der E-Learning-Strategie. In I. van Ackeren, M. Kerres & S. Heinrich (Hrsg.), *Flexibles Lernen mit digitalen Medien. Strategische Verankerung und Handlungsfelder an der Universität Duisburg-Essen* (S. 35-56). Münster: Waxmann.

Zaussinger, S., Unger, M. , Thaler, B., Dibiasi, A., Grabher, A., Terzieva, B., Binder, D., Brenner, J., Litofcenko, J., Stjepanovic, S., Mathä, P. & Kulhanek, A. (2016). *Studierenden-Sozialerhebung 2015. Bericht zur sozialen Lage der Studierenden, Band 2: Studierende.* Wien: IHS.

Autorinnen

Mag. Barbara NEUNTEUFL || Wirtschaftsuniversität Wien,
Digital Teaching Services || Welthandelsplatz 1, A-1020 Wien

www.wu.ac.at

barbara.neunteufl@wu.ac.at

Dr.in Julia DOHR || Wirtschaftsuniversität Wien, Digital Teaching
Services || Welthandelsplatz 1, A-1020 Wien

www.wu.ac.at

julia.dohr@wu.ac.at

Mag. Franziska CHEN || Wirtschaftsuniversität Wien,
Digital Teaching Services || Welthandelsplatz 1, A-1020 Wien

www.wu.ac.at

franziska.chen@wu.ac.at

Mag. Julia SPÖRK || Wirtschaftsuniversität Wien, Evaluierung &
Qualitätsentwicklung || Welthandelsplatz 1, A-1020 Wien

www.wu.ac.at

julia.spörk@wu.ac.at

Sebastian VOGT[1] & Cornelia EUBE (Friedberg)

The tiniest seed in the right situation: Flexibles Lernen in der Studieneingangsphase

Zusammenfassung

Flexible Lernangebote im Studium sind ein Ansatz, um auf sich ändernde, heterogene (Bildungs-)Biographien und Lebenssituationen von Studierenden zu reagieren. Darüberhinaus fordern und fördern sie personale Kompetenzen, die ein lebenslanges Lernen als Teil der Zukunftskompetenzen unterstützen. Dies qualifiziert für eine nachhaltige Partizipation in sich ständig weiterentwickelnden, agilen Arbeitsprozessen. Wie personale Kompetenzen in der Studieneingangsphase durch den Einsatz von flexiblen Elementen angebahnt werden, wird anhand von drei Modulen im Schwerpunkt audiovisuelle Medienproduktion des Studiengangs Medieninformatik, B.Sc. an der TH Mittelhessen dargestellt und diskutiert.

Schlüsselwörter

Studieneingangsphase, flexibles Lernen, Zukunftskompetenzen, selbstgesteuertes Lernen, audiovisuelle Medienproduktion

---

[1] E-Mail: sebastian.vogt@iem.thm.de

Werkstattbericht · DOI: 10.3217/zfhe-14-03/04

The tiniest seed in the right situation: flexible learning during the introductory study phase

Abstract

In the context of degree programmes, flexible learning offers an approach to adapt to the various and constantly changing educational backgrounds and life situations of students. Moreover, flexible learning strategies promote and encourage the development of the personal competences needed to foster lifelong learning as a part of future skills. This prepares individuals for long-term participation in constantly advancing agile work processes. This workshop report, based on the Media Computer Science B.Sc. programme at TH Mittelhessen University of Applied Sciences, describes and discusses how these skills can be fostered by using flexible elements during the introductory phase of a study programme on audiovisual media production.

Keywords

introductory phase of study, flexible learning, future skills, self-regulated learning, audiovisual media production

1 Einleitung

Flexible Lernangebote im Studium sind ein Ansatz, um auf sich ändernde, hetero-gene (Bildungs-)Biographien und Lebenssituationen von Studierenden zu reagie-ren. Zugleich wird hiermit das Konzept des lebenslangen Lernens unterstützt (DE BOER & COLLIS, 2005). Flexibles Lernen ist aber auch voraussetzungsvoll. Es erfordert von Studierenden Kompetenzen wie Selbstmanagement, Eigeninitiative und autonomes Lernen mit unterschiedlichen Lernangeboten. Diese personalen Kompetenzen müssen entwickelt und individuell ausdifferenziert werden. Sie kön-nen nach einer primären schulischen Sozialisation nicht als gegeben angesehen werden. Daher steht im Mittelpunkt dieses Werkstattberichts die Frage, wie in der Studieneingangsphase durch Elemente des flexiblen Lernens die o. g. personalen

Kompetenzen gefördert werden können (2). Dies wird am Beispiel von drei Modulen mit dem Schwerpunkt audiovisuelle Medienproduktion im Studiengang Medieninformatik, B.Sc. an der TH Mittelhessen dargestellt und diskutiert (3). Mit einem Fazit und Ausblick (4) schließt der Werkstattbericht ab.

2 Flexibles Lernen in der hochschulischen Bildung – Potenziale und Herausforderungen

Studienangebote an Hochschulen richten sich zunehmend an heterogene und auch nicht-traditionelle Studierende. Sowohl die individuellen (Lern-)Biographie als auch Verpflichtungen neben dem Studium sind hier relevant. Flexibles Lernen bedeutet u. a., dass auf den Makroebenen der Bildungssysteme Anerkennungssysteme für erworbene Kompetenzen etabliert sind sowie auf den Mesoebenen der Hochschulen durch geeignete Programme die Bedarfe nicht-traditioneller Studierenden berücksichtigt werden (HEA, 2015). Auf den Mikroebenen eröffnet flexibles Lernen den Studierenden Wahlmöglichkeiten, wie, wo, wann, womit und was sie lernen (COLLIS & MOONEN, 2011). Damit wird bspw. auf unterschiedliche Vorerfahrungen und Kompetenzen, auf diverse Lebens- und Arbeitssituationen sowie auf individuelle Lernerfahrungen eingegangen (EUBE & VOGT, 2016). In diesem Werkstattbericht wird auf die Mikroebene fokussiert.

Eine Wahl bezüglich des individuellen Lernweges zu haben, bedeutet einerseits, sich aktiv für Lernsituationen und -angebote zu entscheiden, und andererseits, sich selbstgesteuert die Zeit für das Lernen zu nehmen. Flexibles Lernen setzt Selbstmanagement und Reflexivität bezüglich des eigenen Arbeitens und autonomes Lernen mit unterschiedlichen Lernangeboten voraus. Auch Lernen in unterschiedlichen Kontexten und mit unterschiedlichen medialen Artefakten ist Voraussetzung für ein erfolgreiches flexibles Lernen.

Studierende sind zu Beginn ihres Studiums oft nicht darauf vorbereitet, selbstregu-liert zu lernen (IWAMOTO, HARGIS, BORDNER & CHANDLER, 2017). Ihre primäre schulische Sozialisation steht dem häufig entgegen. Somit ist eine Aufgabe für ein Konzept von flexiblen Lernangeboten, Studierende beim Erwerb dieser oft nicht hoch ausdifferenzierten personalen Kompetenzen zu unterstützen. Dazu müs-sen neue positive Lernerfahrungen durch vielfältige Lernangebote und -situationen ermöglicht werden. Nur im Rahmen solcher unterstützenden Angebote können Studierenden zunehmend selbstverantwortlich ihre individuellen Lernwege ausge-stalten.

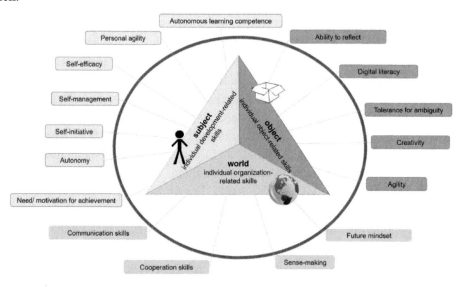

Abb. 1: Differenzierung von Zukunftskompetenzen nach EHLERS und KELLERMANN (2019, S. 3)

Auf der anderen Seite besteht an Studienangebote der gesellschaftliche Anspruch, dass sie sich an den Anforderungen einer zukünftigen Arbeitswelt, die durch schnelle (technologische) Transformation(en) und häufige Unbestimmtheit der Aufgaben geprägt ist, orientieren und darauf vorbereiten soll(t)en. CASTELLS spricht im Kontext der Netzwerkgesellschaft von notwendigen informationellen

Kompetenzen, der „Fähigkeit, sich selbst zu schulen und sich an neue Aufgaben, neue Prozesse und neue Informationsquellen anzupassen [..]" (2001, S. 429). Hier rückt primär die individuelle Ausdifferenzierung von Zukunftskompetenzen (siehe für einen Überblick die Abb. 1 von EHLERS & KELLERMANN (2019)) in den Mittelpunkt.

Flexible Lernangebote im Studium werden nicht nur den Bedarfen der Studierenden durch ein erhöhtes Maß an Flexibilität gerecht, sondern sie können bereits im Studium diese personalen (Zukunfts-)Kompetenzen fordern und fördern, wie an Hand des folgenden Beispiels verdeutlicht wird.

3 Flexible Elemente in einer Studieneingangsphase

Im Studiengang Medieninformatik, B.Sc. der TH Mittelhessen sind flexible Elemente in drei Modulen des Schwerpunktes audiovisuelle Medienproduktion im ersten Fachsemester integriert. Nach einer kurzen Vorstellung der Module (3.1) werden einzelne Elemente des flexiblen Lernens unter dem Gesichtspunkt der individuellen Kompetenzentwicklung diskutiert (3.2).

3.1 Module der Studieneingangsphase

Abb. 2 zeigt im Überblick das (medien-)didaktische Design der Module „Audiovisuelle Medien I: Studiotechnik" (Kurzform: Studiotechnik), „Audiovisuelle Medien I: Studioproduktion" (Kurzform: Studioproduktion) und „Mediengestaltung I: Bewegtbild und Ton" (Kurzform: Mediengestaltung).

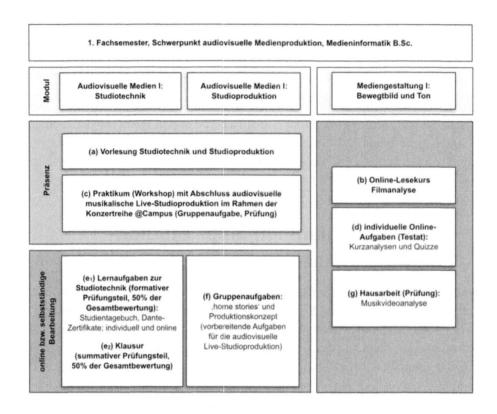

Abb. 2: Drei Module der Studieneingangsphase im Überblick

Die Module „Studiotechnik" und „Studioproduktion" legen die Grundlagen für eine am Ende des ersten Fachsemesters von den Studierenden in Gruppen durchzuführende audiovisuelle musikalische Live-Studioproduktion im Rahmen der Konzertreihe @Campus. Hierbei sind Präsenzvorlesungen (a) und Praktikum (c) mit (online) zu bearbeitenden Lernaufgaben (e₁) sowie eigenständigen Gruppenarbeiten (f) verknüpft. Entsprechend dem Ansatz des Seamless Learning (WONG, 2012) sind die Elemente der Module nicht nur untereinander, sondern auch mit der außerhochschulischen Lebenswelt der Studierenden verzahnt: Ziel des Praktikums

(Workshop) ist eine Live-Studioproduktion einer Künstlerin/eines Künstlers bzw. einer Band in Form eines 30-minütigen Live-Streams via YouTube (Prüfungsaufgabe, siehe als Beispiel GELARDO, HÜTTER & RUPP, 2019). Der musikalische ‚act' wird von den Studierenden selbst gewählt. In den Gruppenaufgaben (f) werden die Künstler/innen textlich, fotographisch und in Form von Kurzfilmen in Blogbeiträgen vorgestellt (‚home stories'), die spezifischen Anforderungen für den Auftritt geklärt sowie daraus das Produktionskonzept in Präsenz- und Onlinephasen (u. a. via Slack, Discord, Moodle) entwickelt. Parallel hierzu wird die relevante Studiotechnik in der Vorlesung (a) sowie in individuell zu führenden Studientagebucheinträgen auf theoretischer Ebene (e_1) erarbeitet (formativer Prüfungsteil) und im Praktikum (c) angewendet sowie in einer Klausur (e_2) geprüft.

In dem Modul „Mediengestaltung" lernen Studierende die gestalterischen Mittel audiovisueller Artefakte zu analysieren und im Kontext der Kommunikationsfunktion von Film- und Fernsehproduktionen zu interpretieren. Die theoretischen Inhalte erarbeiten sich die Studierenden anhand von Fachliteratur. Dies wird durch einen Online-Lesekurs via Moodle begleitet (b). Die Anwendung wird durch kurze Filmanalysen geübt (d). Die Prüfung ist eine Hausarbeit (g), in der selbstgewählte Musikvideos wissenschaftlich analysiert werden.

3.2 Flexible Elemente und Implikationen für personale Kompetenzentwicklung

Der (medien-)didaktische Ansatz der Module integriert Elemente des flexiblen Lernens. Diese werden nachfolgend beschrieben und die damit verknüpften angebahnten personalen Kompetenzen sowie Erfahrungen herausgearbeitet.

3.2.1 Flexibel entscheiden, wie, wo und wann gelernt wird

Das Modul „Mediengestaltung" wird ausschließlich online in einem Moodle-Kurs und mit Hilfe von (digital verfügbaren) Fachliteratur unterrichtet. Die Studierenden können hier selbst wählen, wann und wo sie lernen: Die anspruchsvolle Fachliteratur in dem Online-Lesekurs (b) wird selbstständig erarbeitet. Ein Rahmen von wöchentlich zu bearbeitenden Lernaufgaben für ein Testat sowie freiwilligen Diskussionen in Foren und Quizze zur Lernstandskontrolle fordert und fördert das eigenständige Lernen (b). Ausführliches Feedback zu den einzelnen Lernaufgaben begleitet den Lernprozess. Auf diese Weise erhalten die Studierende das notwendige ‚scaffolding' in einer ersten Annäherung an selbstgesteuertes Lernen (MERRIËN-BOER & KIRSCHNER, 2018).

In dem Modul kann eine gute Kompetenzentwicklung im Bereich der wissenschaftlichen Filmanalyse sowie Schreibkompetenzen beobachtet werden. Dies zeigt deutlich die Qualität der wissenschaftlichen Hausarbeiten (g). Einige Studierende scheitern zunächst an mangelndem Selbstmanagement. Bei der Wiederholung des Moduls zeichnen sie sich durch eine deutlich bessere zeitliche Kontrolle über ihr Lernen und intensivere Bearbeitung aus.

Eine erste explorative Befragung der Studierenden (n=31) zeigt weiterhin, dass der Online-Lesekurs (b) die Studierenden nicht überfordert und sie vor allem die (verpflichtende) zeitliche Struktur des Online-Lesekurses als hilfreich beim regelmäßigen Arbeiten einstufen.

Im Online-Lesekurs (b) wird die Fachliteratur selbstständig erarbeitet. Es ist für viele Studierende ungewohnt, autonom zu lernen: „Am Anfang fand ich das Buch von Mikos [Anmerkung: Standardwerk zum Thema Filmanalyse] zu schwierig geschrieben. Aber wenn man jede Woche damit konfrontiert wurde, hat man sich an den Schreibstil und die Fachsprache gewöhnt und dann hat das Lesen sogar ein wenig Spaß gemacht" (Zitat aus der Rückmeldung eines Studierenden). Diese positive Erfahrung mit autonomen Lernen zeigt eine gute Kompetenzentwicklung.

In den Lernaufgaben zur Studiotechnik (e_1) wird das Studiotagebuch sowie das Dante-Zertifikat (ausführlicher in 3.2.2) ebenfalls online bearbeitet. Auch hier können die Studierenden wählen, wann und wo sie lernen und teilweise auch, welche Quellen sie verwenden. Sie zeigen hier ebenfalls einen guten Kompetenzerwerb die Aufgaben werden mit geringem ‚drop out' durchschnittlich betrachtet befriedigend von den Studierenden bestanden.

Einzig in dem klassisch durch Vorlesung unterrichteten Teil des Moduls, der durch eine Klausur (e_2) geprüft wird, sind die Ergebnisse hingegen noch nicht zufriedenstellend: Nur knapp die Hälfte der Studierenden kann ausreichend in Prüfungssituationen theoretisches Wissen und praktische Erfahrungen auf ähnliche Gegenstände anwenden.

3.2.2 Kompetenzerwerb außerhalb des hochschulischen Kontext

Die Studierenden erwerben (formell und informell) Kompetenzen außerhalb des hochschulischen Kontexts. Die Anrechnung dieser Kompetenzen erleben sie im Kontext der Module auf zwei Weisen:

Studierende können für die Live-Studioproduktion (c) informell erworbene Kompetenzen, bspw. im Bereich Kameraführung, Tontechnik und Regie, einbringen und so zum Gelingen der Teamarbeit beitragen (siehe 3.2.3). Dies unterstützt die Wahrnehmung von Selbstwirksamkeit und damit die Motivation, autonom Lernanlässe außerhalb eines formellen Kontext wahrzunehmen.

In den online zu erarbeitenden Lernaufgaben (e_1) werden mit Hilfe von einem englischsprachigen, videobasierten Online-Zertifikatsangebot eines externen Anbieters (Dante-Zertifikate, siehe AUDINATE, 2016) die Grundlagen für Toningenieurinnen/-ingenieure relevante Audio-over-IP-Netzwerke gelernt. Das in der Branche sehr bekannte Dante-Zertifikat wird unabhängig von der Hochschule angeboten. Die Studierenden können dieses Zertifikat somit schon nach Abschluss des ersten Semesters in Bewerbungen z. B. im Bereich von Werkstudententätigkeiten nutzen.

Beide Formen des außerhochschulischen Kompetenzerwerbs motivieren dazu, Möglichkeiten des autonomen, lebenslangen Lernens in unterschiedlichen Kontexten wahrzunehmen.

3.2.3 Entscheiden, welche (Lern)Aufgabe übernommen wird

In dem Modul „Studioproduktion" ist eine konstruktive Gruppenaufgaben sowohl für die Lernaufgabe ‚home story', Produktionskonzept (f) und später für den Live-Stream (c) zentral. Dabei übernehmen die Studierenden entsprechend ihrer mitgebrachten Kompetenzen (siehe 3.2.2) unterschiedliche Projektrollen (bspw. über die Produktions- und Aufnahmeleitung, die Ton- und Bildregie bis hin zur ‚stagehand') und differenzieren ihre Kompetenzen in dem jeweils gewählten Bereich (weiter) aus. Auf diese Weise können sie bereits im ersten Semester individuelle Schwerpunkte setzen. Dies bedeutet aber zugleich erhebliche Anforderungen an die Arbeit im Team. Ohne u. a. Teamfähigkeit und Kooperationswille, Verantwortungsbewusstsein und Verlässlichkeit, kommunikative Kompetenz und Projektmanagementkompetenz sowie selbstgesteuertes Lernen und Selbstmanagementkompetenz ist die Produktion von audiovisuellen Artefakten erfolgreich nicht möglich (VOGT, MASCHWITZ & ZAWACKI-RICHTER, 2010).

Des Weiteren zeichnet sich die Medienproduktion dadurch aus, dass Unikate produziert werden und die Produktionsabläufe eine geringe Regelmäßigkeit aufzeigen. Die qualitativen Eigenschaften eines Medienproduktes sind zu Prozessbeginn noch nicht exakt beschreibbar. Durch (kreative) Arbeitsleistungen auf verschiedenen Ebenen ist der Prozess vor dem Beginn wie auch das zu erzeugende mediale Artefakt unscharf. Die Indeterminiertheit des medialen Artefaktes nimmt erst im zeitlichen Verlauf bei positiver Projektentwicklung ab (VOGT, 2012). Brian Eno formuliert das Phänomen der Unschärfe im Kontext von Musikproduktionen wie folgt: „[T]hings come out of nothing. Things envolve out of nothing [...] the tiniest seed in the right situation turns into the most beautiful forest, and then the most promising seed in the wrong situation turns into nothing" (LANOIS, 2008).

Im Verlauf des Semesters werden sehr dynamische Gruppenausdifferenzierungs- und Kommunikationsprozesse beobachtet. Dies liegt u. a. darin begründet, dass zu Beginn häufig die Gruppenaufgaben bzgl. der individuellen Projektrolle und der damit verbundenen Verantwortung, Verbindlichkeit sowie dem ‚Workload' von Studierenden unterschätzt werden. Es kommt oft zu Fehleinschätzung in positiver wie auch in negativer Hinsicht auf der Ebene von vorhandenen Kompetenzen, die individuell eingebracht werden. Daneben ist der Umgang mit Unbestimmtheiten in der Aufgabenbearbeitung ungewohnt, die ‚tolerance for ambiguity' (Abb.1) muss erst gelernt werden. Dieser dynamische Prozess führt zu einer Projektagilität, der man nur mit entsprechenden Kompetenzen begegnen kann. Es ist wichtig, dass die

Studierenden in diesen Prozessen von den Lehrenden durch Termine, in denen sowohl der Stand der Arbeit als auch der Prozesse selbst reflektiert werden, unterstützt werden.

Dass die genannten (über-)fachlichen Kompetenzen von fast alle Studierenden erworben wurden, zeigen die Live-Streams von @Campus als audiovisuelle Kompetenzartefakte.

4   Fazit und Ausblick

Durch flexible Elemente in der Studieneingangsphase können Studierenden nicht nur räumliche und zeitliche Wahlmöglichkeiten eröffnet werden, sondern ihnen begegnen auch verschiedene Lernsituationen und -formen. Sie entwickeln Selbstverantwortung und -steuerung für ihr Lernen, Voraussetzung für ein lebenslanges Lernen, Lernen in Gruppen wird ebenso gefördert wie individuelles Lernen mit Fachliteratur, Online-Formate genauso wie klassische Vorlesungen. Auf diese Weise wird das Portfolio der erfahrenen Lernformen der Studierenden erweitert und ihre Agilität und Autonomie und damit Selbstwirksamkeit gefördert. So können nachhaltig wesentliche personale Kompetenzen aufgebaut werden, die insbesondere für die berufliche Zukunft wichtig sind. Für den Einstieg in ein Konzept des flexiblen Lernens ist es dienlich, dass Studierende durch einen Rahmen von zeitlich eng getakteten erwarteten Lernfortschritten unterstützt werden.

Der Ansatz einer Studieneingangsphase mit Elementen des flexiblen Lernens kann als orientierende Perspektive auf andere Studiengänge übertragen werden. Auf diese Weise können überfachliche Kompetenzen von Studierenden gefördert werden, die Selbstwirksamkeitserfahrung und damit Motivation für das Studium erhöht werden. Im Sinne einer nachhaltigen Studiengangsentwicklung wird empfohlen, das Konzept des flexiblen Lernens – zunehmend weniger unterstützt – auch nach der Studieneingangsphase fortzuführen. Ein Konzepts des flexiblen Lernens mit Förderung personaler (Zukunfts-)Kompetenzen kann bereits zu Beginn des Studiums als „tiniest seed in the right situation" Früchte tragen, auch wenn dieser Ansatz vielleicht diametral zu gelebten „Lehrkulturen" an vielen Hochschule steht, bei denen Massenvorlesungen in der Studieneingangsphase und erst später individuelle Betreuung den Alltag prägen.

5   Literaturverzeichnis

Audinate. (2016). Dante Certification Program. https://www.audinate.com/resources/training-and-tutorials/dante-certification-training, Stand vom 15. Juni 2019.

Castells, M. (2001). Bausteine einer Theorie der Netzwerkgesellschaft. *Berliner Journal für Soziologie, 11*(4), 423-439. https://doi.org/10.1007/BF03204030

Collis, B. & Moonen, J. (2011). Flexibility in Higher Education: Revisiting Expectations. *Comunicar, 19*(37), 15-25. https://doi.org/10.3916/C37-2011-02-01

De Boer, W. & Collis, B. (2005). Becoming more systematic about flexible learning: Beyond time and distance. *Research in Learning Technology, 13*(1). https://doi.org/10.3402/rlt.v13i1.10971

Ehlers, U. & Kellermann, S. (2019). *Future Skills – The Future of Learning and Higher Education – Results of the International Future Skills Delphi Survey.* https://nextskills.files.wordpress.com/2019/03/2019-02-23-delphi-report-final.pdf, Stand vom 15. Juni 2019.

Eube, C. & Vogt, S. (2016). Walk this way!? – Konzepte der Stadtplanung für die (Aus-)Gestaltung von Seamless Learning Räumen. *Zeitschrift für Hochschulentwicklung, 11*(4), 109-121. https://www.zfhe.at/index.php/zfhe/article/view/967, Stand vom 15. Juni 2019.

Gelardo, D., Hüter, J. & Rupp, B. (2019, Januar 8). *@Campus Livestream Festival 2019 #1.* https://youtu.be/-MRkQI9Tvkc, Stand vom 15. Juni 2019.

HEA (2015). *Framework for flexible learning in higher education.* https://www.heacademy.ac.uk/system/files/downloads/flexible-learning-in-HE.pdf, Stand vom 15. Juni 2019.

Iwamoto, D. H., Hargis, J., Bordner, R., & Chandler, P. (2017). Self-Regulated Learning as a Critical Attribute for Successful Teaching and Learning. *International Journal for the Scholarship of Teaching and Learning, 11*(2). https://doi.org/10.20429/ijsotl.2017.110207

Lanois, D. (2008). *Here is what is*. Red Floor Records.

Merriënboer, J. J. G. van & Kirschner, P. A. (2018). *Ten steps to complex learning: A systematic approach to four-component instructional design* (3rd edition). New York: Routledge.

Vogt, S. (2012). Wer nicht mit der Zeit geht, (der) geht mit der Zeit!? – Vom Wandel musikalischer Wertschöpfungsketten im Long Tail. In C. Kolo, T. Döbler & L. Rademacher (Hrsg.), *Wertschöpfung durch Medien im Wandel* (S. 171-183). Baden-Baden: Nomos.

Vogt, S., Maschwitz, A. & Zawacki-Richter, O. (2010). From Knowledge Transfer to Competence Development – a Case of Learning by Designing. In J. Herrington & B. Hunter (Hrsg.), *Proceedings of World Conference on Educational Multimedia, Hypermedia and Telecommunications 2010* (S. 1416-1424). http://www.editlib.org/p/34822, Stand vom 15. Juni 2019.

Wong, L.-H. (2012). A learner-centric view of mobile seamless learning. *British Journal of Educational Technology, 43*(1), E19–E23. https://doi.org/10.1111/j.1467-8535.2011.01245.x

Autor/in

Prof. Dr. Sebastian VOGT || TH Mittelhessen, Fachbereich IEM || Wilhelm-Leuschner-Str. 13, D-61169 Friedberg

www.researchgate.net/profile/Sebastian_Vogt

sebastian.vogt@iem.thm.de

Cornelia EUBE || TH Mittelhessen, Fachbereich IEM || Wilhelm-Leuschner-Str. 13, D-61169 Friedberg

www.researchgate.net/profile/Cornelia_Eube

cornelia.eube@iem.thm.de

Daniela SCHMIDT, Anja HAWLITSCHEK, Andreas KASPERSKI[1],
Wenke LUNGENMUSS, Marianne MERKT, Anja SCHULZ &
Lavinia IONICA (Halle/Saale & Magdeburg)

Konzeption und Evaluation einer flexiblen Online-Qualifizierung für Hochschullehrende

Zusammenfassung

Auf der Basis theoretischer Überlegungen stellen wir in diesem Artikel die
Konzeption eines flexiblen Online-Kurses zur professionellen Entwicklung der
hochschul- und vor allem mediendidaktischen Kompetenzen von Lehrenden vor.
Im Kurs wechseln sich synchrone und asynchrone Lehr-Lernphasen ab. Zwei
unterschiedliche Intensitäten der Teilnahme werden ermöglicht. Mittels einer Prä-
Post-Studie evaluierten wir die Wirkung. Aufgrund der Ergebnisse können wir
konstatieren, dass das modellhaft beschriebene Vorgehen für die Konzeption von
Fortbildungsangeboten im Bereich Hochschuldidaktik mit einem Fokus auf die
Planung mediengestützter Lehrveranstaltungen geeignet ist.

Schlüsselwörter

Digitalisierung, Heterogenität, Mediendidaktik, Professionalisierung, Evaluation

---

[1] E-Mail: andreas.kasperski@llz.uni-halle.de

Wissenschaftlicher Beitrag · DOI: 10.3217/zfhe-14-03/05

Design and evaluation of a flexible online course for university lecturers

Abstract

Based on theoretical considerations, this paper presents the design of a flexible online course for the professional development of lecturers in the areas of didactics in higher education and, in particular, instructional design with digital media. The course includes synchronous and asynchronous teaching and learning phases. Two different levels of participation are possible. We evaluated the effects by means of a pre-post study. The findings showed that the exemplary procedure described here is suitable for the design of professional development offers in the field of university teaching with a focus on the didactic planning of technology-enhanced courses.

Keywords

digitalisation, heterogeneity, media didactics, professionalisation, evaluation

1 Digitale Medien in der Lehre – theoretische Vorüberlegungen

Die deutschen Hochschulen sind aktuell mit einer zunehmend heterogenen Studierendenschaft konfrontiert, die sich aus dem demographischen Wandel sowie einem erheblichen Fachkräftebedarf ergibt (SEIDEL & WIELEPP, 2014). Hinsichtlich des Umgangs mit dieser Diversität werden unterschiedliche Maßnahmen der Organisation Hochschule diskutiert, wozu neben der Flexibilisierung von Rahmenbedingungen für ein Hochschulstudium (BRINKMANN, 2015) auch die systematische Qualitätsentwicklung von Studium und Lehre zählt (POHLENZ & SEYFRIED, 2014). Hier entfalten sich die Potentiale des Einsatzes digitaler Medien, da diese ein individualisiertes und flexibles Lernen ermöglichen (CHEN, 2003; MÜRNER & POLEXE, 2014). Flexibilität kann in diesem Zusammenhang unterschiedliche Ausprägungen annehmen und betrifft z. B. die Unabhängigkeit von Zeit und Ort sowie die Adaptivität und Adapterbarkeit von Lerninhalten und -prozessen, angepasst an Bedarfe von Lernenden. Nicht zuletzt ist die Einbindung digitaler Medien und mediengestützter Lehr-Lernszenarien in die Hochschullehre angesichts des voranschreitenden digitalen Wandels in allen Lebensbereichen – insbesondere der Arbeitswelt – von herausragender Bedeutung.

Für die Nutzung digitaler Medien sind die Einstellungen der Lehrenden zentral. Die grundsätzliche Überzeugung, dass Präsenzlehre für das Lehren und Lernen vorteilhafter sei als digitale Lehr-Lernszenarien, ist an Hochschulen weit verbreitet (MANCA & RANIERI, 2016). Ob digitale Medien eingesetzt werden, lässt sich vor diesem Hintergrund auf die Vorerfahrungen der Lehrenden, die Überzeugungen davon, was gute Lehre ist, sowie ihre Erwartungen bezüglich des Mehrwerts und des Aufwands der Nutzung zurückführen (MANCA & RANIERI, 2016). Auch die wahrgenommene technische, didaktische und institutionelle Unterstützung spielt eine zentrale Rolle (BUCHANAN, SAINTER & SAUNDERS, 2013).

Wie bereits CHEN (2003) mit Fokus auf die Flexibilisierung des Lernens erörterte, gehen mit der Integration digitaler Lehr-Lernszenarien einige Herausforderungen einher. Um didaktisch begründete Entscheidungen hinsichtlich des Einsatzes und der Gestaltung von Medien bzw. mediengestützter Lehr-Lernprozesse treffen zu können, müssen Lehrende grundlegende mediendidaktische Kompetenzen besitzen oder erwerben. Das Wissen zur systematischen Planung und Gestaltung digitaler Lehr-Lernarrangements wird als eine Grundlage professionellen Handelns angesehen (KERRES, 2001). Die mediendidaktische Professionalisierung des Lehrpersonals sollte daher eine Zielstellung hochschuldidaktischer Qualifizierungen sein.

Der Bedarf an Fortbildungen im Bereich digitaler Hochschullehre wird auch von den Lehrenden selbst konstatiert. In einer quantitativen Befragung gab dies etwa ein Drittel der Befragten an (RATHMANN & ANACKER, 2015).

Bei der Konzeption entsprechender mediendidaktischer Qualifizierungen ist eine flexible Gestaltung der Angebote unter Nutzung digitaler Medien aus zwei Gründen relevant:

(1) Der Heterogenitätsdiskurs an Hochschulen konzentriert sich in der Regel auf die Gruppe der Studierenden (POHLENZ & SEYFRIED, 2014). Doch im Kontext der Hochschullehre sind nicht nur die Lernenden divers, sondern auch die Lehrenden (LINDE & AUFERKORTE-MICHAELIS, 2014), was sich z. B. anhand sehr unterschiedlich ausgeprägter hochschul- und mediendidaktischer sowie technischer Kompetenzen zeigt (WEDEKIND, 2008). Hinzu kommt, dass diese Gruppe eine komplexe Berufsrolle auszufüllen hat und angesichts bestehender Zielkonflikte zwischen zahlreichen Anforderungen (Forschung, Lehre, Drittmittelakquise etc.) praktisch permanent mit zeitlichen Restriktionen kämpft (vgl. auch RATHMANN & ANACKER, 2015). Dies ist zu berücksichtigen, wenn Lehrende vor dem Hintergrund neuer, mit der Digitalisierung sowie studentischer Heterogenität verbundener Anforderungen professionalisiert werden sollen. Die Konzeption flexibler digitaler Angebote ist ein Lösungsansatz.

(2) Die spezifische Zielsetzung der Vermittlung von Medienkompetenz als handlungsorientiertes Konstrukt (VOM BROCKE, BUDDENDICK & SCHNEIDER, 2007) legt eine methodische Umsetzung unter weitreichender Nutzung digitaler Medien nahe. Ein Ansatz, Lehrenden Wissen über und Fähigkeiten im Umgang mit digitalen Medien zu vermitteln, ist, sie mit den gleichen Methoden und Medien lernen zu lassen, die sie später auch in der Lehre einsetzen. So lässt sich in einem Online-Kurs z. B. nicht nur Wissen über Vorgehensweisen zur Erstellung von digitalen Lehr-Lernszenarien explizieren. Im Zuge der Teilnahme schulen die Lehrenden zugleich ihre Fähigkeiten im Umgang mit diesem Format und erwerben Erfahrungen aus Sicht von Lernenden, die bei der späteren Erstellung und Betreuung eigener digitalisierter Lehrveranstaltungen hilfreich sind (SALMON, GREGORY, LOKUGE DONA & ROSS, 2015).

Ausgehend von diesen Überlegungen entwickelten wir einen flexiblen Online-Kurs zum Thema *Hochschullehre mit digitalen Elementen gestalten* für alle Universitäten und Hochschulen Sachsen-Anhalts.[2] Dieser zielt auf die Befähigung Lehrender,

---

[2] Der Online-Kurs ist ein Angebot des *Netzwerks digitale Hochschullehre in Sachsen-Anhalt* des Verbundprojekts HET LSA.

digitale Medien bzw. digitalisierte Lehr-Lernszenarien – unter Berücksichtigung didaktischer Kriterien – in die eigene Lehrveranstaltungsplanung zu integrieren. Im Folgenden wird zunächst das dem Kurs zugrunde liegende didaktische Konzept sowie Voraussetzungen für die Umsetzung und anschließend die durchgeführte explorative empirische Evaluationsstudie beschrieben. Eine kritische Diskussion der Ergebnisse rundet den Beitrag ab.

2 Konzeption des Kurses

2.1 Zielstellung, grundlegende Designentscheidungen und Voraussetzungen

Das Qualifizierungsangebot wurde entwickelt, um den eingangs beschriebenen Herausforderungen und sich ändernden Rahmenbedingungen der Hochschulbildung konstruktiv zu begegnen. Ziel war, eine Fortbildung zu konzipieren, welche die Themen Hochschul- und Mediendidaktik explizit verzahnt, einen hohen und landesweit einheitlichen Qualitätsstandard gewährleistet sowie den heterogenen Bedürfnissen der Zielgruppe durch Flexibilisierung und Individualisierung (CHEN, 2003) Rechnung trägt.

Die mediendidaktische Konzeption des Online-Kurses orientierte sich am Learning Design *Carpe Diem* von SALMON & WRIGHT (2014) sowie an SALMONs (2000) Konzept der Mediensozialisation. Dieses berücksichtigt sowohl die Bedürfnisse von Lernenden in digitalen Lernumgebungen als auch die Rollen von Kursteilnehmenden und Lehrenden im Lernprozess. Das integrierte Modell soll ein aktives Online-Lernen mit einer hohen Zufriedenheit aller Beteiligten fördern und einen hohen Lernerfolg gewährleisten (vgl. EBD.).

Im Rahmen der Entwicklung des Kurses wurden zugleich Gründe von Lehrenden berücksichtigt, auf eine Integration digitaler Medien in die Lehre bisher zu verzichten. Hierzu zählen insbesondere: Zeitmangel, mangelnde Anerkennung, ein niedriger Wissensstand zum Thema digitale Lehre sowie die technische Ausstattung der Hochschulen (ABICHT & THIEME, 2017; RATHMANN & ANACKER, 2015).

Um diesen Hemmnissen Rechnung zu tragen, wurde das Angebot als Grundlagenkurs konzipiert, der keine Vorkenntnisse im Bereich digitale Lehre voraussetzt. Die Teilnahme am Kurs ist je nach individuellem Bedürfnis grundsätzlich in zwei Formen möglich. Als *Schnupperkurs* können einzelne ausgewählte Themen bearbeitet werden. Der *Intensivkurs* umfasst eine aktive Mitarbeit an allen Themeneinheiten sowie die obligatorische Bearbeitung einer von fünf möglichen Kursaufgaben.

Für eine nutzerfreundliche Teilnahme wurden folgende Voraussetzungen geschaffen:

- Anerkennung des Kurses im Rahmen bestehender hochschul- und mediendidaktischer Zertifikatsprogramme an den Hochschulen Sachsen-Anhalts;
- Verknüpfung der verschiedenen hochschuleigenen Lernplattformen (Moodle, ILIAS) mittels der Software CampusConnect (BOEHRINGER & BERNLÖHR, 2014);
- Einrichtung eines zentralen und landesweit nutzbaren Anmeldeportals sowie einer entsprechenden Nutzerverwaltung für administrative Aufgaben.

2.2 Didaktische und inhaltliche Ausgestaltung

Für die Kursgestaltung ist das Modell des Constructive Alignment (BIGGS & TANG, 2011) grundlegend. Einerseits wird es in einzelnen Inhaltseinheiten, den sog. Units, behandelt (z. B. Lehrveranstaltungsplanung, didaktische Aufbereitung und elektronische Prüfungsformen). So werden im Kursverlauf alle didaktisch notwendigen Schritte bei der Konzeption von Lehr-Lernszenarien thematisiert und nachvollzogen. Andererseits fand das Modell Anwendung beim didaktischen Design des Online-Kurses. Zu Beginn wurden die mit dem Kurs zu erreichenden Lernergebnisse formuliert. Dabei wurden sowohl Inhalts- und Handlungskomponenten (GRÖBLINGHOFF, 2015) als auch die Niveaustufen kognitiver Lernergebnisse (BLOOM, 1956; KRATHWOHL, 2002) berücksichtigt. Beispiele für die Learning Outcomes sind:

Die Teilnehmenden (TN):

- können beschreiben, wie man Lehre mit digitalen Elementen sinnvoll anreichert.
- können die Planungsschritte zur Durchführung einer E-Klausur aus rechtlicher, organisatorischer und didaktischer Sicht beschreiben.
- nehmen aktiv an Videokonferenzen teil und vernetzen sich fach- und hochschulübergreifend.
- können grundlegende Funktionen der Lernplattform (aus Anwendersicht) benennen und bedienen.

Nach Festlegung der Lernergebnisse wurden darauf basierende Themenkerne identifiziert und mit der groben Planung von Lehr-Lernszenarien begonnen. Das übergreifende Szenario ist eine Umsetzung des Inverted-Classroom-Modells (vgl. LOVISCACH, 2013) mit synchronen Web-Sitzungen und asynchronen Online-Selbstlernphasen. In Letzteren setzen sich die TN zunächst eigenständig mit dem Thema der kommenden Unit auseinander, wobei die Integration unterschiedlicher Lernmaterialien, Medienformate und Lernaktivitäten den Kompetenzerwerb unterstützt. Durch Selbsttests mit automatisiertem Feedback, individuelle Rückmeldungen zu erledigten Kursaufgaben sowie die Diskussion von Lerninhalten in kollaborativen Settings erarbeiten sich die TN Wissen nicht nur rezeptiv, sondern auch interaktiv. Aufgrund der Zeit- und Ortsunabhängigkeit der Selbstlernphasen können die TN ihren individuellen Lernweg sowie die Intensität der Auseinandersetzung mit den Units flexibel und entsprechend eigener Bedürfnisse gestalten. In den zweiwöchentlichen Web-Sitzungen werden die Inhalte anschließend gemeinsam vertieft, bearbeitet und diskutiert.

Insgesamt umfasst der Kurs 17 Arbeitseinheiten (AE; 1 AE = 45 min). Er besteht aus fünf Units sowie einem Einstieg und Abschluss (vgl. Abb. 1).

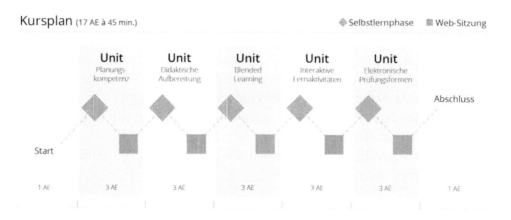

Abb. 1: Schematische Darstellung des Kursablaufs

In der Einführungsveranstaltung werden organisatorische und technische Fragen geklärt. Daran schließen sich die fünf Units an. Diese werden jeweils von mindestens einer Referentin oder einem Referenten verantwortet. Hierzu gehören die Aufbereitung und Bereitstellung der Lernmaterialien für die Selbstlernphase, die Durchführung der Web-Sitzung sowie die Betreuung der zu bearbeitenden Kursaufgaben. Zum Abschluss des Kurses werden die TN gebeten im Rahmen einer Evaluation Feedback zu geben.

3   Studie

Die explorative empirische Studie zielte auf (1) die Evaluation des Online-Kurses bezüglich der Zufriedenheit der TN mit den Inhalten und der Kursorganisation, (2) den Nachweis einer Weiterentwicklung der selbsteingeschätzten Kompetenzen der TN sowie (3) die Untersuchung von Einstellungen und Einstellungsveränderungen zu digitaler Lehre.

3.1 Stichprobe

Der Kurs startete im Wintersemester 2018/19 mit 28 TN. $N = 27$ füllten den Prä-Test aus. Den Intensivkurs schlossen 16 TN ab. $N = 12$ beantworteten den Post-Test. Im Sommersemester 2019 begannen 27 TN (Prä-Test $N = 20$). Den Intensiv-kurs schlossen 21 TN ab (Post-Test $N = 11$). Die beiden Kohorten werden im Folgenden gemeinsam ausgewertet, da sich beide Durchgänge konzeptuell und strukturell gleichen. Die insgesamt 47 Befragten (Prä-Tests) kamen von den beiden Universitäten (57,5 %) und vier Hochschulen Sachsen-Anhalts. Neben wissenschaftlichen Mitarbeiterinnen und Mitarbeitern ($n = 29$) partizipierten vor allem Professorinnen und Professoren ($n = 10$). TN aus den Sozial- bzw. Ingenieurswissenschaften bildeten die größte Gruppe (jeweils 19,2 %), gefolgt von den Geisteswissenschaften (17,0 %). 38,3 % der Befragten unterrichteten seit weniger als drei Jahren an einer Hochschule, 27,7 % zwischen drei und sechs Jahren, 19,2 % zwischen sieben und zehn Jahren und 17,0 % über zehn Jahre. Der Großteil (72,3 %) besuchte in der Vergangenheit mindestens eine hochschul- oder mediendidaktische bzw. medientechnische Fortbildung. Mehrheitlich nutzten die TN bereits E-Mails (93,6 %), Lernmodule in ILIAS/Moodle (51,1 %) und Mobile Learning (25,5 %) in der Lehre. Seltener hingegen wurden Vorlesungsaufzeichnungen (6,4 %) sowie elektronische Selbsttests (14,9 %) und Prüfungen (8,5 %) eingesetzt. Nach Abschluss der ersten Unit plante die Mehrheit, den Online-Kurs als Intensivkurs zu absolvieren (74,5 %). Die Beteiligung an der Post-Befragung lag bei 48,9 % (23 TN). Davon belegten den Online-Kurs 95,7 % (22 TN) als Intensivkurs und 4,3 % (1 TN) als Schnupperkurs.

3.2 Messinstrumente

Prä- und Post-Test waren eigens konstruierte Fragebögen, wobei die Evaluationsskalen des Post-Tests auf einem Standardfragebogen zur Lehrveranstaltungsevaluation fußen.

Die Skala *Einschätzung der eigenen digitalen Kompetenzen* (Cronbachs α = .85; vgl. Tab. 1) basierte auf den Learning Outcomes des Online-Kurses (vgl. Kap. 2.2).

Die Items der Skala *Einstellungen zur Digitalisierung der Hochschullehre* (Cronbachs α = .55; vgl. Tab. 2) lassen sich sechs Bereichen zuordnen: Befähigung der Lehrenden (Item 3 und 4), Befähigung der Studierenden (Item 5), allgemeine wahrgenommene Nachteile (Item 2, 6, 7, 8, 10 und 12), allgemeine wahrgenommene Vorteile (Item 1 und 9) sowie institutionelle Unterstützung (Item 11). Die Items zu den allgemeinen Nachteilen repräsentieren typische Vorurteile (vgl. HOCHSCHULFORUM DIGITALISIERUNG, 2015).

Das Rating erfolgte jeweils auf einer fünfstufigen Likert-Skala mit Werten von -2 bis 2 (*trifft nicht zu* bis *trifft zu*).

3.3 Ergebnisse

Die Skalen des Post-Tests (Evaluationsskalen) wurden deskriptiv ausgewertet. Für die Skalen *Einschätzung der eigenen digitalen Kompetenzen* und *Einstellungen zur Digitalisierung der Hochschullehre* erfolgte ein inferenzstatistischer Prä-Post-Vergleich. Da die Item-Antworten nicht normalverteilt waren, wurden sie mittels Wilcoxon-Mann-Whitney-Test (zweiseitig; α = 0.05) auf Unterschiedlichkeit getestet.

3.3.1 Evaluation einzelner Aspekte des Online-Kurses

Die TN stimmten den positiv formulierten Items durchschnittlich *eher zu* bis *zu* (*range*=0.65-1.70). Am meisten Zustimmung erfuhr, dass Fragen hinreichend beantwortet wurden (*M*=1.70, *SD*=0.76), die TN zufrieden mit der Gesamtorganisation des Online-Kurses (*M*=1.65, *SD*=0.57) sowie der Kurskommunikation (*M*=1.61, *SD*=0.58) waren. Diese Items wurden durchschnittlich mit der höchsten Antwortkategorie *trifft zu* bewertet. Hiernach folgten die Items, dass die auf der Lernplattform zur Verfügung gestellten Materialien (*M*=1.41, *SD*=0.85) sowie die Kursaufgaben hilfreich waren (*M*=1.33, *SD*=0.73). Dass die Web-Sitzungen halfen, das Wissen aus den Online-Selbstlernphasen zu vertiefen (*M*=0.65, *SD*=0.93) und die in den Online-Phasen eingesetzten Methoden den Lernprozess unterstützten (*M*=0.91, *SD*=0.95) erfuhr die geringste Zustimmung. Diese Items wurden durchschnittlich mit einem *trifft eher zu* bewertet. Der Online-Kurs wurde insgesamt als *gut* (*M*=1.91, *SD*=0.67) bewertet, die einzelnen Units als *gut* oder *sehr gut* (*range*=1.48–2.13). Als *eher zutreffend* bewerteten die Befragten, dass sie an weiteren Angeboten zum Themenbereich interessiert sind (*M*=1.43, *SD*=0.95), den Kurs weiterempfehlen würden (*M*=1.39, *SD*=0.84), die vermittelten Inhalte künftig im Arbeitsalltag einsetzen werden (*M*=1.22, *SD*=0.85) und mit dem Online-Kurs generell zufrieden sind (*M*=1.17, *SD*=0.94).

3.3.2 Prä-Post-Vergleich

Nach Absolvieren des Online-Kurses beurteilten die TN ihre digitalen Kompetenzen in acht von neun erfragten Aspekten signifikant höher als zu Kursbeginn (Item 1, 2, 3, 5, 6, 7, 8 und 9; vgl. Tab. 1).

Tab. 1: Mittelwerte, Standardabweichungen der Einschätzung der digitalen Kompetenzen im Prä- und Post-Test sowie inferenzstatistischer Mittelwertsvergleich (Wilcoxon-Mann-Whitney-Test).

Items	Prä-Test[a]		Post-Test[b]		Prä- vs. Post	
	M	*SD*	*M*	*SD*	*U*	*p*
1. Ich kann digitale Materialien für meine Lehrveranstaltungen entwerfen und gestalten (z. B. Online-Lernaktivitäten, Tools).	-0.13	1.21	1.04	0.64	-3.83	<.001
2. Ich finde mich in einer Videokonferenz gut zurecht.	0.21	1.32	1.74	0.45	-4.80	<.001
3. Ich kann an einer Videokonferenz aktiv partizipieren.	0.30	1.37	1.65	0.49	-4.20	<.001

4. Ich kann mich als Benutzer/in auf einer Lernplattform (ILIAS/Moodle) zurechtfinden.	1.15	0.93	1.57	0.59	-1.75	.08
5. Ich kann eine eigene Veranstaltung mit digitalen Elementen planen und umsetzen.	0.02	1.22	1.13	0.69	-3.63	<.001
6. Ich kann reflektieren und beurteilen, welche digitalen Elemente aus didaktischer Sicht sinnvoll sind und welche nicht.	0.13	1.15	1.13	0.69	-3.50	<.001
7. Bei der Verwendung von digitalen Medien für meine Lehrveranstaltungen, bin ich in der Lage, die rechtliche Gesetzeslage (z. B. Urheberrecht, Datenschutz) zu berücksichtigen.	-0.28	1.19	0.39	0.99	-2.14	.03
8. Ich bin in der Lage, eine E-Klausur technisch umzusetzen.	-1.13	1.12	0.13	1.29	-3.84	<.001
9. Ich kann didaktisch durchdachte E-Klausuren entwerfen.	-1.06	1.07	0.48	1.44	-4.08	<.001

Anmerkung. [a]N = 47. [b]N = 23.

Die Einstellungen zur Digitalisierung der Hochschullehre blieben dagegen über die Zeit der Dauer des Kurses (ca. drei Monate) überwiegend stabil. Lediglich einer von 12 Prä-Post-Vergleichen erreichte das Niveau statistischer Signifikanz (Item 2; vgl. Tab. 2).

Tab. 2: Mittelwerte, Standardabweichungen der Einstellungen zur Digitalisierung der Hochschullehre im Prä- und Post-Test sowie inferenzstatistischer Mittelwertsvergleich (Wilcoxon-Mann-Whitney-Test).

Items	Prä-Test[a]		Post-Test[b]		Prä- vs. Post	
	M	SD	M	SD	U	p
1. Durch die Digitalisierung der Hochschullehre kann den Studierenden das Lernen erleichtert werden.	1.13	0.82	1.26	0.75	-0.58	0.56
2. Es besteht die Gefahr, dass durch die Digitalisierung der Hochschullehre einzelne Studierende benachteiligt werden, die sich bestimmte technische Anschaffungen nicht leisten können.[c]	-0.55	1.10	0.04	1.15	-2.11	0.04
3. E-Learning erfordert hohe technische Kenntnisse auf Seiten der Lehrenden.[c]	0.15	0.98	0.30	1.15	-0.46	0.65
4. E-Learning erfordert eine hohe digitale Kompetenz auf Seiten der Lehrenden.[c]	0.94	0.84	1.00	0.95	-0.55	0.58
5. Studierende sind technisch affin und kommen mit digitalen Lehr- und Lernmaterialien gut zurecht.	0.53	0.88	0.70	0.88	-0.66	0.51
6. Beim E-Learning findet der Lernprozess isoliert statt und ist daher unpersönlich.[c]	-0.28	0.95	-0.17	1.03	-0.30	0.76

7. Die Vorbereitung von digitaler Lehre ist zeitaufwendiger als die Vorbereitung von Präsenzlehre.[c]	0.60	1.06	0.52	1.34	0.12	0.90
8. Ein Nachteil an E-Learning ist, dass Gruppenarbeiten nur noch eingeschränkt möglich sind.[c]	-0.70	1.00	-0.35	1.03	-1.42	0.16
9. E-Learning bietet viele Vorteile, welche Präsenzlehre nicht bieten kann, z. B. zeit- und ortsunabhängiges Lernen, Lernen im eigenen Lerntempo.	1.45	0.65	1.17	0.58	1.87	0.06
10. Es ist eine große Herausforderung, die rechtlichen Rahmenbedingungen rund um digitale Lehr- und Lernmaterialien zu durchdringen.[c]	0.60	1.06	0.83	0.65	-0.70	0.49
11. Meine Hochschule bietet gute Rahmenbedingungen, in denen E-Learning unkompliziert umsetzbar ist.	0.28	0.90	0.26	1.10	0.01	0.99
12. In Präsenzklausuren können mehr unterschiedliche Frage-Aufgabentypen verwendet werden, z. B. Abbildungen beschriften, Formeln aufschreiben, als in E-Klausuren.[c]	-0.15	0.96	0.13	0.87	-1.24	0.22

Anmerkung. [a]$N = 47$. [b]$N = 23$. [c]Negativ gepoltes Item.

4 Diskussion

Der in diesem Artikel vorgestellte Online-Kurs wurde mit der Zielstellung entwickelt, Lehrenden die Möglichkeit zu geben, ihre Kompetenzen im Bereich der didaktischen Planung von mediengestützten Lehrveranstaltungen weiterzuentwickeln und zugleich Fähigkeiten im Umgang mit digitalen Medien zu erwerben. Das didaktische Design des Kurses berücksichtigt die Heterogenität der Lehrenden hinsichtlich des Vorwissens, individuellen Lernzielen, aber auch Ressourcen (z. B. Zeit). Aufgrund unserer Erfahrungen halten wir folgende Aspekte bei der Konzeption und Durchführung von Kursen für die mediendidaktische Professionalisierung von Lehrenden für besonders relevant:

1) Orientierung an Modellen des didaktischen Designs;
2) Flexibilität durch unterschiedliche Teilnahmeintensitäten sowie asynchrone, individuell gestaltbare Selbstlernphasen;
3) synchrone Lernphasen zur Ermöglichung direkten Feedbacks und Austauschs;
4) methodische Umsetzung als digitales Lehr-Lernszenario, um Erfahrungen mit mediengestütztem Lernen aus Lernendenperspektive zu ermöglichen, dabei
5) Integration rezeptiver (z. B. Text, Video), produktiver (z. B. Kursaufgabe) und interaktiver (z. B. Selbsttest, Forendiskussion) selbstorganisierbarer Lernaktivitäten sowie
6) regelmäßige Ermöglichung von Feedback zum Kurs.

Die Ergebnisse der explorativen Studie deuten darauf hin, dass das vorgestellte didaktische Design insgesamt ein zielführendes Vorgehensmodell darstellt. Die inhaltlichen Bestandteile des Kurses wurden gut bis sehr gut bewertet. Die Betreuung des Kurses, z. B. die Beantwortung von Fragen und die Kursorganisation wurden als besonders positiv herausgehoben. Das große Interesse an weiteren Veranstaltungen zum Themenbereich und die Bereitschaft, den Kurs weiterzuempfehlen sowie das erworbene Wissen und angeeignete Fähigkeiten im Lehralltag einzusetzen, deuten ebenfalls auf die Zufriedenheit der TN hin. Qualitativ noch verbessert werden kann die inhaltliche Verzahnung der Web-Sitzungen und Selbstlernphasen. Hier muss der wechselseitige Bezug der Lernaktivitäten deutlicher herausgestellt werden. Aufgrund der Evaluationsergebnisse werden im dritten Durchgang des Online-Kurses vor allem die Selbstlernphasen und Web-Sitzungen weiter aufeinander abgestimmt. Dazu werden in den Web-Sitzungen, statt der Wiederholung theoretischer Inhalte, verstärkt Praxisbeispiele implementiert.

Die Ergebnisse der Studie zeigen auch, dass der Online-Kurs hinsichtlich der Kompetenzentwicklung der Lehrenden effektiv ist. In fast allen inhaltlichen Bereichen liegt eine statistisch signifikante Verbesserung der Selbsteinschätzung vor (vgl. Tab. 1). Besonders ausgeprägt ist der Mittelwertsunterschied bei den beiden Items zu den Videokonferenzen (Item 2 und 3), was an der häufigen Nutzung im Rahmen des Online-Seminars liegt. Aber auch die Einschätzung der beiden Items zu E-Klausuren (Item 8 und 9) und der sehr allgemein formulierten Kompetenzen in Item 1 ist nach Teilnahme am Online-Kurs deutlich höher. Lediglich ein Item wird nach dem Online-Kurs nicht signifikant höher eingeschätzt (Item 4). Angesichts der Vielzahl an Lehr-Lern-Szenarien, die Lernplattformen ermöglichen, ist der Einblick, der im Rahmen des Online-Kurses aus Lernendenperspektive gewonnen wurde, möglicherweise nicht ausreichend, um ein umfassendes Kompetenzgefühl bei den Lehrenden zu erzeugen.

Statistisch signifikante Änderungen bei den Einstellungen der Lehrenden in Bezug auf Vor- und Nachteile der Nutzung digitaler Medien (vgl. Tab. 2) zeigten sich einzig in Bezug auf eine mögliche Benachteiligung einzelner Studierender durch verhältnismäßig hohe Anschaffungskosten der entsprechenden Endgeräte (Item 2), was für eine erhöhte Sensibilität für die Diversität von Studierenden spricht. Einmalige Workshops sind zwar offenbar dafür geeignet, die Kompetenzen von Lehrenden bei der Planung und Durchführung von mediengestützter Lehre weiterzuentwickeln, für Einstellungsänderungen scheinen jedoch langfristigere Unterstützungsangebote wie Mentoring in Lehrveranstaltungen wirksamer zu sein (KOPCHA, 2012).

Limitationen der Studie liegen vor allem im methodischen Design. Aus der Selbsteinschätzung der Kompetenzen lässt sich nicht auf den tatsächlichen Kompetenzzuwachs schließen. Eine Kompetenzmessung war im Rahmen des Praxisprojekts aufgrund fehlender Ressourcen nicht möglich. Auch eine Follow-up-Befragung bzw. Transferevaluation wäre zielführend. Die Durchführung qualitativer Interviews in weiteren Durchgängen des Online-Kurses ist eine Möglichkeit, Erkenntnisse zum erfolgreichen Transfer in die Lehrpraxis und daran anknüpfend zur qualitativen Weiterentwicklung des Kurses zu sammeln.

5 Literaturverzeichnis

Abicht, B. & Thieme, E. (2017, März). *Warum eigentlich nicht? Über Motive und Anreize zum Einsatz multimedialer Elemente in der Hochschullehre.* 12. Jahrestagung der Gesellschaft für Hochschulforschung, Hannover. https://www.gfhf.net/wp-content/uploads/2016/07/Abstractband_GfHf2017.pdf, Stand vom 14. Juni 2019.

Biggs, J. & Tang, C. (2011). *Teaching for Quality Learning at University.* Maidenhead, Berkshire: Open University Press & McGraw Hill Education.

Bloom, B. S. (Hrsg.) (1956). *Taxonomy of Educational Objectives: The Classification of Educational Goals.* London: Longmans, Green & Co. (Ltd.). https://www.uky.edu/~rsand1/china2018/texts/Bloom%20et%20al%20-Taxonomy%20of%20Educational%20Objectives.pdf, Stand vom 11. Juni 2019.

Boehringer, D. & Bernlöhr, H. (2014, April). *CampusConnect: An open-source initiative to connect Learning Management Systems.* IEEE Global Engineering Education Conference (EDUCON), Istanbul. https://support.chamilo.org/attachments/download/5152/CampusConnect-final_corr.pdf, Stand vom 14. Juni 2019.

Brinkmann, K. (2015). Flexible Studienorganisation an Hochschulen. *Hochschule und Weiterbildung, 1*, 52-56. https://www.pedocs.de/frontdoor.php?source_opus=12580&la=de, Stand vom 11. Juni 2019.

Buchanan, T., Sainter, P. & Saunders, G. (2013). Factors affecting faculty use of learning technologies: implications for models of technology adoption. *Journal of Computing in Higher Education, 25*(1), 1-11. https://link.springer.com/article/10.1007/s12528-013-9066-6, Stand vom 14. Juni 2019.

Chen, D.-T. (2003). Uncovering the Provisos behind Flexible Learning. *Journal of Educational Technology & Society, 6*(2), 25-30. https://www.jstor.org/stable/jeductechsoci.6.2.25?seq=1#page_scan_tab_contents, Stand vom 11. Juni 2019.

Gröblinghoff, F. (2015). Lernergebnisse praktisch formulieren. *nexus impulse für die Praxis, 2*, 3. https://www.hrk-nexus.de/fileadmin/redaktion/hrk-nexus/07-Downloads/07-02-Publikationen/Lernergebnisse_praktisch_formulieren_01.pdf, Stand vom 14. Juni 2019.

Hochschulforum Digitalisierung (2015). *20 Thesen zur Digitalisierung der Hochschulbildung.* Berlin: Hochschulforum Digitalisierung. https://hochschulforumdigitalisierung.de/de/thesen-digitalisierung-hochschulbildung, Stand vom 14. Juni 2019.

Kerres, M. (2001). Mediendidaktische Professionalität bei der Konzeption und Entwicklung technologiebasierter Lernszenarien. In B. Herzig (Hrsg.), *Medien machen Schule. Grundlagen, Konzepte und Erfahrungen zur Medienbildung* (S. 57-88). Bad Heilbrunn: Klinkhardt.

Kopcha, T. J. (2012). Teachers' perceptions of the barriers to technology integration and practices with technology under situated professional development. *Computers & Education, 59*(4), 1109-1121. https://www.sciencedirect.com/science/article/pii/S0360131512001352, Stand vom 14. Juni 2019.

Krathwohl, D. R. (2002). A Revision of Bloom's Taxonomy: An Overview. *Theory Into Practice, 41*(4), 212-218. https://www.tandfonline.com/doi/abs/10.1207/s15430421tip4104_2?journalCode=htip20, Stand vom 11. Juni 2019.

Linde, F. & Auferkorte-Michaelis, N. (2014). Diversitätsgerecht Lehren und Lernen. In K. Hansen (Hrsg.), *CSR und Diversity Management – Erfolgreiche*

Vielfalt in Organisationen (S. 137-175). Berlin, Heidelberg: Springer Gabler. https://link.springer.com/chapter/10.1007/978-3-642-55233-5_6, Stand vom 12. Juni 2019.

Loviscach, J. (2013). The Inverted Classroom. Where to Go from Here. In J. Handke, N. Kiesler & L. Wiemeyer (Hrsg.), *The Inverted Classroom Model: The 2ⁿᵈ German ICM-Conference-Proceedings* (S. 1-14). München: De Gruyter Oldenbourg.

Manca, S. & Ranieri, M. (2016). Facebook and the others. Potentials and obstacles of Social Media for teaching in higher education. *Computers & Education, 95*, 216-230. https://www.sciencedirect.com/science/article/pii/S0360131516300185, Stand vom 14. Juni 2019.

Mürner, B. & Polexe, L. (2014). Digitale Medien im Wandel der Bildungskultur – neues Lernen als Chance. *Zeitschrift für Hochschulentwicklung, 9*(3), 1-12. https://www.zfhe.at/index.php/zfhe/article/view/670, Stand vom 12. Juni 2019.

Pohlenz, P. & Seyfried, M. (2014). Die Organisation von Qualitätssicherung: Heterogene Studierende, vielfältige Managementansätze? *die hochschule. journal für wissenschaft und bildung, 23*(2), 144-155. https://www.pedocs.de/frontdoor.php?source_opus=16238, Stand vom 12. Juni 2019.

Rathmann, A. & Anacker, J. (2015). *Hochschuldidaktische Weiterbildung im Kontext einer heterogenen Studierendenschaft – Bedarfsanalyse der Lehrenden an der Otto-von-Guericke-Universität Magdeburg* (Nr. 02). https://www.fokuslehre.ovgu.de/fokuslehre_media/Magdeburger+Beitr%C3%A4ge +zur+Hochschulentwicklung/Magdeburger+Beitr%C3%A4ge+zur+Hochschulentwic klung_WBBA.pdf, Stand vom 12. Juni 2019.

Salmon, G. (2000). *E-Moderating – The Key to Teaching and Learning Online.* New York, London: Routledge.

Salmon, G., Gregory, J., Lokuge Dona, K. & Ross, B. (2015). Experiential online development for educators: The example of the Carpe Diem MOOC. *British Journal of Educational Technology, 46*(3), 542-556.

Wissenschaftlicher Beitrag

https://onlinelibrary.wiley.com/doi/pdf/10.1111/bjet.12256, Stand vom 12. Juni 2019.

Salmon, G. & Wright, P. (2014). Transforming Future Teaching through 'Carpe Diem' Learning Design. *Education Sciences, 4*(1), 52-63. https://www.mdpi.com/2227-7102/4/1/52, Stand vom 14. Juni 2019.

Seidel, S. & Wielepp, F. (2014). Heterogenität im Hochschulalltag. *die hochschule. journal für wissenschaft und bildung, 23*(2), 156-171. https://www.pedocs.de/frontdoor.php?la=de&source_opus=16245, Stand vom 12. Juni 2019.

vom Brocke J., Buddendick C. & Schneider D. (2007). Handlungskompetenz im E-Learning: Ein theoretischer Bezugsrahmen zur Kompetenzentwicklung von Lehrenden an Hochschulen. In M. H. Breitner, B. Bruns & F. Lehner (Hrsg.), *Neue Trends im E-Learning* (S. 415-426). Heidelberg: Physica-Verlag.

Wedekind, J. (2008). Medienkompetenz für (Hochschul-)Lehrende. *Zeitschrift für E-Learning, 3*(2), 24-37. http://joachim-wedekind.de/Downloads/medienkompetenzHSLehrende.pdf, Stand vom 12. Juni 2019.

Autor/innen

Daniela SCHMIDT ‖ Martin-Luther-Universität Halle-Wittenberg, Institut für Psychologie ‖ Emil-Abderhalden-Str. 26-27, D-06108 Halle/Saale

www.psych.uni-halle.de

daniela-schmidt@outlook.com

Dr. Anja HAWLITSCHEK ‖ Hochschule Magdeburg-Stendal, Industrial eLab ‖ Breitscheidstraße 2, D-39114 Magdeburg

www.elab.ovgu.de

anja.hawlitschek@h2.de

Andreas KASPERSKI ‖ Martin-Luther-Universität Halle-Wittenberg, Verbundprojekt „Heterogenität als Qualitätsherausforderung für Studium und Lehre" am Zentrum für multimediales Lehren und Lernen ‖ Hoher Weg 8, D-06120 Halle/Saale

www.vielfalt-in-studium-und-lehre.de

andreas.kasperski@llz.uni-halle.de

Wenke LUNGENMUß ‖ Martin-Luther-Universität Halle-Wittenberg, Zentrum für multimediales Lehren und Lernen ‖ Hoher Weg 8, D-06120 Halle/Saale

llz.uni-halle.de

wenke.lungenmuss@llz.uni-halle.de

Prof. Dr. Marianne MERKT ‖ Hochschule Magdeburg-Stendal, Zentrum für Hochschuldidaktik und angewandte Hochschulforschung ‖ Breitscheidstraße 2, D-39114 Magdeburg

www.hs-magdeburg.de/zhh

marianne.merkt@h2.de

Anja SCHULZ ‖ Martin-Luther-Universität Halle-Wittenberg, Verbundprojekt „Heterogenität als Qualitätsherausforderung für Studium und Lehre" am Zentrum für multimediales Lehren und Lernen ‖ Hoher Weg 8, D-06120 Halle/Saale

www.vielfalt-in-studium-und-lehre.de

anja.schulz@llz.uni-halle.de

Lavinia IONICA ‖ Universität Leipzig, Hochschuldidaktisches Zentrum Sachsen ‖ Marschnerstraße 31, Altes Trafohaus, Haus 6, D-04109 Leipzig

www.hd-sachsen.de

lavinia.ionica@uni-leipzig.de

Günther WENZEL[1], Christa WALENTA & Ingrid WAHL
(Wiener Neustadt)

Flexibilität und Struktur am Beispiel einer Lehrveranstaltung im Blended-Learning-Design

Zusammenfassung

Die Nutzung neuer Technologien für die Gestaltung von Lernprozessen ist ein zentrales Thema im Hochschuldiskurs. Damit verbunden ist die Forderung nach Flexibilität beim Lernen und die Öffnung der Hochschulen für nicht-traditionelle Studierende. Der Werkstattbericht stellt anhand einer Lehrveranstaltung am Beginn eines Bachelorstudiums in einem Fernstudiengang Aspekte des Blended Learnings vor. Es wird aufgezeigt, wie in diesem Kontext Flexiblitität beim Lernen ermöglicht und durch den gezielten Einsatz strukturgebender Elemente gleichzeitig einer mangelnden Integration und Kommunikation sowie möglichen Schwächen in der Selbststeuerungsfähigkeit der Studierenden begegnet werden kann.

Schlüsselwörter

E-Learning, Blended Learning, Flexibliität

---

[1] E-Mail: guenther.wenzel@fernfh.ac.at

Günther Wenzel, Christa Walenta & Ingrid Wahl

Flexibility and structure using the example of a course featuring a blended-learning design

Abstract

In higher education discourse, the use of new technologies for designing learning processes is a core topic, which is associated with the demand for learning flexibility and the opening of universities to non-traditional students. This paper presents aspects of blended learning based on a course at the beginning of a bachelor's degree in a distance-learning study programme. In this context, it shows how flexibility in learning can be fostered and, at the same time, how the challenges stemming from a lack of integration and communication, as well as possible shortcomings in students' self-organisation abilities, can be overcome through a purposeful allocation of structural elements.

Keywords

e-learning, blended learning, flexibility

1 Einleitung

Die Nutzung neuer Technologien für die Gestaltung von Lernprozessen ist ein zentrales Thema im Hochschuldiskurs. Dies spiegelt sich auch in der Anzahl an Online- und Fernstudienangeboten wider. Der Einsatz von E-Learning schafft neue Möglichkeiten, Lehr-/Lernprozesse flexibel zu gestalten, beispielsweise durch das Potenzial eines orts- und zeitunabhängigen Zugangs zu Lehrinhalten und Lehrenden (DE BOER & COLLIS, 2005; LI & WONG, 2018). Dieser Mehrwert begegnet insbesondere den Anforderungen nicht-traditioneller Studierender und fördert die Vereinbarkeit von Privat/Beruf und Studium. Personen mit langer Anreise zu möglichen Studienorten oder familiären Betreuungsverpflichtungen benötigen mehr Flexibilität im Studium. Vereinbarkeit und Flexibilität sind zentrale Motive für die Wahl eines Fernstudiums (MEANS, TOYAMA, MURPHY & BAKI, 2013; MÜLLER & JAVET, 2019; VAUGHAN, 2007; WAHL & WALENTA, 2018).

Ein Blended-Learning-Design vereint Vorteile des E-Learning und der Präsenzlehre, indem konventionelle Lehr-Lern-Szenarien mit Technologie unterstützt und Phasen der Wissensvermittlung mit Phasen des selbstgesteuerten Lernens kombiniert werden (EHLERS, 2011). Das daraus resultierende hohe Potential an Selbständigkeit und notwendiger Selbstregulierung wird von Studierenden begrüßt (MÜRNER, POLEXE & TSCHOPP, 2015) und ermöglicht flexibles Lernen. Ein positiver Effekt auf die Leistung kann beobachtet werden (MÜLLER, STAHL, ALDER & MÜLLER, 2018). Das Ausmaß der Flexibilität kann entlang unterschiedlicher Dimensionen gestaltet werden. Zum Beispiel Beurteilung/Bewertung, Orientierung/Ziele oder Zugangsvoraussetzungen (LI & WONG, 2018) bieten hier Anknüpfungspunkte für die konkrete Umsetzung von Lehre in einem Blended-Learning-Design mit großem Online-Anteil. Andererseits darf hohe Flexibilität nicht automatisch als vorteilhafter für Studierende interpretiert werden (LI, 2014). Die Integration, die Kommunikation sowie die Selbststeuerungsfähigkeit der Studierenden sollten ebenfalls bedacht und durch strukturgebende Elemente gezielt gefördert werden.

Dieser Werkstattbericht hat zum Ziel, ein Beispiel aus dem Fernstudienkontext vorzustellen, in welchem Flexibilität und der Einsatz von strukturgebenden Elementen das Lernen unterstützen. Die Lehrveranstaltung eröffnet im ersten Semester das betriebswirtschaftliche Modul und entwickelt grundlegende Kompetenzen anwendungsorientiert anhand einer konkreten Unternehmenssituation. Die Studierenden werden dabei aber auch durch den gezielten Einsatz vielfältiger didaktischer Methoden und digitaler Technologien an die Rahmenbedingungen des Studiums herangeführt. Im Folgenden werden der Aufbau, die Gestaltungselemente und Evaluierungsbefunde zur Lehrveranstaltung vorgestellt.

2 Flexibles Lernen in der LV „Einführung in die marktorientierte Betriebswirtschaft"

2.1 Konzeption und Ablauf der Lehrveranstaltung

Entsprechend der organisatorischen Vorgaben im Studiengang verschränkt die drei ECTS umfassende Lehrveranstaltung am Beginn eines berufsbegleitenden Bachelorstudiums eine achtwöchige betreute Selbstlernphase mit zeitlich vor- und nachgelagerten Präsenzeinheiten. Didaktisch konzeptionelle Entscheidungen wurden im Sinne einer Studierenden- und Kompetenzorientierung stets mit Bezug auf die Lernziele (z. B. Studierende können eine Unternehmensvision entwickeln und konkrete und operative Ziele ableiten) getroffen.

In der einführenden Vorlesung wird ein fachlicher Überblick über betriebswirtschaftliche Grundlagen vor dem Hintergrund aktueller wirtschaftlicher, sozialer und gesellschaftlicher Herausforderungen vermittelt. Da soziale Eingebundenheit der Motivation im Fernstudium förderlich ist (HINZE & BLAKOWSKI, 2003), wird während der Präsenzveranstaltung auch der persönlichen Begegnung ausreichend Raum gegeben. Unter Anwendung der Workshop-Methode „World Café" diskutieren Studierende in wechselnden Kleingruppen über betriebswirtschaftliche Leitfragen. Auf Basis dieser Diskussionen finden sich dann Arbeitsgruppen, welche über die gesamte Lehrveranstaltungsdauer gemeinsam die geforderten Gruppenaufgaben lösen.

In der anschließenden betreuten Selbstlernphase eignen sich die Studierenden grundlegendes betriebswirtschaftliches Wissen durch selbstständiges Befassen mit den angebotenen Lernmaterialien und weiterführenden Recherchen an. Die Gestaltung der Online-Lernumgebung mit ansprechenden Designs, aufeinander aufbauende Lernpakete sowie die multimediale Aufbereitung theoretischer Inhalte tragen zum vertieften Lernen bei. Praxisorientierte Übungen ermöglichen eine Erprobung der eigenen Handlungsfähigkeit und werden sowohl in Einzel- als auch Gruppenarbeiten mit der betrieblichen Aufgabenstellung „Gründung eines Food-Trucks" verortet. Studierende können sich mit diesem Gastro-Trend leicht identifizieren und persönliche Anknüpfungspunkte finden. Komplexe Sachverhalte der betriebswirtschaftlichen Unternehmensrealität werden in verständliche Lernpakete gebracht und Inhalte praxisnah vermittelt. Durch dieses Üben, Anwenden und Diskutieren wird das Gelernte gefestigt. Bei der Konzeption der Lernumgebung wurde darauf geachtet, Studierenden ausreichend Möglichkeiten der Gestaltung ihres Lernprozesses zur Verfügung zu stellen. Dadurch wird Motivation und selbstreguliertes Lernen gefördert und die selbstbestimmte Erreichung der Lernziele ermöglicht (GERHOLZ, 2012).

Ein Präsenz-Workshop beschließt die Lehrveranstaltung. Alle Arbeitsgruppen halten eine Präsentation der erarbeiteten Inhalte. Zudem erfolgt ein Fachgespräch mit Lehrenden und Studierenden. Die Leistungsbeurteilung erfolgt formativ auf Basis aller Aufgabenstellungen der Selbstlernphase und des abschließenden Workshops.

2.2 Gestaltungselemente zur Förderung der Flexibilität

Um im vorliegenden Beispiel die Berücksichtigung von Flexibilität zu veranschaulichen, wird im Folgenden auf jene Dimension eingegangen, deren Integration durch die Nutzung neuer Technologien unterstützt wird. Die Lehrveranstaltung bietet Anknüpfungspunkte an die sich gegenseitig beeinflussenden Flexibilitätsdimensionen Zeit, Ort, didaktische Gestaltung, Inhalt, Ressourcen und Support.

Die Nutzung eines geeigneten Lernmanagementsystems (Moodle) in Form eines webbasierten Lernraums schafft die Voraussetzung eines orts- und zeitunabhängigen Zugangs zum Studium. Im Vergleich mit Präsenzstudien werden anfallende Wegzeiten zur Hochschule und die damit verbundenen zeitlichen, finanziellen und ökologischen Kosten reduziert. In der Selbstlernphase sind alle Inhalte von Beginn an für die Studierenden zugänglich. Die Darstellung und Bearbeitung sind auf unterschiedlichen Endgeräten (z. B. PC, Tablet, Handy) möglich. Studierende werden dadurch in die Lage versetzt, Zeitpunkt und Ort ihres Lernens großteils autonom bestimmen zu können. Die theoretische Inhaltsvermittlung erfolgt multimedial (z. B. als selbsterstellte Erklär- oder Lernvideos) und ein Studienheft steht in gedruckter und elektronischer Form zur Verfügung. Eine integrierte Text-to-Speech-Option wandelt Texte auch in eine akustische Sprachausgabe um. Neben verpflichtend zu bearbeitenden Lernmaterialien regen ergänzende Unterlagen zur eigenständigen Recherche an. Dies ermöglicht es Studierenden, sich je nach Vorwissen mehr oder weniger intensiv mit den betriebswirtschaftlichen Inhalten zu befassen, so dass Lerntempo und Lernpfad eigenständig bestimmt werden können.

Online-Wissensüberprüfungen geben Studierenden und Lehrenden Auskunft über die individuellen Lernfortschritte. Ob angestrebte Lernziele erreicht werden, wird neben einer intensiven inhaltlichen Auseinandersetzung auf den kognitiven Kompetenzebenen von Wissen und Verstehen auch durch Analyse und Anwendung in beruflichen Situationen überprüft. Studierende erproben die eigene Handlungsfähigkeit unter Anwendung variierender Methoden (z. B. Case Studies, Reflexionen, Peer Feedback, Nutzung von marketingüblicher Software) und können derart Erlerntes in imitierten „Praxissituationen" übertragen und dabei eigene Erfahrungen und berufliche Expertise einbringen.

Die Betreuung durch die Lehrenden erfolgt im Online-Lernraum über moderierte Diskussionen im Forum sowie regelmäßiges Feedback und Beurteilung der Aufgaben. Entsprechend der ständigen Verfügbarkeit des virtuellen Lernraums werden bei dieser asynchronen Kommunikation kurze Reaktionszeiten auf Anfragen und zeitnahes Feedback zu den Teilleistungen, die teils aufeinander aufbauen, durch ein Lehrendenteam gewährleistet.

2.3 Strukturgebende Gestaltungselemente

Eine hohe Flexibilität kann insbesondere im Fernstudium eine mangelnde Sozialintegration und Kommunikation sowie mögliche Schwächen in der Selbststeuerungsfähigkeit der Studierenden nach sich ziehen. Dieser Problematik kann durch strukturgebende Gestaltungselemente in der Lehrveranstaltung begegnet werden. Auf den ersten Blick die Flexibilität einschränkend, zeigen Rückmeldungen der Studierenden und Erfahrungen der Autorinnen und des Autors, dass Struktur als sinnvoll erachtet und als unterstützend wahrgenommen wird.

Studierende werden bereits zu Beginn der Lehrveranstaltung mittels eines verbindlichen Konzepts kompakt über Inhalte, Termine, Beurteilungskriterien sowie erforderliche Literatur informiert. Zudem werden die betriebswirtschaftlichen Sachverhalte in fünf aufeinander aufbauende Lernpakete eingeteilt (Von der Vision zum Leitbild, Marktorientiert Planen, Marketing-Mix und Marktsegmentierung, Produkt- und Preispolitik) und es wird die Empfehlung gegeben, diese im Wochenrhythmus zu bearbeiten. Die Lernpakete sind ähnlich aufgebaut und strukturiert und haben damit einen Wiedererkennungswert, der das Lernen erleichtert. Jedes Lernpaket beinhaltet einen Online-Test mit Wissens- und Verständnisfragen, der in Einzelarbeit zu lösen ist, und eine komplexere, praxisorientierte Gruppenaufgabe. Das Lernen in Gruppen wird einerseits aufgrund seiner motivationalen Potentiale eingesetzt (REINMANN, 2015), andererseits verdeutlichen Entscheidungsprozesse im Team die Anforderungen der betrieblichen Praxis. Lernen wird auf diese Weise ein aktiver, selbstgesteuerter Prozess, in dem nicht nur auf die Wiedergabe von Wissen in einer Prüfungssituation hingearbeitet wird. Studierende beschäftigen sich sowohl mit theoretischen Ansätzen als auch mit der unmittelbaren Umsetzung dieser in über die gesamte Dauer verteilten Übungen und tauschen sich mit anderen darüber aus.

2.4 Begleitende Evaluierung

Die angewandten didaktischen Methoden werden im Hinblick auf Anreiz, Akzeptanz und Effizienz evaluiert. Die Lehrveranstaltung wurde in der beschriebenen Form erstmalig im Wintersemester 2017/18 durchgeführt. Bislang erhobene Daten zeigen, dass die Umsetzung sehr gut angenommen wurde. Studierende gaben überwiegend an, die Auswahl und Aufbereitung der Lernmaterialen sowie die Aktivitäten und Übungen beim Lernen als hilfreich und zum Verständnis beigetragend empfunden zu haben. Studierende wurden zu einer kritischen Auseinandersetzung mit den Inhalten angeregt und beurteilten den anfallenden Workload als angemessen. In einer offenen Antwortkategorie wurden insbesondere die Praxisnähe der Inhalte und Übungen, die soziale Interaktion mit den Studienkolleginnen und -kollegen sowie die strukturierte Gestaltung der Lehrveranstaltung und damit das Verhältnis zwischen flexibilitätsfördernden und strukturgebenden Elementen positiv hervorgehoben.

3 Fazit

Der vorliegende Bericht skizziert die Konzeption und Durchführung der Lehrveranstaltung „Einführung in die marktorientierte Betriebswirtschaftslehre" zu Beginn eines Bachelorstudiengangs im Blended-Learning-Design. Aus Sicht der Lehrveranstaltungsverantwortlichen ist es durch Anwendung eines innovativen Lehr-Lern-Szenarios und der Technologieunterstützung gelungen, ein hohes Maß an Flexibilität für Studierende bereitzustellen, ohne die originären Ziele des Erwerbs grundlegender betriebswirtschaftlicher Kompetenzen und des Theorie-Praxis-Transfers einzuschränken. Aktives, selbstreguliertes Erarbeiten von Inhalten ist in einem Fernstudium essenziell, bedarf aber einer unterstützenden Struktur, die genügend Sicherheit im Lernprozess bietet und nicht als einschränkend empfunden wird.

Die Konzeption der Lehrveranstaltung war an organisationale Vorgaben (z. B. Blended_Learning-Design, Zeitdauer) der Hochschule und des Studiengangs gebunden. Didaktische Entscheidungen wurden auf Grund der Kompetenzorientierung und Förderung der Flexibilität für Studierende getroffen. Die Konzeption und erstmalige Umsetzung seitens der Lehrenden war zeitaufwendig, stellt aber nun eine gute Ausgangsbasis für die Weiterentwicklung für selbstgesteuerte Lernprozesse im E-Learning dar.

E-Learning wird häufig mit Flexibilität assoziiert (LI & WONG, 2018). Neue Technologien allein sind jedoch für eine Implementierung von Flexibilität für Studierende nicht ausreichend (MÜLLER & JAVET, 2019) und garantieren auch keinen Lernerfolg. Vielmehr müssen vielfältige Dimensionen bedacht und auf ihren sinnvollen Einsatz hin beurteilt werden (LI & WONG, 2018). Gerade zu Beginn eines Studiums können Studierende weniger Anwesenheitsverpflichtung fälschlicherweise mit weniger Lernaufwand verwechseln. Eine Annahme, die ohne gezielte Unterstützung unweigerlich zu Schwierigkeiten in der Verantwortungsübernahme für den eigenen Lernprozess führt (VAUGHAN, 2007). Strukturgebende Gestaltungselemente wirken dem entgegen, können aber als flexibilitätseinschränkend wahrgenommen werden. Fixe Abgabetermine für alle Aufgaben reduzieren die freie Zeiteinteilung. Andererseits kann so die laufende Mitarbeit sichergestellt und eventuell auftretenden Problemen frühzeitig begegnet werden. Für Studierende besteht dennoch die Möglichkeit, das Lerntempo bis zur Abgabefrist individuell zu adaptieren. Kooperative Prozesse wie Gruppenarbeiten schränken die Autonomie der Studierenden z. B. durch einen erhöhten Abstimmungsbedarf ebenso ein, stellen aber einen regelmäßigen Kontakt und Austausch der Studierenden untereinander sicher. Der für die Motivation im Fernstudium wesentliche Aspekt der sozialen Eingebundenheit (HINZE & BLAKOWSKI, 2003) und das „Dranbleiben" seitens der Studierenden können dadurch gestärkt und Schwächen in der Selbstdisziplin überbrückt werden.

Die bislang zweimalige Durchführung der vorgestellten Lehrveranstaltung und die damit verbundenen Erfahrungen zeigen einen Weg im Blended-Learning-Design auf, flexibles Lernen zu fördern, ohne erforderliche strukturgebende Elemente zu sehr zu vernachlässigen. So kann dem Ziel der Entwicklung fachlicher Kompetenzen mit einem Fokus auf Flexibilität und Vereinbarkeit mit anderen Lebensbereichen entsprochen werden. Studierende sind sich der Grenzen flexiblen Lernens bewusst (LI, 2014). Trotz des Wunsches nach Flexibilität werden konkrete Vorgaben und Strukturen in Lernprozessen als unterstützend wahrgenommen und der persönliche Kontakt zu Lehrenden und Studienkolleginnen und -kollegen als wichtiger sozialer Faktor angesehen. Die Ergebnisse der Evaluierungen zeigen zwar eine hohe Zustimmung im Hinblick auf die Gestaltung und Durchführung der Lehrveranstaltung, geben aber nur eine geringe Einsicht in die tatsächlichen Erwartungen und Bedürfnisse der Studierenden. Dieser Frage soll zukünftig durch Erweiterung des Evaluierungsprozesses intensiver nachgegangen werden.

4   Literaturverzeichnis

De Boer, W. & Collis, B. (2005). Becoming more systematic about flexible learning: beyond time and distance. *Association for Learning Technology Journal, 13*(1), 33-48.

Ehlers, U. D. (2011). *Qualität im E-Learning aus Lernersicht* (2. überarbeitete Aufl.). Wiesbaden: VS Verlag.

Gerholz, K.-H. (2012). Selbstreguliertes Lernen in der Hochschule fördern – Lernkulturen gestalten. *Zeitschrift für Hochschulentwicklung, 7*(3), 60-73.

Hinze, U. & Blakowski, G. (2003). Soziale Eingebundenheit als Schlüsselfaktor im E-Learning – Blended Learning und CSCL im didaktischen Konzept der VFH. In A. Bode, J. Desel, S. Rathmeyer & M. Wessner (Hrsg.), *Tagungsband der 1. e-Learning Fachtagung Informatik* (S. 57-66). Bonn: Köllen.

Li, K. C. (2014). How flexible do students prefer their learning to be? *Asian Association of Open Universities Journal, 9*(1), 35-46.

Li, K. C. & Wong, B. Y. Y. (2018). Revisiting the definitions and implementation of flexible learning. In K. C. Li, K. S. Yuen & B. T. M. Wong (Hrsg.), *Innovations in Open and Flexible Education* (S. 3-13). Singapore: Springer Singapore.

Means, B., Toyama, Y., Murphy, R. & Baki, M. (2013). The effectiveness of online and blended learning. A meta-analysis of the empirical literature. *Teachers College Record, 115*(3), 1-47.

Müller, C. & Javet, F. (2019). Flexibles Lernen als Lernform der Zukunft? In D. Holtsch, M. Oepke & S. Schumann (Hrsg.), *Lehren und Lernen in der Sekundarstufe: Gymnasial- und wirtschaftspädagogische Perspektiven* (S. 84-95). Bern: hep.

Müller, C., Stahl, M., Alder, M., & Müller, M. (2018). Learning effectiveness and students' perceptions in a flexible learning course. *European Journal of Open, Distance and E-learning, 21*(2), 44-52.

Mürner, B., Polexe, L. & Tschopp, D. (2015). Es funktioniert doch – Akzeptanz und Hürden beim Blended Learning. *Zeitschrift für Hochschulentwicklung, 10*(2), 39-50.

Reinmann, G. (2015). *Studientext Didaktisches Design.* https://gabi-reinmann.de/wp-content/uploads/2013/05/Studientext_DD_Sept2015.pdf, Stand vom 5. März 2019.

Vaughan, N. (2007). Perspectives on blended learning in higher education. *International Journal on E-Learning, 6*(1), 81-94.

Wahl, I. & Walenta, C. (2018). Mehr Zeit und bessere Vereinbarkeit durch Blended-Learning? Befragungsergebnisse von Studierenden eines berufsbegleitenden Studiengangs. In I. Buß, M. Erbsland, P. Rahn & P. Pohlenz (Hrsg.), *Öffnung von Hochschulen* (S. 233-254). Wiesbaden: Springer VS.

Autor/innen

Günther WENZEL, M.A. || Ferdinand Porsche FernFH || Ferdinand-Porsche-Ring 3, A-2700 Wiener Neustadt

www.fernfh.ac.at

guenther.wenzel@fernfh.ac.at

Prof. (FH) Dr. Mag. Christa WALENTA || Ferdinand Porsche FernFH || Ferdinand-Porsche-Ring 3, A-2700 Wiener Neustadt

www.fernfh.ac.at

christa.walenta@fernfh.ac.at

Prof. (FH) Dr. Mag. Ingrid WAHL || Ferdinand Porsche FernFH || Ferdinand-Porsche-Ring 3, A-2700 Wiener Neustadt

www.fernfh.ac.at

ingrid.wahl@fernfh.ac.at

Katrin BRINKMANN[1] (Oldenburg)

Herausforderungen bei der Implementierung digitaler Medien an Hochschulen

Zusammenfassung

Flexibles Lernen an Hochschulen erfährt eine zunehmende Relevanz, dabei bietet vor allem der Einsatz digitaler Medien viele Ansätze zur Gestaltung. Eine nachhaltige Implementierung von Maßnahmen flexiblen Lernens durch digitale Medien scheint vielen Hochschulen bisher aber nicht umfassend zu gelingen. In diesem Beitrag werden mit Blick auf Implementierung digitaler Medien aktuelle Herausforderungen beschrieben und anhand einer qualitativen Studie überprüft, ob und wie in der Hochschulpraxis mit den Herausforderungen umgegangen wird.

Schlüsselwörter

Implementierung, Innovationen, digitale Medien, Lehr-/Lernkultur, flexibles Lernen.

---

[1] E-Mail: katrin.brinkmann@uni-oldenburg.de

Wissenschaftlicher Beitrag · DOI: 10.3217/zfhe-14-03/07

Katrin Brinkmann

Challenges in implementing digital media in higher education

Abstract

With the growing importance of flexible learning in institutions of higher education, the use of digital media offers many design approaches. However, it seems that many higher education institutions have struggled to implement a sustainable programme of flexible learning measures. This paper discusses current challenges related to the implementation of digital media and then presents a qualitative study that was conducted to examine if and how these challenges are being addressed in higher education practice.

Keywords

implementation, innovation, digital media, teaching/learning culture, flexible learning

1 Einleitung

Flexibles Lernens gilt gegenwärtig als vielversprechender Ansatz, um auf aktuelle Herausforderungen von Hochschulen zu reagieren, z. B. auf die Bedürfnisse der zunehmenden Heterogenität hochschulischer Zielgruppen (HANFT, ZAWACKI-RICHTER & GIERKE, 2015). In der Hochschulpraxis zeigen sich verschiedene Initiativen auf Bund-, Länder- und Hochschulebene[2], die sich mit der Entwicklung und Implementierung von vielfältigen Angeboten und Maßnahmen flexiblen Lernens auf unterschiedlichen Ebenen beschäftigen, z. B. Teilzeit- und berufsbegleitende Studiengänge, Studieneingangsphase und -vorbereitung. Vor dem Hintergrund dieser Vielfalt an Angeboten flexiblen Lernens bestehen in der Literatur verschiedene Ansätze, welche unterschiedliche Beschreibungen und

---

[2] z. B. das Bund-Länder-Programm „Qualitätspakt Lehre" https://www.qualitaetspakt-lehre.de [12.06.2019]

Reichweiten haben (BERGAMIN, ZISKA & GRONER, 2009; LI & WONG, 2018). Mit Blick auf die Analyse von Dimensionen von flexiblen Lernen machen LI & WONG (2018) deutlich, dass bisherige Studien immer nur Teile des Systems betrachten und es nicht einfach ist, alle Dimensionen auf vergleichbare Weise zusammenzufügen.

Vor dem Hintergrund der Komplexität der Thematik des flexiblen Lernens und der Schwierigkeiten einer ganzheitlichen Betrachtung wird in diesem Beitrag die Implementierung digitaler Medien[3] als ein Ausschnitt der Implementierung flexiblen Lernens in den Blick genommen. Flexibles Lernen wird in vielen Bereichen durch den Einsatz digitaler Medien gestaltet (TUCKER & MORRIS, 2012), welche – auch durch die zunehmende Relevanz der Digitalisierung – als Motor für die Reform von Studium und Lehre betrachtet werden können und viele Potenziale für eine flexible Lernorganisation bieten (KERRES, 2018; HOCHSCHULFORUM DIGITALISIERUNG, 2016a).

Die Implementierung digitaler Medien wird seit mehr als 20 Jahren durch verschiedene Programme und Initiativen gefördert und ist fester Bestandteil von Hochschulforschung und -praxis. Trotz vorhandener praktischer Erfahrungen und Ergebnisse aus der Forschung bestehen aktuell aber weiterhin Herausforderungen in der Hochschulpraxis (KERRES, 2018). Daher werden in diesem Beitrag zunächst die Thematik der Implementierung mit Blick auf Innovationen, digitale Medien und Lehr-/Lernkulturen an Hochschulen betrachtet, um anschließend den aktuellen Forschungsstand zu Herausforderungen bei der Implementierung digitaler Medien als ein Teil flexiblen Lernens an Hochschulen zu beschreiben. Daran anknüpfend folgt die Darlegung einer qualitativen Studie, welche das Ziel hatte, den Umgang mit den beschriebenen Herausforderungen in der

---

[3] Unter digitalen Medien können Medien verstanden werden, die auf der Grundlage digitaler Informations- und Kommunikationstechnologie funktionieren (REINMANN & EPPLER, 2008). Einen Überblick zu verschiedenen Formattypen digitaler Medien bietet z. B. das HOCHSCHULFORUM DIGITALISIERUNG (2016b).

Hochschulpraxis zu untersuchen. Anschließend werden die Ergebnisse diskutiert und der Beitrag wird mit einem Fazit abgeschlossen.

2 Implementierung

2.1 Implementierung von Innovationen an Hochschulen

EULER (2009) hat mit Blick auf Implementierung von Innovationen an Hochschulen[4] eine Übersicht aus der Innovations- und Implementationsforschung erarbeitet, welche nachfolgend kurz dargestellt wird. So beschreibt er anhand von Ergebnissen einer Untersuchung von COLLIS & VAN DER WENDE (2002), dass hochschulische Veränderungen nicht radikal, sondern langsam verlaufen (‚stretching the mould‘). Daran anknüpfend zeigt er in Bezug auf LEPORI & SUCCI (2003) auf, dass an Hochschulen häufig eine proaktive Strategiegestaltung fehlt und eher eine ‚wait-and-see‘-Haltung vorzufinden ist. Mit Blick auf Prozesse zur Implementierung von Innnovationen macht EULER (2009) deutlich, dass diese zum einen häufig längerfristig und mehrzyklisch verlaufen und dass durch andauernde Veränderungen von Rahmenbedingungen der Implementierung eine ständige Anpassung erfolgen muss (‚moving-target‘-Phänomen), sodass es kein Standardvorgehen zur Implementierung gibt, sondern diese das Ergebnis eines gesteuerten Veränderungsprozesses ist. Zum anderen erfordern komplexe Innovationen einen systematischen Zugang bzw. eine mehrdimensionale Gestaltung in fünf Dimensionen (vgl. Kapitel 2.2), wobei davon ausgegangen werden kann, „dass diese fünf Dimensionen im Hinblick auf ihre Veränderungsgeschwindigkeit mit unterschiedlichen Zeithorizonten verbunden sind. Eine markante Diskrepanz kann beispielsweise zwischen den Dimensionen Technik und Kultur angenommen werden. Während die

---

[4] Hier soll auch auf organisationsspezifische Besonderheiten von Hochschulen (MUSSELIN, 2007; KEHM, 2012) hingewiesen werden, welche aber nicht weiter betrachtet werden.

Technik einer enormen Innovationsrasanz unterliegt, verlaufen kulturelle Veränderungen verzögert und vergleichsweise schwerfällig" (EULER, 2009, S. 566). Legt man den Fokus nun auf die Akteurinnen/Akteure, die an der Implementierung einer Innovation beteiligt sind, beschreibt EULER (2009) anhand einer Typologie von ROGERS (1995), dass auch Personen Innovationen in unterschiedlicher Geschwindigkeit in fünf Gruppen aufnehmen (‚Innovation Adoption Curve').

2.2 Implementierung digitaler Medien an Hochschulen

Mit Blick auf die Implementierung digitaler Medien beschreiben KLEIMANN & WANNEMACHER (2004), dass ein E-Learning-Projekt dann nachhaltig implementiert ist, wenn es sich als zeitlich befristetes Vorhaben auflöst und in dauerhafte Strukturen überführt wird, indem dessen Ergebnisse 1) dauerhaft verwendet werden und 2) in andere Bereiche inner-/außerhalb von Hochschulen übertragen werden sowie 3) Einsatz, Pflege und Weiterentwicklung dauerhaft finanziert werden können.

REINMANN (2005) beschreibt in Bezug auf mehrere Fallstudien und eine Delphi-Befragung zur Implementierung von E-Learning an Hochschulen (SEUFERT & EULER, 2004; 2005; PFEFFNER, SINDLER & KOPP, 2005; KLEIMANN & WANNEMACHER, 2005), dass sich mindestens fünf konsensfähige Dimensionen ableiten lassen, die nachfolgend kurz mit Beispielen skizziert werden (vgl. Abb. 1):

Technologische Dimension	– Einführung einer zentralen Lernplattform oder Portfolio von Kommunikationswerkzeugen – Verwendung von kommerziellen oder Open Source Produkten
Ökonomische Dimension	– Erschließung neuer Geschäftsfelder für E-Learning – Finanzierungsmöglichkeiten, Kosten-Nutzen-Verhältnisse
Organisatorische Dimension	– neue Strukturen und Prozesse – Balance zwischen Zentralisierung und Dezentralisierung
Sozio-kulturelle Dimension	– Unterstützung der Hochschulleitung – aktive Informations- und Kommunikationspolitik – Kompetenzentwicklung, Akzeptanzförderung, Anreizgestaltung
Didaktische Dimension	– Mediengestaltung – Gestaltung von Lernphasen durch unterschiedliche digitale Kommunikationsformen – didaktisches Design von Angeboten

Abb. 1: Dimensionen zur Implementierung von E-Learning
(Quelle: eigene Darstellung in Anlehnung an REINMANN, 2005, S. 74)

Die konkrete Ausgestaltung der Dimensionen steht dabei immer in Abhängigkeit zur Umwelt und strategischen Ausrichtung einer Hochschule, vor allem mit Blick auf Merkmale wie Größe, Heterogenität, Gewohnheiten und Verhaltensweisen von beteiligten Lehrenden und Lernenden (ebd).

2.3 Implementierung von Lehr-/Lernkulturen an Hochschulen

Die Implementierung digitaler Medien erfordert auch wesentliche Veränderungen in der Lehr-/Lernkultur von Hochschulen, dabei steht vor allem die ‚träge' kulturelle Dimension im Mittelpunkt (EULER, 2009). Den Lehrenden, ihrer Kompetenz und Motivation, kommt dabei eine zentrale Rolle zu, denn sie haben den größten Einfluss auf den Erfolg von Lerninnovationen und die Etablierung innovativer Lehr-Lern-Kultur (EULER & SEUFERT, 2007). Dabei sollen Lehrende mit hoher Autonomie freiwillig ihre gewohnten Lehrgewohnheiten (von dozierend zu unterstützend) verändern, denn Lehre mit digitalen Medien muss z. B. langfristiger geplant und mit Blick auf die Technik in Kooperation mit anderen Stellen vorbereitet werden. Es werden neue Prüfungsformen eingesetzt und das Handeln der Lehrenden wird transparenter, wodurch häufig Unsicherheiten ausgelöst werden (ebd.). Weiter beschreibt EULER (2009), dass auch die Lernenden gefordert sind, ihre

Lerngewohnheiten anzupassen, denn anstelle eines rezeptiven Lernens wird selbst-gesteuertes und teamorientiertes Lernen gefordert. Diese neuen Lerngewohnheiten stehen im Konflikt mit Lernformen, welche „sich nach den Kriterien der prüfungs-orientierten Stoffbewältigung im Verlauf der bisherigen Lernbiographie entwickelt und bewährt haben und deshalb Sicherheit vermitteln" (ebd., S. 566). Weiterfüh-rend beschreibt KERRES (2018), dass Lehrende und Lernende (neben einer allge-meinen Neugier) nicht generell Interesse an neuen (hier digitalen) Lernformen haben und bisherige Lerngewohnheiten verändern wollen, sondern eher ablehnend auf Veränderungen reagieren.

Zusammenfassend lässt sich mit Blick auf die Implementierung festhalten, dass Innovationen an Hochschulen langsam voranschreiten, hochschulspezifisch ver-schiedene Dimensionen betrachtet werden müssen und die Lehr-/Lernkultur als besonders ‚träge' bezeichnet werden kann.

3 Forschungsstand zur Implementierung digitaler Medien

Die Implementierung digitaler Medien an Hochschulen steht bereits seit mehr als 20 Jahren im Interesse der Hochschulforschung, so erklärt REINMANN (2005), E-Learning einhergehend mit der Entwicklung von Modellen zur professionellen Implementierung und Gestaltung bereits 2005 zum relevanten Forschungsgegen-stand an Hochschulen. Trotz vorhandener Forschungsergebnisse scheinen aber immer noch Herausforderungen zu bestehen, so schildert KERRES (2018), dass viele Projekte nach Auslaufen der Förderung versanden oder scheitern und dass nicht so häufig wie oft vermutet technische Hürden der Grund sind. EULER stellte bereits im Jahr 2009 die Frage, warum „trotz der verfügbaren theoretischen Grund-lagen und bestehenden Erfahrungen die Implementierung von E-Learning-Innovationen noch in den Anfängen steckt. Offensichtlich gelingt es nur begrenzt, den Fundus an Erkenntnissen denjenigen verfügbar zu machen, die für die praktische Gestaltung verantwortlich sind. Denn sie tun nicht, was wir wissen…" (ebd., S. 582f.).

Vor diesem Hintergrund werden nachfolgend mit Blick auf die Ergebnisse aktueller Studien drei zentrale Herausforderungen bei der Implementierung digitaler Medien an Hochschulen skizziert:

3.1 Produktentwicklung statt hochschulweite Veränderungsprozesse

Mit der Aufgabe der Entwicklung und Implementierung digitaler Medien werden nach KERRES (2018) häufig die Produktentwicklung sowie Informations- und Schulungsmaßnahmen für Lehrende und Lernende in Verbindung gebracht. Hier ist eine breitere Sichtweise auf das Gesamtsystem Hochschule entscheidend, denn durch die teilweise weitreichenden Innovationen verändern sich für beteiligte Akteurinnen/Akteure Prozesse, Anforderungen und die Organisation als Ganzes. Da an vielen Hochschulen eine Betrachtung des Gesamtprozesses noch nicht weit genug im Fokus steht, kommt es oftmals zu Problemen bei der Implementierung und organisationalen Verankerung (ebd.). So beschreiben beispielsweise MAYRBERGER & STEINER (2015) anhand eines Fallbeispiels, dass an vielen Hochschulen inzwischen Einrichtungen für den Support von E-Learning bestehen, „eine interdisziplinäre-integrative Vernetzung über Fach- und Fakultätsgrenzen hinweg aber (noch) nicht selbstverständlich ist" (ebd., S. 14). Um dementsprechende hochschulweite Veränderungsprozesse umzusetzen, kommt der Hochschulleitung eine zentrale Rolle zu, denn übergreifende Veränderungen hängen stark von deren Commitment und der Bereitschaft zur finanziellen Unterstützung ab (HOCHSCHULFORUM DIGITALISIERUNG, 2016a).

3.2 Projektcharakter statt nachhaltige Digitalisierungsstrategie

Seit Mitte der 1990er werden durch Bund und Länder zahlreiche Förderprogramme zur Implementierung digitaler Medien an Hochschulen mit hohen Mittelzuwendungen initiiert – der erhoffte Durchbruch der Digitalisierung blieb bisher aber aus

(KERRES, 2018). Digitalisierung wird weiterhin häufig als Randthema betrachtet, der Fokus liegt durch den Projektcharakter[5] oftmals in der Entwicklung von Produkten, wodurch keine ausreichende Nachhaltigkeit erzielt wird und häufig auch Fehlinvestitionen getätigt werden. Nachhaltigkeit wird in Projekten selten von Beginn an mitgedacht, es bestehen kaum Mechanismen zur Qualitätssicherung, da entsprechende Aufgaben der Organisations- und Personalentwicklung nicht fokussiert werden. Mit Blick auf das Auslaufen der Förderung sollte eine nachhaltige Implementierung schon von Beginn an mitgedacht werden und sich aus der Strategie einer Einrichtung ableiten (ebd.).

3.3 Entwicklung von Techniken statt einer digitalen Lehr-/Lernkultur

Mit Blick auf die Implementierung digitaler Medien liegt der Fokus häufig auf der technischen Entwicklung und Umsetzung, die anschließende Vermarktung und Verankerung wird oft nicht entsprechend fokussiert (KERRES, 2018). So hat die reine Verfügbarkeit der Techniken noch keine Wirkung auf das Lehren und Lernen und Vergleichsstudien zeigen, dass die alleinige Bereitstellung digitaler Medien die Qualität der Lehre nicht direkt verbessert (ebd.). Die Einführung einer digitalen Lehr- und Lernkultur, durch welche die zur Verfügung stehende Technik auch entsprechend genutzt wird, kann als große Herausforderung betrachtet werden.

Die skizzierten Ergebnisse aus den vorliegenden Studien geben einen aktuellen Überblick zu zentralen Herausforderungen, bieten aber keinen Einblick in den Umgang von Hochschulen bei der Implementierung digitaler Medien. Vor dem Hintergrund stellt sich die Frage, ob und wie in der Hochschulpraxis mit den Herausforderungen umgegangen wird, an welche die nachfolgende qualitative Studie anknüpft.

---

[5] Zur systematischen Integration mediengestützter Lehre und erforderlichen strukturellen Rahmenbedingungen und Strategien zur Hochschulentwicklung vgl. KERRES (2001).

4 Qualitative Studie

Die qualitative Studie wurde ausgehend von den Ausführungen zur Implementierung und den skizzierten Herausforderungen durchgeführt, nachfolgend werden der methodische Zugang und die Ergebnisse beschrieben, welche dann diskutiert werden.

4.1 Methodischer Zugang

Die Durchführung von problemzentrierten Interviews (WITZEL, 2000; LAMNEK, 2005) als theoriegenerierendes Verfahren in Anlehnung an die Grounded Theory ermöglichte einen qualitativen und möglichst unvoreingenommenen Zugang, um individuelle Handlungen und subjektive Haltungen erfassen zu können.

Die Auswahl des Samples erfolgte mit dem Ziel, in einen direkten Erfahrungsaustausch mit Akteurinnen/Akteuren zu treten, welche sich in der Hochschulpraxis mit der Entwicklung und Implementierung von digitalen Medien und damit flexiblen Lernens beschäftigen. Die Datenbank des Bund-Länder-Programms „Qualitätspakt Lehre" wurde als Zugang zu einer großen Anzahl von Hochschulen genutzt, welche sich aktuell mit der Thematik befassen. Aufgrund der Vorreiterrolle Niedersachsens mit Blick auf die Öffnung von Hochschulen sowie der sehr hohen Projektdichte wurde das Sample auf dieses Bundesland eingegrenzt. Um das Sample noch weiter zu reduzieren und vergleichbarer zu machen, wurden alle acht Universitäten der noch laufenden Projekte der 2. Förderperiode (2016-2020) in den Blick genommen. Aus fünf Projekten hat sich jeweils ein Akteur (Projektleitung oder -koordination) zur Teilnahme an den Interviews bereiterklärt, welche dann im Juli und August 2018 durchgeführt wurden. Nachfolgend wird ein Überblick zu den in den Projekten entwickelten Maßnahmen und die Reichweite der Implementierung gegeben (vgl. Abb. 2):

	Projekt A	Projekt B	Projekt C	Projekt D	Projekt E
	StudIP (neue Tools) → Hochschulübergreifend implementiert	Vorlesungsaufzeichnungen → Hochschulübergreifend implementiert	Plattform Studienorientierung → Hochschulübergreifend implementiert	Mobile-Learning-App → Hochschulübergreifend implementiert	StudIP (neue Tools) → Hochschulübergreifend implementiert
Maßnahmen → Implementierung	Vorlesungsaufzeichnungen → In einzelnen Studiengängen implementiert	Invented Classrooms → In einzelnen Fachbereichen implementiert	E-Prüfungen → Hochschulübergreifend implementiert	Invented Classrooms → Hochschulübergreifend implementiert	E-Portfolio → Hochschulübergreifend implementiert
	E-Assessment → In einzelnen Studiengängen implementiert	Online-Self-Assessment → In einzelnen Fachbereichen implementiert	Online-Kurse „Entwicklung digitaler Kompetenzen → Hochschulübergreifend implementiert	Game-based-learning (Planspiele) → Hochschulübergreifend implementiert	E-Assessment → In einzelnen Studiengängen implementiert

Abb. 2: Maßnahmen und Reichweite der Implementierung
(Quelle: eigene Darstellung)

Im Rahmen der Interviews wurde sich vorab durch einen Kurzfragebogen ein Überblick zu den Maßnahmen digitaler Medien an den Hochschulen verschafft. Der Interviewleitfaden als wesentlich strukturierendes Instrument wurde anhand des vorhandenen theoretischen Vorwissens und in Verbindung mit den aus dem Forschungsstand abgeleiteten aktuellen Herausforderungen bei der Implementierung digitaler Medien konzipiert.

Alle Interviews wurden aufgezeichnet, nach KUCKARTZ, DRESING, RÄDIKER & STEFER (2008) transkribiert und anhand einer inhaltlich strukturierenden qualitativen Inhaltsanalyse (KUCKARTZ, 2018) als zentrale Variante qualitativer Inhaltsanalyse ausgewertet. Kern der Analyse ist es, „am Material ausgewählte inhaltliche Aspekte zu identifizieren, zu konzeptualisieren und das Material im Hinblick auf solche Aspekte systematisch zu beschreiben [...]. Diese Aspekte bilden zugleich die Struktur des Kategoriensystems; die verschiedenen Themen werden als Kategorien des Kategoriensystems expliziert" (SCHREIER, 2014, S. 5).

4.2 Ergebnisse

Die Ergebnisse der qualitativen Studie werden nachfolgend in Bezug auf die in Kapitel 3 skizzierten drei zentralen Herausforderungen beschrieben.

Das Verhalten der Hochschulen mit Blick auf die Herausforderung *Produktentwicklung statt hochschulweite Veränderungsprozesse* zeigt sich in der Hochschulpraxis in einem breiten Spannungsfeld (vgl. Abb. 3).

	Projekt A	Projekt B	Projekt C	Projekt D	Projekt E
Verankerung	Eine von vielen IT-Einrichtungen	Zentrale Einrichtung	Zentrale Einrichtung	Zentrale Einrichtung	Fachbereich
Vernetzung	Technik und Didaktik	Hochschulübergreifend	Hochschulübergreifend	Hochschulübergreifend	Technik und Didaktik
Commitment der Hochschulleitung	Kein klares Commitment	Volles Commitment	Volles Commitment	Volles Commitment	Commitment vorhanden, aber ausbaufähig

Abb. 3: Produktentwicklung statt hochschulweite Veränderungsprozesse
(Quelle: eigene Darstellung)

Die Projekte A und E sind nicht zentral, sondern in einer von vielen IT-Einrichtungen (,Flickenteppich') bzw. im Fachbereich verankert. Mit Blick auf die Implementierung digitaler Medien haben sie sich mit den Bereichen Technik und Didaktik vernetzt. Beide Projekte erfahren kein klares bzw. ein ausbaufähiges Commitment der Hochschulleitung. Die Projekte B, C und D sind in einer zentralen Einrichtung der Hochschule verankert und haben sich zur Implementierung digitaler Medien hochschulweit vernetzt (z. B. Hochschulleitung, Senat, Dekanate, Institute, Fachbereiche, Forschungsprojekte, Hochschuldidaktik, Lehrende, Studierende). Sie erhalten alle das volle Commitment der Hochschulleitung, Projekt C seit zwei Jahren durch den Aufgriff und die Gestaltung des Themenfeldes durch die Hochschulleitung, Projekt D seit einem Jahr durch den Wechsel der Hochschulleitung. Besonders hervorzuheben ist an dieser Stelle das Projekt B, denn die zentrale Einrichtung besteht bereits seit 18 Jahren an der Hochschule:

„[...] Vertrauen braucht immer Zeit. Also Vertrauen baut sich dann auf, wenn ich positive Erfahrungen gemacht habe [...] wir sagen, so wir gehen jetzt über die Hochschulleitung um dem ganzen nochmal einen ganz offizi- ellen Anstrich zu geben [...]. Aber wenn man einfach nur mit einer Idee ankommt und dann vielleicht noch nicht mal dauerhaft finanziert ist und dann von Lehrenden oder Studiengangmanagern oder Dekanen verlangt, jetzt mal da Prozesse umzustellen, dann ist natürlich die Frage berechtigt und was ist in drei Jahren, wenn wir dann irgendwie wirklich soweit sind, könnt ihr dann garantieren, dass es dann immer noch alles verfügbar sein wird? Und wir können das in der Regel und von daher klappt das dann.“
(Projekt B)

Auch hinsichtlich der Herausforderung *Projektcharakter statt nachhaltige Digitali- sierungsstrategie* gestaltet sich das Verhalten der Hochschulen in der Praxis in beide beschriebene Richtungen (vgl. Abb. 4).

	Projekt A	Projekt B	Projekt C	Projekt D	Projekt E
Strategie	Ziel war klar, keine Strategie	Medienentwick- lungsplan als hochschulweite Strategie	Hochschulweite E-Learning Strategie	Hochschulweiter Strategieprozess	E-Learning Konzept
Implementierung	Maßnahmen wurden mit Blick auf Didaktik und Technik implementiert	Maßnahmen wurden hoch- schulweit über Gremienwege implementiert	Maßnahmen wurden über Bildung von Arbeitsgruppen in vielen Bereichen implementiert	Maßnahmen wurden hoch- schulweit über Vernetzung und Beratung implementiert	Maßnahmen wurden mit Blick auf Didaktik und Technik implementiert
Nachhaltigkeit	Maßnahmen (Technik) bleiben auch nach Projektende bestehen, Erhalt von Stellen bisher ungeklärt	Projekt macht nur zehn Prozent der Finanzierung der Einrichtung aus, fundamentale Bereiche sind auch ohne Projekt abgedeckt	Absicherung der Kernaufgaben durch Finanzie- rung der Hoch- schulleitung nach Projektende	Maßnahmen, die Potential haben, werden nach Projektende durch Hochschulleitung weiter finanziert	Grundfinanzierung von Stellen in der Diskussion mit der Hochschulleitung, über Jahrzehnte Anschlussfinan- zierung durch neue Projekte

Abb. 4: Projektcharakter statt nachhaltige Digitalisierungsstrategie
(Quelle: eigene Darstellung)

Wissenschaftlicher Beitrag

Projekt A hat ein Ziel, verfolgt aber keine besondere Strategie (learning by doing):

> *„Nein, würde ich sagen, nein. Strategie gab es nicht, also nicht in NAME PROJEKT. Das war learning by doing. Also, man hat irgendwo angefangen. Man hat natürlich bei der Antragstellung gegenüber dem BMBF den aktuellen Stand geschildert und gesagt wo man hinwill, was man weiterentwickeln will in welchen Bereichen, das schon. Also, die Ziele waren schon klar, aber so eine große Strategie oder so gab es nicht."* (Projekt A)

Projekt E hat ein E-Learning-Konzept für den Fachbereich, Projekt B, C und D verfolgen eine hochschulweite Strategie zur Implementierung digitaler Medien, welche durch Einbezug aller beteiligten Akteurinnen/Akteure konzipiert wurde. Die Implementierung von Maßnahmen wird in Projekt A und E mit Blick auf die Didaktik und Technik in den Blick genommen, in Projekt C werden Maßnahmen bereits in viele Bereiche der Hochschule implementiert. Projekt B und D haben die Maßnahmen hochschulweit implementiert. Die Nachhaltigkeit der Projektergebnisse ist in Projekt A bis auf den Bestand an Technik ungeklärt, in Projekt E ist eine Grundfinanzierung von Stellen in der Diskussion. Projekt B, C und D können durch die Absicherung der Einrichtung bzw. Hochschulleitungen eine höhere Nachhaltigkeit vorweisen.

Die Herausforderung *Entwicklung von Techniken statt einer digitalen Lehr-/Lernkultur* wird in der Praxis der Hochschulen ebenfalls unterschiedlich gestaltet (vgl. Abb. 5).

	Projekt A	Projekt B	Projekt C	Projekt D	Projekt E
Ansprache Lehrende	Vereinzelt Durchführung von Schulungen	Kommuni-kationsarbeit, Aufbau von Vertrauen, gemeinsame Entwicklung von Maßnahmen	Service Einrichtung für Lehrende, Aufbau von Vertrauen, gemeinsame Entwicklung von Maßnahmen	Beratung, finanzielle Unterstützung, gemeinsame Entwicklung von Maßnahmen	Schulungen, Marketing, Bedarfserhebung
Ansprache Lernende	Fokus soll zukünftig stärker auf Bedarfe von Lernenden gelegt werden	Möglichkeiten zur Mitgestaltung, Nutzerfeedback, Marketing, enger Bezug zu Fach-schaften/ASTA	Möglichkeiten zur Mitgestaltung, Tagung zu Bedarfen geplant	Möglichkeiten zur Mitgestaltung, Aufnahme von Bedarfen, Evaluation	Unterstützungs-strukturen zur Nutzung
Akzeptanz und Nutzung	Kaum Akzeptanz, Lehrenden und Lernende sind nicht informiert, kennen ihre Mög-lichkeiten nicht, Maßnahmen werden kaum genutzt	Hohe Akzeptanz bei Lehrenden und Lernenden, Maßnahmen werden genutzt	Akzeptanz bei Lehrenden und Lernenden steigt, Maßnahmen werden teilweise genutzt	Kulturwandel kommt in Gang, Akzeptanz bei Lehrenden und Lernenden steigt, Maßnahmen werden teilweise genutzt	Akzeptanz bei Lehrenden und Lernenden steigt langsam, Maßnahmen werden kaum genutzt

Abb. 5: Entwicklung von Techniken statt einer digitalen Lehr-/Lernkultur (Quelle: eigene Darstellung)

Während Projekt A Lehrende nur vereinzelt anspricht, geht Projekt E schon etwas weiter. In beiden Projekten ist die Akzeptanz durch die Lehrenden und Lernenden kaum vorhanden bzw. steigt erst langsam an, die Maßnahmen werden kaum genutzt. Projekt B spricht sowohl Lehrende als auch Lernende auf vielfältigen Wegen an, sodass die Maßnahmen eine hohe Akzeptanz vorweisen und von den Lehrenden und Lernenden genutzt werden:

> „[...] die Akzeptanz ist eigentlich sehr gut. [...] Also wir haben mehrere 1.000 von diesen Gruppen, die sehr intensiv verwendet werden, um Lern-gruppen zu bilden, Referate vorzubereiten [...], wo wir also sehen, die Ser-vices, die wir anbieten treffen auch da auf eine Nachfrage von Studieren-den, obwohl sie es überhaupt nicht nutzen müssten. Sondern wo sie [...]

ganz spannende Alternative haben. Trotzdem finden sie das interessant ge-
nug und bedarfsgerecht genug, dass bei uns zu machen." (Projekte B)

Projekt C und D spricht Lehrende und Lernende ebenfalls auf vielfältigen Wegen
an, sodass hier eine steigende Akzeptanz und Nutzung der Maßnahmen beobachtet
werden kann. Darüber hinaus beschreibt Projekt D, dass ein Kulturwandel in Gang
kommt:

> *„Und inzwischen ist es nicht mehr die Frage, ob man sich damit beschäfti-*
> *gen kann, sondern es ist klar, dass sich durch diesen Digitalisierungsdiskurs*
> *nicht nur Technik verändern wird, sondern die ganze Unikultur. Und*
> *dadurch gibt es einen ganz anderen Diskurs."* (Projekt D)

4.3 Diskussion

Die Ergebnisse der qualitativen Studie machen mit Blick auf die Herausforderung
Produktentwicklung statt hochschulweite Veränderungsprozesse deutlich, dass sich
Projekt B, C und D – in unterschiedlicher Ausprägung – in einem hochschulweiten
Veränderungsprozess befinden, welcher mehr oder weniger die fünf Dimensionen
zur Einführung und Gestaltung von E-Learning (REINMANN, 2005; vgl. Kapitel
2.2) in den Blick nimmt. Dabei wird anhand der unterschiedlichen Zeithorizonte
der Verfolgung einer Implementierung digitaler Medien in die Hochschule durch
die Projekte (B: 18 Jahre, C: zwei Jahre, D: ein Jahr) deutlich, dass hochschulweite
Veränderungen nicht radikal, sondern langsam (COLLIS & VAN DER WENDE,
2002; vgl. Kapitel 2.1) sowie längerfristig und mehrzyklisch (EULER, 2009; vgl.
Kapitel 2.1) verlaufen. In Projekt B zeigen sich vor dem Hintergrund der langjährigen Erfahrungen sehr tiefgreifende Veränderungen, die auch mit Blick auf die beiden anderen Herausforderungen ersichtlich werden. Bezüglich der Umsetzung von
hochschulweiten Veränderungsprozessen in Projekt B, C und D erscheinen eine
zentrale Verankerung, eine hochschulweite Vernetzung und das Commitment der
Hochschulleitung als zentrale Erfolgsfaktoren, diese sind in Projekt A und E nicht
gegeben. Hier betrachten die beiden Projekte nur die technische und didaktische
Dimension (REINMANN, 2005; vgl. Kapitel 2.2), sie haben den Gesamtprozess

(MAYRBERGER & STEINER 2015; vgl. Kapitel 3.1) nicht im Fokus, sondern legen diesen auf die Produktentwicklung.

Hinsichtlich der Herausforderung *Projektcharakter statt nachhaltige Digitalisierungsstrategie* zeigen die Ergebnisse, dass durch den Fokus auf die Produktentwicklung in Projekt A und E der Projektcharakter im Vordergrund steht und keine aktive und nachhaltige Strategie (LEPORI & SUCCI, 2003; vgl. Kapitel 2.1) verfolgt wird, es scheint, als wurde Nachhaltigkeit nicht von Beginn an mitgedacht. Eine fehlende Strategie zeigt sich auch in der Implementierung der Maßnahmen mit Blick auf Didaktik und Technik, weitere Dimensionen wurden nicht berücksichtigt. Es wird kaum eine Dauerhaftigkeit und Übertragung in andere Bereiche sowie eine dauerhafte Finanzierung (KLEIMANN & WANNEMACHER, 2004; vgl. Kapitel 2.2) angestrebt. So scheint es, dass ohne das Vorhandensein einer Strategie eine nachhaltige Implementierung von digitalen Meiden kaum umsetzbar ist. Hier werden im Gegensatz dazu (erste) Erfolge bei Projekt B, C und D ersichtlich, diese konnten ihre Maßnahmen durch hochschulweite Strategieprozesse in viele Bereiche bzw. in der Hochschule implementieren.

Weiterhin zeigen die Ergebnisse durch die Herausforderung *Entwicklung von Technik statt einer digitalen Lehr-/Lernkultur*, dass Projekt A und E kaum über die Entwicklung von Technik (KERRES, 2018; vgl. Kapitel 3.3) hinauskommen, denn deren Maßnahmen erfahren kaum oder nur anfängliche Akzeptanz bei Lehrenden und Lernenden, was auf unzureichende Ansprache und Anreize (REINMANN, 2005; vgl. Kapitel 2.2) zurückgeführt werden kann. Die Veränderung von bewährten Lehr-/Lerngewohnheiten (EULER, 2009; vgl. Kapitel 2.3) erfordert weitreichendere Aktivitäten zur Steigerung der Akzeptanz und Nutzung, was bei Projekt B, C und D ersichtlich wird. Allerdings werden hier auch die Trägheit der kulturellen im Vergleich zur technische Dimension (ebd.) sowie die unterschiedlichen Geschwindigkeiten der Aufnahme von Innovationen (ROGERS, 1995, vgl. Kapitel 2.1) deutlich, denn nur Projekt B kann vor dem Hintergrund der langjährigen Aktivitäten eine entsprechende Akzeptanz und Nutzung vorweisen, Projekt C und D stehen trotz vieler positiver Faktoren mit Blick auf die Implementierung digitaler Medien erst am Anfang zur Veränderung der Lehr-/Lernkultur.

5 Fazit

Mit Blick auf die forschungsleitende und damit für den Beitrag zentrale Frage, ob und wie in der Hochschulpraxis mit den skizzierten Herausforderungen im Kontext der Implementierung digitaler Medien als ein Teil des flexiblen Lernens umgegangen wird, zeigt sich in der Analyse des Datenmaterials ein gemischtes Bild. Projekt B hat sich den Herausforderungen – vor allem durch die langjährig bestehende zentrale Einrichtung im Hintergrund – in vollem Maße gestellt und digitale Medien erfolgreich implementiert. Auch Projekt D und C scheinen auf einem guten Weg zu sein, hier wird vor allem der Faktor Zeit mit Blick auf eine ganzheitliche Implementierung eine wichtige Rolle spielen, aber auch eine nachhaltige Finanzierung zur Fortführung der Maßnahmen. Projekt E scheint mit Blick auf die Implementierung in den Anfängen zu stecken, allerdings ist die Unterstützung durch die Hochschulleitung und die Verankerung der Maßnahmen nach Auslaufen der Förderung unklar. Mit Blick auf die beschriebenen Herausforderungen sind die Ambitionen von Projekt A am geringsten ausgeprägt, so dass an keinen Punkten Potenziale einer nachhaltigen Implementierung erkennbar werden.

Die Ergebnisse machen zusammenfassend deutlich, dass vor allem eine zentrale Verankerung und hochschulweite Vernetzung, das Commitment der Hochschulleitung, das Vorhandensein einer Strategie und eine entsprechende Ansprache Lehrender und Lernender als relevante Faktoren zur Implementierung digitaler Medien und damit auch flexiblen Lernens betrachtet werden können. Hier ist eine entsprechend Gestaltung in verschiedenen Dimensionen notwendig, wobei für jede Hochschule die individuelle Situation und die Schaffung von Rahmenbedingungen für eine emergente Entwicklung entscheidend ist.

Zentrale Herausforderung bei der Implementierung von digitalen Medien und damit auch flexiblen Lernens bleibt die „Trägheit" im Wandel hin zu einer entsprechenden Lehr-/Lernkultur. Es sollte eine hochschulweite Strategie verfolgt werden, durch welche vor allem die Lehrenden bei der Entwicklung von Angeboten flexiblen Lernens mit digitalen Medien eingebunden werden, damit diese einen Wandel der Lehr-/Lernkultur glaubhaft vertreten und den Lernen vorleben können. Durch die Schaffung von entsprechenden Rahmenbedingungen, welche flexibles Lernen mit digitalen Medien ermöglichen und eine geeignete Ansprache der Lehrenden und Lernenden durch Supportstrukturen zur Umsetzung kann ein Gestaltungsrahmen für eine erfolgreiche Implementierung geschaffen werden.

6 Literaturverzeichnis

Bergamin, P., Ziska, S. & Groner, R. (2010). Structural equation modelling of factors affecting success in student's performance in ODL-Programs: Extending Quality Management concepts. *Open Praxis, 4*(1), 18-25.

Collis, B. & van der Wende, M. (2002). *Models of technology and change in higher education: An international comparative survey on the current and future use of ICT in higher education.* Report of the Center for Higher Education Policy Studies. Twente, NL: Center for Higher Education Policy Studies (CHEPS).

Euler, D. (2009). Gestaltung der Implementierung von E-Learning-Innovationen: Förderung der Innovationsbereitschaft von Lehrenden und Lernenden als zentrale Akteure der Implementierung. In D. Euler (Hrsg.), *E-Learning in Hochschulen und Bildungszentren* (S. 564-583). München: Oldenbourg.

Euler, D. & Seufert, S. (2007). Change Management in der Hochschullehre: Die nachhaltige Implementierung von e-Learning-Innovationen. *Zeitschrift für Hochschuldidaktik, 3*, 3-14.

Hanft, A., Zawacki-Richter, O. & Gierke, W. B. (2015). *Herausforderung Heterogenität beim Übergang in die Hochschule.* Münster: Waxmann.

Hochschulforum Digitalisierung (2016a). *Zur nachhaltigen Implementierung von Lerninnovationen mit digitalen Medien. Arbeitspapier Nr. 16.* Berlin: Hochschulforum Digitalisierung.

Hochschulforum Digitalisierung (2016b). *Lernen mit digitalen Medien aus Studierendenperspektive. Arbeitspapier Nr. 17.* Berlin: Hochschulforum Digitalisierung.

Kehm, B. (2012). Hochschulen als besondere und unvollständige Organisationen? – Neue Theorien zur ‚Organisation Hochschule'. In U. Wilkesman & C. J. Schmid (Hrsg.), *Hochschule als Organisation* (S. 17-26). Wiesbaden: Springer.

Kerres, M. (2018). Einführung von Lerninnovationen. In M. Kerres (Hrsg), *Mediendidaktik. Konzeption und Entwicklung digitaler Lernangebote* (S. 491-511). Berlin: De Gruyter.

Kerres, M. (2001). Neue Medien in der Lehre: Von der Projektförderung zur systematischen Integration. *Das Hochschulwesen. Forum für Hochschulforschung, -praxis und -politik, 49*(2), 1-10.

Kleimann, B. & Wannemacher, K. (2005). *e-Learning-Strategien deutscher Universitäten: Fallbeispiele aus der Hochschulpraxis.* Hannover: HIS GmbH.

Kleimann, B. & Wannemacher, K. (2004): *E-Learning an deutschen Hochschulen. Von der Projektentwicklung zur nachhaltigen Implementierung.* Hannover: HIS GmbH.

Kuckartz, U. (2018). *Qualitative Inhaltsanalyse. Methoden, Praxis, Computerunterstützung: Methoden, Praxis, Computerunterstützung.* Weinheim: Beltz.

Kuckartz, U., Dresing, T., Rädiker, S. & Stefer, C. (2008). *Qualitative Evaluation: Der Einstieg in die Praxis.* Wiesbaden: VS Verlag.

Lamnek, S. (2005). *Qualitative Sozialforschung: Lehrbuch.* Weinheim: Beltz.

Lepori, B. & Succi, C. (2003). *eLearning in Higher Education: 2nd report of the Educational Management in the Swiss Virtual Campus Mandate (EDUM).* Lugano: University of Lugano.

Li, K. C. & Wong, B. Y. Y. (2018). Revisiting the Definitions and Implementation of Flexible Learning. In K. C. Li, S. Y. Kin & T. M. W. Billy (Hrsg.), *Innovations in open and flexible education* (S. 3-14). Singapore: Springer.

Mayrberger, K. & Steiner, T. (2015). interdisziplinär, integriert & vernetzt: Organisations und Lehrentwicklung mit digitalen Medien heute. In N. Nistor & S. Schirlitz (Hrsg.), *Digitale Medien und Interdisziplinarität: Herausforderungen, Erfahrungen, Perspektiven* (S. 13-23). Münster: Waxmann.

Musselin, C. (2007). Are universities specific organisations? In G. Krücken, A. Kosmützky & M. Torka (Hrsg.), *Science studies. Towards a multiversity? Universities between global trends and national traditions* (S. 63-84). Bielefeld: Transcript.

Pfeffer, T., Sindler, A., Pellert, A. & Kopp, M. (2005). *Handbuch Organisationsentwicklung: Neue Medien in der Lehre. Dimensionen, Instrumente, Positionen.* Münster: Waxmann.

Reinmann, G. & Eppler, M. J. (2008). *Wissenswege: Methoden für das persönliche Wissensmanagement.* Bern: Huber.

Reinmann, G. (2005). Lernort Universität? E-Learning im Schnittfeld von Strategie und Kultur. *Zeitschrift für Hochschuldidaktik, 6,* 66-84.

Rogers, E. M. (1995). *Diffusion of innovations.* New York: Free Press.

Schreier, M. (2014). Varianten qualitativer Inhaltsanalyse: Ein Wegweiser im Dickicht der Begrifflichkeiten. *Forum Qualitative Sozialforschung, 15*(1).

Seufert, S. & Euler, D. (2004). *Nachhaltigkeit von eLearning-Innovationen: Ergebnisse einer Delphi-Studie. SCIL-Arbeitsbericht 2.* St. Gallen: SCIL.

Seufert, S. & Euler, D. (2005). *Nachhaltigkeit von eLearning-Innovationen: Fallstudien zu Implementierungsstrategien von eLearning als Innovationen an Hochschulen. SCIL-Arbeitsbericht 4.* St. Gallen: SCIL.

Tucker, R. & Morris, G. (2012). By Design: Negotiating Flexible Learning in the Built Environment Discipline. *Research in Learning Technology, 20*(1).

Witzel, A. (2000). Das problemzentrierte Interview. *Forum: Qualitative Sozialforschung, 1*(1).

Autorin

Katrin BRINKMANN || Carl von Ossietzky Universität Oldenburg, Arbeitsbereich Weiterbildung und Bildungsmanagement || Ammerländer Heerstraße 136, D-26129 Oldenburg

https://uol.de/paedagogik/web/

katrin.brinkmann@uni-oldenburg.de

Marlen DUBRAU[1], Corinna LEHMANN & Jana RIEDEL (Dresden)

Heterogener Studierendenschaft begegnen. Maßnahmen zur Flexibilisierung des Studiums an der TU Dresden

Zusammenfassung

Vor dem Hintergrund der zunehmenden Heterogenität Studierender werden im Rahmen des Projektes „Studiengänge flexibel gestalten" an der TU Dresden Maßnahmen erprobt, die eine Flexibilisierung des Studiums ermöglichen sollen. Neben der Entwicklung eines E-Scout-Programms, das Lehrende bei der Umsetzung von digital gestützten Lernangeboten unterstützt, wird im Projektkontext ein evidenzbasiertes Entscheidungsmodell für Lehrende entwickelt, dass Empfehlungen für passende Lehrformate vorschlägt.

Der Beitrag stellt aktuelle Rahmenbedingungen der Universität vor und zeigt auf, auf welchen Ebenen der Hochschulstruktur die Ansätze zu verorten sind. Die Projektmaßnahmen machen deutlich, dass die Gestaltung flexiblen Lernens an Hochschulen unterschiedliche Facetten hat und vielfältig ausgestaltet werden kann. Dies wird in einem entwickelten Vorgehensmodell abgebildet. Den theoretischen Rahmen bildet die Herleitung einer Systematik von Flexibilisierungsmaßnahmen, in die die erprobten Konzepte eingeordnet und hinsichtlich ihrer Potentiale zur Übertragbarkeit auf andere Hochschulen diskutiert werden.

Schlüsselwörter

Heterogenität, E-Learning, Hochschuldidaktik, flexibles Lernen

---

[1] E-Mail: marlen.dubrau@tu-dresden.de

Werkstattbericht · DOI: 10.3217/zfhe-14-03/08

Marlen Dubrau, Corinna Lehmann & Jana Riedel

Heterogeneous student bodies – Flexibility measures for studying at the TU Dresden

Abstract

Against the background of increasing student body heterogeneity, measures are being tested at the TU Dresden to make the study programme more flexible. In addition to the development of an e-scout program, an evidence-based decision model for the development of course offerings and a procedure model will be developed. This paper presents the general conditions at the university and shows at which levels of the university structure the approaches are to be located. The theoretical framework is a system of flexibilisation measures for classifying and discussing the tested concepts with regard to their potential for transferability.

Keywords

heterogeneity, e-learning, university didactics, flexible learning

1 Ausgangslage

Hochschulen stehen vor der Herausforderung, der wachsenden Diversität der Studierenden adäquat zu begegnen. Das Bild der klassischen Studierenden, die direkt von der Schule in die Hochschule übergehen und das Studium in Vorbereitung auf eine anschließende Erwerbstätigkeit nutzen (ORR & LÜBCKE, 2019, S. 14), wird immer mehr um eine große Vielfalt an individuellen Bildungsbiographien und Lebenskontexten ergänzt (PASTERNACK & WIELEPP, 2013). Durch die verschiedenen Hochschulzugänge, unterschiedliches Vorwissen und individuelle Lebensumstände ergeben sich vielfältige Konsequenzen für die Hochschullehre.

Auch die TU Dresden mit mehr als 32.000 Studierenden (TU Dresden, 2019) steht vor diesen Herausforderungen. Wie die aktuelle Studierendenbefragung deutlich macht, beträgt der Anteil der befragten Studierenden mit Familienaufgaben ca. neun Prozent und etwa 23 Prozent sind Teilzeit-Studierende (LENZ et al., 2018, S.

177). Zusätzlich wird die Diversität der Studierenden an der TU Dresden durch steigende Internationalität unterstrichen. Zum Wintersemester 2017/2018 kam fast jeder fünfte Studienanfänger aus dem Ausland (TU Dresden, 2019).

Ausgehend von den genannten Rahmenbedingungen werden im Projekt „Studiengänge flexibel gestalten" (Laufzeit 01.07.2016 bis 31.12.2020) am Medienzentrum der TU Dresden Maßnahmen und Prozesse analysiert, die flexibles Lernen an der Hochschule lancieren. Der Fokus liegt, neben institutionellen Maßnahmen, auf dem Einsatz digitaler Medien in Lehrveranstaltungen, da diese die Anforderungen an flexibilisiertes Lernen nach CHEN (2013) in hohem Maße unterstützen. Demnach entsteht Flexibilität durch eine Wahlmöglichkeit in Bezug auf die folgenden Lerndimensionen: Zeit, Ort, Geschwindigkeit, Lernstil, Inhalt, Assessment, Lernpfad (ebd.). Hierzu wurden nach Sichtung hochschulinterner Infrastrukturen und struktureller, organisatorischer sowie rechtlicher Determinationen, Maßnahmen entwickelt, erprobt und ihr Flexibilisierungsnutzen bewertet. Aufgrund der gleichartigen Struktur der TU Dresden mit anderen Universitäten ähnlicher Studierendenzahl, sind Transferüberlegungen und Adaptierungen des Vorgehens möglich.

2 Strategien zur Beförderung flexiblen Lernens an Hochschulen – theoretische Darstellung

Als theoretischer Bezugsrahmen für Flexibilisierungsmaßnahmen wurden der mikrodidaktische Ansatz von Chen (Lehrveranstaltungsebene) und die makrodidaktische Herangehensweise nach Röbken (Studiengangsebene) um eine weitere Ebene ergänzt, auf der die Hochschulstrukturen in ihrer Gesamtheit betrachtet werden.

Ebene 1 - Flexibilisierung auf Lehrveranstaltungsebene: Bereits im Rahmen einer Lehrveranstaltung können Lehrende inhaltliche Rahmenbedingungen durch ihr didaktisches Handeln schaffen, die flexibles Lernen befördern. Durch die zeit- und ortsunabhängige Nutzbarkeit von Lernmaterialien und -angeboten können die unterschiedlichen Bedürfnisse der Studierenden Berücksichtigung finden. Beispielsweise können digitale Lernangebote als Ergänzung zur Präsenzveranstaltung diesem Anspruch gerecht werden (KERRES, 2013, S. 49). Diese ermöglichen Studierenden mit Mehrfachbelastungen trotz enger Zeitfenster an Lehrveranstaltungen teilzunehmen (BERTHOLD, JORZIK & MEYER-GUCKEL, 2015) und Lerninhalte vor- und nachzubereiten. Dadurch können verschiedene Studierendengruppen angesprochen und deren Bedürfnisse nach Flexibilisierung abgebildet werden. Ferner können Materialien ergänzend zur Verfügung gestellt werden, die auf inhaltlicher Ebene verschiedene Themen und Schwierigkeitsgrade adressieren und somit eine individuelle Schwerpunktsetzung (DE BOER & COLLIS, 2005).

Darüber hinaus bieten strukturell verankerte hochschulweite Regelungen Studierenden eine flexiblere Gestaltung des Studiums auf Lehrveranstaltungsebene. Exemplarisch kann der geltende Nachteilsausgleich angeführt werden, der die rechtliche Grundlage dafür schafft, dass bei Vorliegen entsprechender Nachteilssituationen (z. B. körperliche Beeinträchtigungen, familiäre Belastungen etc.) alternative Prüfungsleistungen erbracht werden können.

Ebene 2 - Flexibilisierung auf Studiengangsebene: Auch hier kann Flexibilisierung sowohl auf einer inhaltlichen als auch auf einer zeitlichen und örtlichen Ebene beschrieben werden. Eine inhaltliche Flexibilisierung ergibt sich aus modularisierten Studiengängen und der daraus resultierenden individuellen Zusammenstellung des Stundenplans, gleichfalls forciert durch eine Auswahlmöglichkeit an Lehrveranstaltungen oder die Anrechnung von außerhalb der Hochschule erworbenen Kompetenzen. Zeitliche Flexibilisierung ergibt sich aus der Möglichkeit, schneller oder langsamer als der vorgesehene Studienablaufplan zu studieren, was durch Beurlaubungen, Freiversuche oder Teilzeitstudienregelungen realisiert werden kann. Örtliche Flexibilisierung ergibt sich aus der Anerkennung von Studienleistungen anderer Hochschulen im In- und Ausland (ECTS System).

Ebene 3 – Flexibilisierung auf Hochschulebene: Wird die Hochschule schließlich als ein Ganzes betrachtet, so kann das Thema flexibles Studieren ein zentrales Feld für die Hochschulentwicklung sein. An dieser Stelle gilt es, strategische und organisatorische Themen anzugehen, die Konsequenzen auf Studiengangs- und Lehrveranstaltungsebene haben und damit Handlungsfelder für flexibles Studieren eröffnen. Es gilt zu eruieren, ob beispielsweise eine Akkreditierung als familien-freundliche Hochschule zielführend ist und dadurch explizit bestimmte Studieren-dengruppen angesprochen werden. Darüber hinaus sind auch Investitionen in Fle-xibilisierungsmaßnahmen mögliche Parameter, um Infrastrukturen zu schaffen, die flexible Studienbedingungen ermöglichen. Beispielsweise wäre hier die Einrich-tung eines E-Assessment-Centers anzuführen, die mit der Anpassung prüfungs-rechtlicher Gegebenheiten sowie bauplanerischer und raumtechnischer Anpassun-gen ein großer Investitionsschritt ist.

Diese Makroebene der Flexibilisierung steht in einem Spannungsfeld zwischen politischen Rahmenbedingungen des Landes einerseits und den Veränderungspro-zessen, die hochschulintern auf Lehrveranstaltungs- und Studiengangsebene ent-stehen, andererseits. Entscheidungsträger/innen müssen daher zunächst definieren, welchen Stellenwert sie dem Thema „flexibles Studieren" an ihrer Hochschule zukünftig einräumen. Dies umfasst auch die Klärung der Frage, ob ein hochschul-interner Kulturwandel gefördert werden soll – hin zu möglichen Themen wie Fami-lienorientierung oder Lebenslanges Lernen.

3 Flexibles Lernen an der TU Dresden – Status quo

Um mögliche Flexibilisierungsmaßnahmen zu entwickeln und zu integrieren, wird im Projektrahmen untersucht, welche Möglichkeiten zur Individualisierung des Studiums an der TU Dresden bereits gegeben sind. Folgend werden ausgewählte Rahmenbedingungen und Bestimmungen an der TU Dresden vorgestellt.

Flexibilisierung auf Lehrveranstaltungsebene an der TU Dresden: Die Ent-scheidung, ob an einer Lehrveranstaltung auch zeit- und ortsunabhängig partizipiert werden kann, wird von den Lehrenden individuell getroffen. Es gibt an der TU Dresden Infrastrukturen, die die Lehrenden bei der Umsetzung von flexiblen Lehr-Lernarrangements unterstützen können. So steht ihnen beispielsweise ein Geräte-verleih zur Verfügung, um Videos aufzunehmen oder Animationen zu produzieren.

Darüber hinaus existieren Support- und Beratungsangebote für die zentralen E-Learning-Systeme der Universität sowie zahlreiche Weiterbildungsangebote. Mit dem Multimediafonds steht ein hauseigenes Förderinstrument als Anreizsystem zur Verfügung.

Flexibilisierung auf Studiengangsebene an der TU Dresden: Mit 121 Studiengängen bildet die TU Dresden ein umfangreiches Fächerspektrum in ihrem Portfolio ab und integriert Flexibilisierungsmaßnahmen an den einzelnen Fakultäten in unterschiedlichem Umfang. So wurden zwar Empfehlungen für die Regelung des erweiterten Nachteilsausgleichs oder des Teilzeitstudiums in Musterstudien- und -prüfungsordnungen formuliert, welche jedoch nicht an allen Fakultäten umgesetzt werden. Auch Freiversuchsregelungen, befristete Beurlaubungen und die Möglichkeit zur Anerkennung außeruniversitärer Qualifikationen werden an den unterschiedlichen Fakultäten individuell geregelt und sind nicht flächendeckend vorhanden.

Flexibilisierung auf Hochschulebene an der TU Dresden: Dass das Thema flexibles Lernen auch hochschulweit Relevanz hat, zeigt sich in den Qualitätszielen der TU Dresden für Studium und Lehre, in denen es heißt: *„Eine Flexibilisierung des Studiums soll eine individuelle Studienplanung (z.B. in Form eines Teilzeitstudiums, zur Sicherstellung der Betreuung von Kindern sowie Pflege von Angehörigen) ermöglichen, deren Umsetzung gewährleisten und durch Beratung erleichtern."* (TU Dresden, 2015a, S. 6). Parallel werden im Kontext der Flexibilisierung des Studiums auch Bestrebungen im Zusammenhang mit E-Learning an der Hochschule fokussiert. So wird beispielsweise in der Re-Auditierung der TU Dresden als familiengerechte Hochschule festgehalten, dass die Bereitstellung von E-Learning-Angeboten als Daueraufgabe verstanden wird (MANTL, 2016, S. 6). Auch die E-Learning-Strategie der Hochschule zeigt *„[dass] [...] die systematische Erhöhung des Verbreitungsgrades digitaler Lehr-/Lernszenarien an den einzelnen Fakultäten [angestrebt wird,] um Studierenden durch die Flexibilisierung der Lehrveranstaltungen und Lerninhalte Möglichkeiten der Individualisierung zu bieten"* (TU DRESDEN, 2015b).

4 Flexibles Lernen an der TU Dresden – Projektmaßnahmen

Maßnahmen auf Lehrveranstaltungsebene: Ausgehend von den Rahmenbedingungen und den theoretisch möglichen Flexibilisierungsmaßnahmen werden im Projekt erste Angebote geschaffen, die die Flexibilisierung der Lehre an der TU Dresden unterstützen sollen. Im Rahmen des E-Scout-Programms, welches im Projektkontext initiiert wurde, erhalten Lehrende nach einer mediendidaktischen Eingangsberatung durch eine Projektmitarbeiterin/einen Projektmitarbeiter personelle Ressourcen in Form speziell geschulter Studierender (E-Scouts). Diese übernehmen die medientechnische Umsetzung des Szenarios. Das Vorhaben, welches als hochschulinterne Dienstleistung verstanden wird, bietet zum einen die Möglichkeit, Lehrende an die Thematik flexibler Lehr-Lern-Arrangements heranzuführen (HEUBACH & MERSCH, 2013, S. 76). Andererseits lernen die eingesetzten E-Scouts, digitale Medien für die eigenen Lernprozesse zu nutzen und zu integrieren (ebd.), wodurch ihre Medienkompetenz gefördert wird. Die große Nachfrage der Lehrenden bestätigt diesen Ansatz, weshalb das Konzept nachhaltig durch eine curriculare Integration im Ergänzungsbereich verankert werden soll.

Um Lehrende anzusprechen, die durch die aktuellen Beratungs- und Unterstützungsangebote bisher nicht erreicht werden, wird eine geführte Entscheidungshilfe entwickelt. Diese wendet sich an Dozierende, die noch keine Vorstellung zu einem digitalen Szenario oder keine Lösung für ein konkretes didaktischen Problems haben. Hierfür wird ein Chat-Bot entwickelt, mit dessen Hilfe Lehrende bei der Planung ihrer Lehrveranstaltungen unterstützt werden. Auf Basis eines automatisierten Dialog-Prozesses, in dem die Rahmenbedingungen der Lehrveranstaltung abgefragt werden (z. B. Studierendenzahl, Veranstaltungsformat, Lernzielebene) werden mediendidaktische Anwendungen und Konzepte sowie Umsetzungspläne vorgeschlagen. Da die Integration von E-Learning-Werkzeugen vielfältig ausgestaltet ist und didaktische Empfehlungen nicht allgemeingültig sind, ist die Anwendung als Orientierungshilfe zu verstehen. Als Entscheidungsgrundlage für die

Empfehlungen dient ein evidenzbasiertes Modell, das im Rahmen des Projektes entwickelt wurde und auf einer umfassenden Literaturrecherche basiert.

Maßnahmen auf Studiengangsebene: Um Studierende, Lehrende und Studiengangsverantwortliche gleichermaßen über Flexibilisierungsmaßnahmen zu informieren, wird ein Vorgehensmodell entwickelt, das organisatorische Prozesse zur Flexibilisierung an der Hochschule aufzeigt. Dieses beschreibt potenzielle Verfahren zur Flexibilisierung von Lehrveranstaltungen und Studiengängen, auch in Bezug auf die Anreicherung der Lehre durch digitale Medien. Fokussiert werden organisatorische und strukturelle Prozesse inklusive aller involvierten Akteurinnen/Akteure. Unter Verwendung der hochschulintern genutzten Prozessplattform PICTURE werden detailliert alle notwendigen Bearbeitungsschritte zur Realisierung einer der vorgeschlagenen Maßnahmen visuell dargestellt. Schritt für Schritt können Interessierte zukünftig das Vorgehensmodell durchlaufen und werden dabei über den genauen Ablauf curricularer Anpassungen der Studienangebote, --dokumente und Ansprechpersonen informiert. Kommuniziert werden somit rechtliche, strukturelle und organisatorische Entscheidungsmöglichkeiten mit den jeweiligen Konsequenzen. Während der Konzeption des Vorgehensmodells wird eng mit hochschulinternen Partnerinnen/Partnern zusammengearbeitet (z. B. Dezernat für Akademische Angelegenheiten, Planung und Controlling, Studiendekanat), sodass ein umfassendes Modell entwickelt wird, dass konkrete Handlungsfelder und Umsetzungswege aufzeigt.

Da auf der Hochschulebene vor allem strategische Entscheidungen und Papiere wirksam werden, konnten diese im Rahmen des Projektes nicht unmittelbar adressiert werden. Hierfür ist ein längerer Projektzeitraum erforderlich, der die strategischen Veränderungsprozesse begleiten kann. Dennoch konnte das Projektteam beratend tätig werden, sodass sich das Thema Flexibilisierung zukünftig in weiteren Maßnahmen auf Hochschulebene niederschlagen wird.

5 Erfahrungen und Handlungsempfehlungen

Bis zum Wintersemester 2019/2020 wurden vier studentische E-Scouts ausgebildet, die insgesamt zwanzig Lehr-Lern-Szenarien mit digitalen Materialien anreicherten. Die Erprobung des E-Scout-Programms zeigt, dass es seitens der Lehrenden eine hohe Nachfrage nach personellen Unterstützungsleistungen für die Konzeption und Umsetzung von flexiblen Lernangeboten gibt. Gleichzeitig berichten die beteiligten Dozierenden, dass die Anpassung der Lehrveranstaltung, trotz der Unterstützung durch einen E-Scout, zunächst einen hohen zeitlichen Mehraufwand bedeutet. Ferner zeigen die Projekterfahrungen, dass es bei einer Entsendung der E-Scouts an die Lehrenden eine vorherige Klärung von Verantwortlichkeiten und Aufgaben aller beteiligten Akteurinnen/Akteure bedarf, um zeitliche und organisatorische Probleme zu minimieren. Trotz möglicher Hürden kann das E-Scout-Programm als Flexibilisierungsmaßnahme empfohlen werden, da Lehrende nachhaltig zu einer Veränderung ihrer Lehrkonzeption angeregt und in die Lage versetzt werden, diese selbstständig fortzuführen. Perspektivisch ist angedacht, das Konzept hochschulweit umzusetzen und für jeden Fachbereich einen E-Scout auszubilden, der primär die medientechnische Realisierung der E-Learning-Maßnahmen umsetzt und gleichzeitig Fachwissen mitbringt.

Die medientechnische Entwicklung der geführten Entscheidungshilfe ist für das erste Quartal 2020 geplant. Ziel bis zum Projektende ist es, eine erprobte Version dieses Chat-Bots zu entwickelt, die hochschulübergreifend als Open-Source-Version zur Verfügung gestellt wird.

Das Vorgehensmodell zeigt aktuell auf, an welchen Stellen Veränderungen von Studienordnungen und Prüfungsregularien erforderlich sind. Die konkrete Umsetzung dieser Handlungsempfehlungen konnte im Projektrahmen nicht abgebildet werden. Um die Gestaltung flexiblen Lernens über den Projektrahmen hinaus zu verankern, wird durch stetige Kommunikation und Austausch mit den entsprechenden Stakeholdern weiterhin ein Veränderungsprozess verfolgt. Das Vorgehensmodell kann auch weiteren Hochschulen Anregungen zur Implementierung von Flexibilisierungsmaßnahmen bieten, wobei die frühzeitige Integration aller Stakeholder der Hochschule empfohlen wird.

6 Literaturverzeichnis

Berthold, C, Jorzik, B., Meyer-Guckel, V. et al. (Hrsg.) (2015). *Handbuch Studienerfolg: Strategien und Maßnahmen: Wie Hochschulen Studierende erfolgreich zum Abschluss führen.* Essen: Ed. Stifterverband.

Chen, D. (2003). Uncovering the provisos behind flexible learning. *Educational Technology & Society, 6*(2), 25-30, http://www.elibrary.lt/resursai/Uzsienio%20leidiniai/IEEE/English/2006/Volume%206/Issue%202/Jets_v6i2.pdf#page=29

De Boer, W. & Collis, B. (2005). Becoming more systematic about flexible learning: beyond time and distance. *ALT-J: Association for Learning Technology Journal, 13*(1), 33-48.

Heubach, M. & Mersch, A. (2013). eTutoring und eMentoring zur Optimierung der Selbststudiumsphase an der Hochschule Ostwestfalen-Lippe. In M. Barnat, S. Hofhues, A. C. Kenneweg et al. (Hrsg.), *Junge Hochschul- und Mediendidaktik. Forschung und Praxis im Dialog* (S. 82-88). Hamburg: Universität Hamburg.

Kerres, M. (2013). Mediendidaktische Implementation – inhaltlich, räumlich und zeitlich flexibles Lernen organisieren. In M. Kerres, A. Hanft, U. Wilkesmann et al. (Hrsg.), *Studium 2020: Positionen und Perspektiven zum lebenslangen Lernen an Hochschulen* (S. 44-51). BoD – Books on Demand.

Lenz, K., Winter, J., Stephan, C., Herklotz, M. & Gaaw, S. (2018). Dritte sächsische Studierendenbefragung. https://tu-dresden.de/zqa/ressourcen/dateien/ssb/Bericht_SSB3.pdf?lang=de

Mantl, E. (2016). *Zielvereinbarung zur Bestätigung des Zertifikats zum audit familiengerechte hochschule.* Re-Auditierung. https://tu-dresden.de/tu-dresden/chancengleichheit/ressourcen/dateien/familienfreundlichkeit/zielvereinbarung-audit-familiengerechte-hochschule-2016-2019?lang=de

Orr, D., Lübcke, M., Schmidt, P., Ebner, M., Wannemacher, K., Ebner, M. & Dohmen, D. (2019). *AHEAD – Internationales Horizon-Scanning: Trendanalyse zu einer Hochschullandschaft in 2030.* Berlin.

Pasternack, P. & Wielepp, F. (2013). *die hochschule. HoF-Handreichungen, 2. Beiheft.* https://www.hof.uni-halle.de/journal/texte/Handreichungen/HoF-Handreichungen2/17_Pasternack.pdf

Röbken, H. (2012). Flexibilität im Studium: eine kritische Analyse. In M. Kerres, A. Hanft, U. Wilkesmann & K. Wolff-Bendik (Hrsg.), *Studium 2020. Positionen und Perspektiven zum lebenslangen Lernen an Hochschulen* (S. 241-248). Münster: Waxmann.

Technische Universität Dresden (2015a). *Qualitätsziele der TU Dresden für Studium und Lehre.* https://tu-dresden.de/tu-dresden/qualitaetsmanagement/ressourcen/dateien/qm_studium_lehre/Qualitaetsziele_ueberarbeitet.pdf?lang=de

TU Dresden (2015b). *E-Learning-Strategie der TU Dresden.* https://tu-dresden.de/tu-dresden/profil/exzellenz/zukunftskonzept/tud-structures/zill/ressourcen/dateien/elearningstrategie.pdf?lang=de

TU Dresden (2019). *Zahlen und Fakten.* https://tu-dresden.de/tu-dresden/profil/zahlen-und-fakten

Autorinnen

Marlen DUBRAU ‖ TU Dresden, Medienzentrum ‖
Strehlener Straße 22-24, D-01069 Dresden

https://tu-dresden.de/mz

marlen.dubrau@tu-dresden.de

Corinna LEHMANN ‖ TU Dresden, Medienzentrum ‖
Strehlener Straße 22-24, D-01069 Dresden

https://tu-dresden.de/mz

corinna.lehmann3@tu-dresden.de

Jana RIEDEL ‖ TU Dresden, Medienzentrum ‖
Strehlener Straße 22-24, D-01069 Dresden

https://tu-dresden.de/mz

jana.riedel@tu-dresden.de

Kim Laura AUSTERSCHMIDT[1] & Sarah BEBERMEIER (Bielefeld)

Flexible Unterstützungsangebote in Statistik: Implementation und Effekte auf Studienerfolg

Zusammenfassung

Flexible Unterstützungsangebote adressieren heterogene Bedürfnisse von Studierenden und sollen den Lern- und Studienerfolg erhöhen. Im Bachelorstudiengang Psychologie der Universität Bielefeld wurden sukzessive Angebote und schließlich eine umfangreiche flexible Online-Lernumgebung zum Modul Statistik implementiert. Mittels einer längsschnittlichen Befragung von drei Kohorten Studierender wird geprüft, inwiefern sich mit zunehmender Flexibilisierung die Nutzungshäufigkeit der Angebote verändert hat und ob, bei Kontrolle um die anfängliche mathematische Kompetenz und das mathematische Selbstkonzept, eine Erhöhung des Studienerfolgs erreicht wurde.

Schlüsselwörter

Flexibles Lernen, Unterstützungsangebote, Lernumgebung, Statistik, Studienerfolg

---

[1] E-Mail: kim.austerschmidt@uni-bielefeld.de

Wissenschaftlicher Beitrag · DOI: 10.3217/zfhe-14-03/09

Kim Laura Austerschmidt & Sarah Bebermeier

Implementation and Effects of Flexible Support Services on Student Achievements in Statistics

Abstract

Flexible support services address heterogenous student needs and aim to enhance learning and study success. The Bachelor's Programme in Psychology at Bielefeld University established a stagewise, diverse system of support services, including an extensive flexible online learning environment related to the statistics course. Using a longitudinal survey of three student cohorts, we investigated the extent to which the increased flexibility of the environment changed the frequency of service use and if, by controlling mathematical competence and mathematical self-concept at study entry, an increase in academic succuess can be declared.

Keywords

flexible learning, support services, learning environment, statistics, academic success

1 Theoretischer Hintergrund

1.1 Flexibles Lernen und Heterogenität Studierender

Die Gestaltung flexibler Lernumgebungen an Universitäten gewinnt nicht nur aufgrund zunehmender Digitalisierung und Flexibilisierung der Gesellschaft – und somit des Lernens (MÜLLER & JAVET, 2019) – sondern auch aufgrund steigender Heterogenität der Studierendenschaft an Bedeutung (MÜRNER & POLEXE, 2014). Heterogenität beinhaltet dabei sowohl soziodemographische Merkmale, wie Geschlecht, Alter, Hochschulzugang und Familienstand, als auch Lebensziele und Studienmotive, Erwartungen und Lernstrategien (MIDDENDORF, 2015; MOORAJ & ZERVAKIS, 2014). Um dem Rechnung zu tragen, sind Heterogenitätsorientierung, diversitätssensible Maßnahmen und Flexibilisierung in der Lehre essentiell (MOORAJ & ZERVAKIS, 2014). So wird auf unterschiedliche Lebens-umstände und Bedürfnisse reagiert, um allen Studierenden die gleichen Chancen zu ermöglichen, das Studium erfolgreich zu bewältigen (TILLMANN, NIEMEYER & KRÖMKER, 2016).

LUTTENBERGER et al. (2018) zeigen, dass Lerninhalte auf verschiedene Arten zugänglich gemacht werden sollten, um Kompetenzen und Präferenzen von Ler-nenden angemessen zu begegnen. Auch MÜRNER & POLEXE (2014) betonen, dass Wissen zunehmend auf neuen, individuell bestimmten Wegen erschlossen und Ort, Zeit und Weg des Lernens selbst bestimmt werden. Zudem zeigen SCHUL-MEISTER, METZGER & MARTENS (2012), dass individuelles Lernverhalten ein stärkerer Prädiktor für Studienerfolg ist, als Geschlecht und Migrationshintergrund. In einer Studie von THIEL, BLÜTHMANN, FICZKO & LEPA (2007) geben viele Studienabbrecher/innen an, dass höhere Flexibilität, mehr Unterstützungsangebote und eine bessere Betreuung sie dazu hätten bewegen können, das Studium fortzu-setzen. Vor allem mediengestützte Lernszenarien bieten flexible Möglichkeiten und individuelle Freiheiten und besonders förderlich ist die Kombination rezeptiver (z. B. Lernvideos) und aktiver (z. B. Feedbackaufgaben) Übungsangebote (z. B. MERTENS, KRÜGER & VORNBERGER, 2004; LUTTENBERGER et al., 2018; SCHMOELZ, 2014).

1.2 Auswahl, Passung und Wirksamkeit flexibler mathematischer Unterstützungsangebote

Mathematische Lehrveranstaltungen werden von Studierenden als sehr herausfor-dernd erlebt (BESCHERER, 2004; CRAMER & WALCHER, 2010), oft negativ bewertet (DOYLE, 2017), seltener erfolgreich bewältigt (BIEHLER, HOCH-MUTH, FISCHER & WASSONG, 2011) und gelten als eine zentrale Ursache frü-her Studienabbrüche (HEUBLEIN & WOLTER, 2011). Nahezu alle Hochschulen bieten daher in Fächern mit mathematischen Studieninhalten Unterstützung bei der Bewältigung der Studienanforderungen an. Die Nutzung der Angebote ist in der Regel freiwillig und es kann aus mehreren Angeboten flexibel gewählt werden.

Vor allem zu Studienbeginn, und wenn es Studierenden schwerfällt, ihre Kompetenzen zu beurteilen und ihren Unterstützungsbedarf einzuschätzen, sollte eine Diagnostik erfolgen. Eine Rückmeldung über den Kenntnisstand und die -defizite beeinflusst den künftigen Lernweg (BAUSCH et al., 2014). Auch können auf Basis von Tests individuelle Lernempfehlungen und Hinweise auf Unterstützungsangebote gegeben werden, um eine passgenaue Förderung zu erreichen (KRIEG, EGETENMEIER, MAIER & LÖFFLER, 2017). Bestenfalls sollten Unterstützungsangebote in Lehrveranstaltungen eingebunden und von Dozierenden eingeführt werden (PERSIKE & FRIEDRICH, 2016). Je flexibler die Angebote und je unterschiedlicher die geforderten und geförderten Kompetenzen sind, desto eher können Studierende passende Unterstützung auswählen (LAGE, PLATT & TREGLIA, 2000).

Empirische Forschung zeigt bereits, dass Studierende mathematische Unterstützungsangebote gemäß ihres individuellen Bedarfs auswählen. In der Evaluation eines Begleitprogramms zu mathematischen Vorlesungen geben nur 12 % der Studierenden an, die Angebote wahllos zu nutzen, während die übrigen die am hilfreichsten erscheinenden Angebote (z. B. zu Themen, die nicht verstanden wurden) auswählen (ABLEITINGER & HERRMANN, 2014). LAGING & VOSSKAMP (2016) stellen fest, dass bei hoher Mathematik-Ängstlichkeit und geringem mathematischen Selbstkonzept eher Angebote mit persönlicher Betreuung wahrgenommen werden, wohingegen bei hoher Selbstwirksamkeitserwartung häufiger an Kurztests mit schriftlichem Feedback teilgenommen wird. BEBERMEIER & NUSSBECK (2014) zeigen, dass eine zusätzliche Präsenzveranstaltung vor allem von gering kompetenten Studierenden genutzt wird, Reflexionsfragebögen und -aufgaben dagegen häufiger von kompetenten Studierenden. Sie finden außerdem, dass erwerbstätige Studierende seltener eine Präsenzveranstaltung, dafür aber häufiger Lernvideos nutzen. TILLMANN, BREMER & KRÖMKER (2012) stellen zudem fest, dass ältere Studierende Vorlesungsaufzeichnungen vermehrt nutzen und besonders von diesen profitieren.

Auch die Wirksamkeit flexibler mathematischer Unterstützungsangebote ist vielfach belegt: ABLEITINGER & HERRMANN (2014) zeigen, dass die Frustration, die viele Studierende zu Studienbeginn erleben und die häufig zu Studienabbrü-chen führt, durch ein Begleitprogramm verringert werden kann. Im Einklang damit beschreiben MATTHEWS, CROFT, LAWSON & WALLER (2013), dass Studie-rende durch Lernzentren und mathematische Unterstützungsangebote Sicherheit gewinnen, ihre Kompetenzen erweitern und negative Erfahrungen und Erwartun-gen revidiert werden, was sich positiv auf die Leistung auswirkt.

Bezüglich des Erfolgs flexibler freiwilliger Angebote identifizieren LUTTEN-BERGER et al. (2018) vor allem diejenigen Studierenden als erfolgreich, die eine große Auswahl unterschiedlicher Lernmaterialien nutzen und am meisten Lernzeit investieren. Sie sind später am zufriedensten mit der Lehrveranstaltung und erbrin-gen besonders gute Leistungen. Dagegen zeigen Lernende, die wenig Zeit investie-ren und wenig unterschiedliche Lernmaterialien nutzen (LUTTENBERGER et al., 2018) oder gar keine Angebote wahrnehmen (GILL & O'DONOGHUE, 2007), schlechtere Leistungen.

In bisherigen Studien zum Erfolg flexibler, freiwilliger Angebote wurden jedoch Anfangskompetenzen und motivationale Merkmale, die die Auswahl, die Nutzung und die Effekte der Angebote beeinflussen, unzureichend berücksichtigt. Ein wei-teres Problem ist laut MATTHEWS et al. (2013), dass Personen, die die Angebote nicht nutzen, in Erhebungen nicht erfasst und keine Kontrollbedingungen (ohne oder mit alternativen Unterstützungsangeboten) untersucht werden. In der vorlie-genden Arbeit soll diese Forschungslücke adressiert werden. Psychologiestudie-renden wurde eine sukzessiv erweiterte und zunehmend flexiblere Online-Lernumgebung zu Inhalten der Vorlesung Statistik vorgelegt. Flexibilisierung wird dabei operationalisiert durch Angebotsstrukturierung, parallele Verfügbarkeit und Einbindung in die Vorlesung sowie Erweiterung des Angebots (HEA, 2015; LI & WONG, 2018). Es wird untersucht, ob und welche Angebote bei zunehmender Flexibilisierung häufiger oder seltener genutzt werden. Zudem wird gezeigt, in-wieweit die flexiblere Lernumgebung, unter Berücksichtigung anfänglicher leis-tungsbezogener und motivationaler Merkmale, zu einer höheren Zufriedenheit und besseren Bewältigung der mathematischen Studienanforderungen beiträgt. Ab-schließend werden Implikationen für Hochschulen diskutiert.

2   Fragestellung und Hypothesen

Ziel einer flexiblen Lernumgebung für mathematische Inhalte ist es, den heterogenen Bedürfnissen Studierender gerecht zu werden, damit unabhängig von Lebensumständen und Lernpräferenzen Studieninhalte erfolgreich bewältigt werden können. Ob dies durch die sukzessive Ausgestaltung einer flexiblen Online-Lernumgebung gelang, wurde mittels Befragung dreier Kohorten Psychologiestudierender geprüft. Es wird untersucht, inwieweit sich bei zunehmender Flexibilisierung:

- die Nutzungshäufigkeit einzelner Angebote verändert und
- höherer Studienerfolg einstellt.

Studierenden der ersten Kohorte (Studienstart im Wintersemester 2013/14, K1) standen mehrere Unterstützungsangebote zur Verfügung. Für Studierende der zweiten Kohorte (Studienstart im Wintersemester 2015/16, K2) wurden diese Angebote strukturiert in einer Online-Lernumgebung bereitgestellt. Studierende in K1 (ohne Online-Lernumgebung) kennen möglicherweise nicht alle Angebote und wählen daher besonders saliente Angebote oder solche, denen sie zuerst begegnen. Die Angebotsstrukturierung mit paralleler Verfügbarkeit und Einbindung in die Vorlesung in K2 macht die Lernmöglichkeiten kohärenter, sichtbarer und leicht(er) verfügbar, schafft mehr Wahlmöglichkeiten und bietet so eine höhere Flexibilität. Studierenden der dritten Kohorte (Studienstart im Wintersemester 2017/18, K3) wurden ergänzend weitere Angebote zur Verfügung gestellt. Mit Bereitstellung der Lernumgebung (K2) und neuen Angeboten (K3) sollten Studierende zu ihren Bedürfnissen passende Angebote demnach in größerer Zahl und häufiger nutzen. Andererseits ist denkbar, dass Studierende bestimmte Angebote aufgrund neuer Alternativen seltener nutzen. Beispielsweise könnten Personen, die bevorzugt E-Learning-Angebote nutzen, seltener Präsenzveranstaltungen nutzen. Ebenso kann die Präferenz für eine digitale Bearbeitung von Übungsaufgaben zu seltenerer analoger Bearbeitung führen. Explorativ wird deshalb folgende Hypothese getestet:

Hypothese 1 (H1): Die Angebote werden in den Kohorten unterschiedlich häufig genutzt.

Haben die Studierenden passende Angebote gewählt und effektiv genutzt, sollte der Studienerfolg steigen, unabhängig von der schulischen Mathematiknote und dem mathematischen Selbstkonzept zu Beginn des Studiums, also vor Angebotsnutzung. Studienerfolg wird operationalisiert durch die Zufriedenheit mit den Veranstaltungen des Moduls, das Verständnis der Vorlesungsinhalte sowie die Note in der Modulabschlussklausur. Es werden folgende Hypothesen geprüft:

Hypothese 2 (H2): Studierende späterer Kohorten studieren erfolgreicher. Dieser Effekt ist unabhängig von mathematischer Kompetenz und mathematischem Selbstkonzept zu Studienbeginn.

H2a: Sie sind zufriedener mit den Veranstaltungen des Moduls.

H2b: Sie verstehen die Inhalte besser.

H2c: Sie schneiden in der Klausur besser ab.

3 Methode

3.1 Studienanforderungen und Unterstützungsangebote in den drei Kohorten

Das Pflichtmodul „Statistik" im Bachelorstudiengang Psychologie besteht aus zwei vierstündigen Vorlesungen, davon eine im ersten und eine im zweiten Semester, und einer abschließenden Klausur. Die Veranstaltungsmaterialien und Prüfungsinhalte wurden in den letzten Jahren nicht verändert und die Vorlesung wurde in K1, K2 und K3 vom selben Dozenten gehalten. In allen Kohorten gab es Unterstützungsangebote für unterschiedlich kompetente Studierende, Angebote mit und ohne Feedback sowie Angebote, die verschiedene Zugänge zu den Inhalten (digital vs. analog, Präsentation der Inhalte unterstützt durch Text vs. Bilder) ermöglichen.

Einige Angebote waren zeitlich und örtlich flexibel nutzbar, andere als Präsenzveranstaltung angelegt.

3.1.1 K1

Studierenden in K1 standen fünf Unterstützungsangebote, jedoch keine Online-Lernumgebung zur Verfügung. Im *Tutorium* (TUT) konnten Studierende die Vorlesungsinhalte mit dem Statistik-Programm R praktisch umsetzen. Im *Selbstlernzentrum* (SLZ) konnten Übungsaufgaben allein oder in Gruppen bearbeitet werden, während eine Tutorin bei Fragen zur Verfügung stand. Dieselben *Übungsaufgaben* (ÜB) konnten auch auf der Homepage der Fakultät heruntergeladen und selbstständig, unabhängig von Ort und Zeit, bearbeitet werden. Ebenfalls auf der Homepage wurden *Lernmodule* (LM, mit Ton hinterlegte, interaktiv gestaltete Präsentationen) bereitgestellt. In regelmäßigen *Online-Befragungen* (OB) konnten Studierende darüber hinaus ihr Themenverständnis reflektieren und Feedback zur Vorlesung geben.

3.1.2 K2

In K2 wurden die Inhalte der Angebote (TUT, SLZ, ÜB, LM, OB) neben den übrigen Vorlesungsmaterialien (Ankündigungen, Präsentationsfolien) in einer Online-Lernumgebung bereitgestellt. Da alle Studierenden diese für den Zugriff auf die Vorlesungsunterlagen nutzten, war die Bekanntheit und Niedrigschwelligkeit der Zugriffsmöglichkeit sichergestellt. Zudem wurden die wahrgenommene Relevanz und Eignung der Angebote erhöht, indem der Dozent regelmäßig auf die Online-Lernumgebung verwies. Im Vergleich zu K1 wurden die Angebote in der Lernumgebung strukturiert und flexibler nutzbar gemacht.

3.1.3 K3

In K3 wurde die strukturierte Online-Lernumgebung um weitere Lernhilfen ergänzt. Es standen nun zusätzlich *Videoaufzeichnungen* (VID) der Vorlesung zur Verfügung, in denen sowohl Vorlesungsfolien als auch Stimme und Tafelbilder des Dozenten integriert und Metakommentare eingefügt waren. Außerdem wurden eine

Online-Version der Übungsaufgaben (OA) mit Hilfe- und Feedback-Funktion sowie *zusätzliche Online-Übungsaufgaben* (ZOA) bereitgestellt.

3.2 Vorgehen bei der Erhebung

Personen, die die Angebote nutzten und solche, die sie nicht nutzten, sollten gleichermaßen erreicht werden. Dazu wurden in der Statistikvorlesung zu Beginn des ersten (T1) und am Ende des zweiten Semesters (T2), ca. zwei Wochen vor der Modulabschlussklausur, Papierfragebögen ausgegeben. Die Teilnahme an der Befragung wurde mit Versuchspersonenstunden vergütet, welche die Studierenden im Studium obligatorisch ableisten müssen. Mittels eines individuell generierten Codes wurden die Datensätze beider Befragungen zusammengeführt. Zudem konnte in der Klausur durch Angabe des Codes die Einwilligung zur Verknüpfung der Note mit den Längsschnittdaten gegeben werden. Tabelle 1 zeigt die Anzahl verfügbarer Daten.

Tab. 1: Stichprobengröße zu den Messzeitpunkten

	T1	T2	T1 & T2	T1 & Modulnote
K1	$n = 130$	$n = 78$	$n = 65$	$n = 71$
K2	$n = 124$	$n = 92$	$n = 79$	$n = 82$
K3	$n = 123$	$n = 55$	$n = 50$	$n = 56$

Anmerkungen. K1 = Kohorte 2013/14, K2 = Kohorte 2015/16, K3 = Kohorte 2017/18; T1 = erste Befragung, T2 = zweite Befragung.

Zwischen 123 und 130 Psychologiestudierende[2] nahmen zu T1 teil. Zu T2 nahmen in K1 78 (60 %), in K2 92 (74 %) und in K3 55 (45 %) Studierende teil. Kombi-

---

[2] Dies entspricht der Anzahl der im ersten Semester eingeschriebenen Studierenden (125 in K1, 120 in K2, 132 in K3) plus/minus einige Studierende, die nicht nach Verlaufsplan studieren.

nierte Daten aus T1 und T2 liegen in K1 für 50 % der Studierenden vor, in K2 für 64 % und in K3 für 41 %. In K1 konnte bei 55 % der Studierenden die Modulnote den T1-Daten zugeordnet werden, in K2 bei 66 % und in K3 bei 46 %.

3.3 Inhalt der Befragungen

Zu T1 wurden Geschlecht, Alter, die letzte Schulnote in Mathematik in Punkten (Mathenote) (von 0 = „Note 6" bis 15 = „Note 1+") und das mathematische Selbstkonzept (SK) anhand von 5 Items (z. B. „Mathematik ist eine meiner Stärken", 6-stufige Likert-Skala von 1 = „sehr unzutreffend" bis 6 = „sehr zutreffend"), erfragt. Die Skala SK besitzt eine gute Reliabilität (Cronbach's α = .91 in K1, α = .94 in K2 und α = .93 in K3). Zu T2 wurde für jedes Angebot (TUT, SLZ, ÜB, LM, OB, ggf. VID, OA, ZOA) erfragt, wie häufig dieses bis dato genutzt wurde (6-stufige Likert-Skala von 1 = „gar nicht häufig" bis 6 = „sehr häufig"). Außerdem wurde die Studienzufriedenheit anhand des Items „Wie zufrieden sind Sie mit der Methoden- und Statistik-Ausbildung?" (6-stufige Likert-Skala von 1 = „gar nicht zufrieden" bis 6 = „sehr zufrieden") und das Verständnis der Vorlesungsinhalte mit 13 Items („Wie gut haben Sie die folgenden Inhalte des 1. und 2. Semesters in der Ausbildung in Methodenlehre und Statistik verstanden?" z. B. „einfache lineare Regression", 6-stufige Likert-Skala von 1 = „gar nicht" bis 6 = „sehr gut") erfragt. Die Skala besitzt eine gute Reliabilität (Cronbach's α = .86 in K1, α = .93 in K2 und α = .87 in K3).

3.4 Stichprobenbeschreibung

Tabelle 2 zeigt deskriptive Statistiken für Geschlecht, Alter, Mathenote und SK zu T1. Mittels univariater Varianzanalysen prüften wir, inwiefern sich Mathenote und SK zwischen den Kohorten unterscheiden. Es zeigen sich Unterschiede in Mathenote ($F_{(2,355)}$ = 5.93, p < .01, η^2 = .03) und SK ($F_{(2,370)}$ = 14.51, p < .001, η^2 = .02). Post Hoc Tests auf Unterschiede spezifischer Kohorten zeigen, dass in K3 weniger Punkte erzielt werden als in K1 ($F_{(1,355)}$ = 10.53, p < .001, η^2 = .03) oder K2 ($F_{(1,355)}$ = 6.91, p < .01, η^2 = .02). Entsprechend ist das SK in K3 geringer als in K1 ($F(1,370) = 28.84$, $p < .001$, $\eta^2 = .07$) oder K2 ($F(1,370) = 5.58$, $p < .05$, $\eta^2 = .02$), und in K2 geringer als in K1 ($F(1,370) = 9.04$, $p < .01$, $\eta^2 = .02$).

Tab. 2: Studierendenmerkmale zu T1

	Weiblich (%)	Alter $M\,(SD)$	Mathenote $M\,(SD)$	SK $M\,(SD)$
K1 ($N = 130$)	79	22.75 (5.48)	11.99 (2.88)[3]	3.72 (1.28)[23]
K2 ($N = 124$)	88	21.56 (4.46)	11.75 (2.74)[3]	3.22 (1.38)[13]
K3 ($N = 123$)	77	21.80 (5.61)	10.76 (3.10)[12]	2.82 (1.30)[12]

Anmerkungen. K1 = Kohorte 2013/14, K2 = Kohorte 2015/16, K3 = Kohorte 2017/18, SK = mathematisches Selbstkonzept; M = Mittelwert, SD = Standardabweichung; [1]Unterschied zu K1, [2]Unterschied zu K2, [3]Unterschied zu K3.

4 Ergebnisse

4.1 Hypothese 1

Mittels multivariater Varianzanalyse prüften wir, inwiefern sich die Nutzungshäufigkeit der in allen Kohorten zur Verfügung stehenden Angebote zwischen den Kohorten unterscheidet. Mittelwerte und Standardabweichungen befinden sich in Tabelle 3.

Tab. 3: Nutzungshäufigkeit der Angebote

	TUT M (SD)	SLZ M (SD)	ÜB M (SD)	LM M (SD)	OB M (SD)	VID M (SD)	OA M (SD)	ZOA M (SD)
K1	2.68[23]	1.29[2]	2.46[23]	2.99	2.91[2]	-	-	-
(N = 78)	(1.44)	(0.79)	(1.64)	(1.49)	(1.66)			
K2	3.75[1]	1.77[1]	3.75[1]	3.18	2.02[1]	-	-	-
(N = 92)	(1.74)	(1.38)	(1.87)	(1.71)	(1.52)			
K3	4.21[1]	1.57	3.31[1]	3.16	2.28	2.60	3.25	2.73
(N = 55)	(1.43)	(1.01)	(1.85)	(1.71)	(1.56)	(1.50)	(1.95)	(1.83)

Anmerkungen. K1 = Kohorte 2013/14, K2 = Kohorte 2015/16, K3 = Kohorte 2017/18; TUT = Tutorium, SLZ = Selbstlernzentrum, ÜB = Übungsaufgaben, LM = Lernmodule, OB = Online-Befragungen, VID = Vorlesungsvideos, OA = Online-Aufgaben, ZOA = Zusätzliche Online-Aufgaben; M = Mittelwert, SD = Standardabweichung; [1]Unterschied zu K1, [2]Unterschied zu K2, [3]Unterschied zu K3.

Die kombinierte Nutzungshäufigkeit unterscheidet sich zwischen den Kohorten, $F(10,384) = 6.31$, $p < .001$, $\eta^2 = .14$. Mittels univariater Analysen prüften wird, für welche Angebote sich die Nutzungshäufigkeit unterscheidet. Es zeigen sich Unterschiede für TUT ($F(2,195) = 14.22$, $p < .001$, $\eta^2 = .13$), SLZ ($F(2,195) = 3.66$, $p < .05$, $\eta^2 = .04$), ÜB ($F(2,195) = 8.89$, $p < .001$, $\eta^2 = .08$) und OB ($F(2,195) = 4.26$, $p < .05$, $\eta^2 = .04$).

Hypothese 1 wird bestätigt: Die Nutzung der Angebote verändert sich mit zunehmender Flexibilisierung. Das TUT und die ÜB wurden in K2 und K3 häufiger genutzt als in K1. Das SLZ wurde in K2 häufiger, die OB hingegen seltener genutzt als in K1. Besonders Studierende in K1 (ohne Online-Lernumgebung) unterscheiden sich in ihrem Nutzungsverhalten von den späteren Kohorten K2 (Angebote in Online-Lernumgebung) und K3 (Online-Lernumgebung plus zusätzliche Angebote darin). Zwischen K2 und K3 gibt es keine signifikanten Unterschiede.

4.2 Hypothese 2

Tab. 4: Studienerfolgskriterien

	Zufriedenheit M (SD)	Verständnis M (SD)		Modulnote M (SD)
K1 (n = 65)	4.63 (0.86)[3]	4.45 (0.63)[3]	K1 (n = 71)	2.39 (0.83)[23]
K2 (n = 79)	4.52 (0.94)[3]	4.31 (0.71)[3]	K2 (n = 82)	2.15 (0.88)[1]
K3 (n = 50)	4.90 (0.76)[12]	4.57 (0.59)[12]	K3 (n = 56)	1.93 (0.85)[1]

Anmerkungen. K1 = Kohorte 2013/14, K2 = Kohorte 2015/16, K3 = Kohorte 2017/18; M = Mittelwert, SD = Standardabweichung; [1]Unterschied zu K1, [2]Unterschied zu K2, [3]Unterschied zu K3; Kovariaten: Mathenote, mathematisches Selbstkonzept.

Tabelle 4 zeigt die deskriptiven Statistiken der Studienerfolgskriterien. Mittels univariater Varianzanalysen prüften wir, inwiefern sich die Zufriedenheit, das Verständnis und die Modulnote zwischen den Kohorten unterscheiden. Da nicht für alle Teilnehmenden die Modulnote vorlag (vgl. 3.2), konnten so alle Angaben zu Zufriedenheit und Verständnis genutzt werden. Mathenote und SK wurden als Kovariaten in die Analysen aufgenommen, um für die Unterschiede zu Studienbeginn zu kontrollieren.

Hypothese 2 wird bestätigt: Die Zufriedenheit ($F(2,181) = 3.37$, $p < .01$, $\eta^2 = .05$), das Verständnis ($F(2,182) = 1.61$, $p < .05$, $\eta^2 = .05$) und die Modulnote ($F(2,199) = 4.36$, $p < .01$, $\eta^2 = .07$) verbessern sich mit zunehmender Flexibilisierung, wenn für Mathenote und SK kontrolliert wird. Obwohl Studierende in K3 eine schlechtere Mathenote und ein geringeres SK aufweisen, sind sie zufriedener mit dem Modul und schätzen ihr Verständnis höher ein als Studierende in K1 und K2. Studierende in K2 und K3 schneiden in der Klausur erfolgreicher (mit einer besseren Note) ab als in K1. Zudem zeigen Mathenote und SK in allen Analysen einen Einfluss auf das Kriterium: Bei höheren Werten sind Studierende später erfolgreicher hinsichtlich Zufriedenheit, Verständnis und Modulnote.

5 Diskussion

Die Nutzungshäufigkeit der Unterstützungsangebote sowie der Studienerfolg verändern sich über drei Kohorten Psychologiestudierender hinweg, denen die Angebote unstrukturiert (K1), gebündelt in einer Online-Lernumgebung (K2) und ergänzt durch weitere Angebote (K3) zur Verfügung gestellt wurden. Vor allem die Bereitstellung der Online-Lernumgebung in K2 geht mit einer höheren Nutzungshäufigkeit einher, die Bereitstellung weiterer Angebote in K3 darüber hinaus nicht mit einer höheren oder niedrigeren Nutzungshäufigkeit. Die weiteren Angebote werden also zusätzlich genutzt, ohne andere abzulösen. Auffallend ist, dass ähnliche Angebote (LM vs. VID, ÜB vs. OA) parallel und nicht alternativ genutzt werden: Möglicherweise müssen die geringer kompetenten Studierenden (K3) mehr Zeit investieren und machen deshalb von der breiteren Auswahl Gebrauch. Allerdings wurde die Nutzungshäufigkeit als Selbsteinschätzungsmaß erfasst und so eventuell in Relation zur Anzahl auszuwählender Angebote beurteilt, womit sich ggf. die Bezugsgröße mit der Angebotsanzahl ändert. Zukünftig sollte daher erfasst werden, wie viel Zeit tatsächlich für die Nutzung einzelner Angebote aufgewendet wird, um Schlussfolgerungen präzisieren zu können.

Des Weiteren zeigt sich, dass Studierende mit zunehmender Flexibilität trotz anfangs schlechterer Mathenote und niedrigerem SK zufriedener mit dem Modul sind und ihr Verständnis höher einschätzen. Bei gebündelter Verfügbarkeit auf der Lernumgebung schneiden sie in der Klausur besser ab. Insgesamt zieht also die zunehmende Flexibilisierung eine verstärkte Nutzung der Angebote und höheren Studienerfolg nach sich und die Studienanforderungen können besser bewältigt werden.

Eine Stärke dieser Studie ist, dass alle Studierenden der Kohorten, und nicht nur solche, die ein Angebot nutzten, befragt wurden. Zudem konnte eine Gegenüberstellung der Bedingungen (unstrukturiertes Angebot, flexibles gebündeltes Angebot, flexibles erweitertes Angebot) realisiert werden.

Als Einschränkung ist zu sehen, dass zu T2 nur noch ein Teil der Studierenden von T1 an der Befragung teilnahm. Der gemessene Erfolg könnte somit einer positiven

Verzerrung unterliegen, so dass motiviertere oder kompetentere Studierende zu T2 erreicht wurden. Dies konnte durch die Aufnahme von Mathenote und SK als Kovariaten nur zum Teil und nachträglich kontrolliert werden. Zukünftige Studien sollten also die Ausschöpfungsquote zu T2 erhöhen, z. B. durch die Umsetzung der Befragung als Online-Studie, und weitere Kovariaten (z. B. Lernzeit) aufnehmen. Auch sollten Hochschulen frühzeitig ab Beginn des Studiums Diagnostik für Empfehlungen anbieten (BAUSCH et al., 2014; KRIEG, EGETENMEIER, MAIER & LÖFFLER, 2017), damit Studierende unabhängig von Kompetenz und Lernpräferenz nicht abgehängt werden, sondern bis zur Klausur an der Vorlesung teilnehmen und das Modul zeitgerecht und erfolgreich abschließen. An der Universität Bielefeld werden Angebote auf Grundlage der letzten Mathematiknote und eines Mathematiktests zu Studienbeginn empfohlen. Inwieweit Studierende diagnostische Informationen adäquat nutzen, warum Angebote trotz bekannter Defizite nicht genutzt werden und wie dies verändert werden kann, sollte, ebenso wie die Langzeitwirkung der gezeigten Effekte, weiter untersucht werden.

Überall dort, wo selbstbestimmtes Lernen heterogener Lernender stattfindet, liegt ein Bedarf flexibler Angebote vor und Lehrende sollten das notwendige Setting bestmöglich ausgestalten (MÜLLER & JAVET, 2019), was hier durch gebündelte Bereitstellung in einer Lernumgebung und mehrere flexible Angebote erfolgreich realisiert wurde. Dabei ist eine Übertragung der Ergebnisse auf Studierende anderer Fächer denkbar und umso plausibler, je ähnlicher die Zielgruppe des Angebots den hier betrachteten Psychologiestudierenden hinsichtlich soziodemographischer Merkmale, Kompetenzen und Lernpräferenzen sowie Unterstützungsbedarf ist. Diese Studie zeigt, dass vor allem ein sehr flexibles, d. h. breit gefächertes Unterstützungsangebot, das bedarfsorientiert, gut sichtbar und leicht zugänglich sowie in die Veranstaltung eingebettet ist, empfohlen werden kann.

6 Literaturverzeichnis

Ableitinger, C. & Hermann, A. (2014). Das Projekt „Mathematik besser verstehen". Ein Begleitprogramm zu den Vorlesungen Analysis und Lineare Algebra im Studienfach Mathematik LA für GyGeBK. In I. Bausch, R. Biehler, R. Bruder, P. R. Fischer, R. Hochmuth, W. Koepf, … T. Wassong (Hrsg.), *Mathematische Vor- und Brückenkurse. Konzepte, Probleme und Perspektiven* (S. 327-342). Wiesbaden: Springer. https://doi.org/10.1007/978-3-658-03065-0

Bescherer, C. (2004). *Selbsteinschätzung mathematischer Studierfähigkeit von Studienanfängerinnen und -anfängern: Empirische Untersuchung und praktische Konsequenz* (Dissertation). Pädagogische Hochschule Ludwigsburg, Deutschland. https://phbl-opus.phlb.de/frontdoor/index/index/docld/4, Stand vom 12. August 2019.

Bausch, I., Biehler, R., Bruder, R., Fischer, P. R., Hochmuth, R., Koepf, W., … Wassong, T. (2014). *Mathematische Vor- und Brückenkurse. Konzepte, Probleme und Perspektiven.* Wiesbaden: Springer. https://doi.org/10.1007/978-3-658-03065-0

Bebermeier, S. & Nußbeck, F. W. (2014). Heterogenität der Studienanfänger/innen und Nutzung von Unterstützungsmaßnahmen. *Zeitschrift für Hochschulentwicklung, 9*(5), 83-100. https://doi.org/10.3217/zfhe-9-05/05

Biehler, R., Hochmuth, R., Fischer, P. R. & Wassong, T. (2011). Transition von Schule zu Hochschule in der Mathematik: Probleme und Lösungsansätze. In R. Haug & L. Holzäpfel (Hrsg.), *Beiträge zum Mathematikunterricht 2011* (S. 111-114). Münster: WTM.

Cramer, E. & Walcher, S. (2010). Schulmathematik und Studierfähigkeit. *Mitteilungen der DMV, 2*(18), 110-114. http://www.math.tu-berlin.de/~mdmv/archive/18/mdmv-18-2-110.pdf, Stand vom 12. August 2019.

Doyle, D. A. (2017). *Ugh… Statistics! College Students' Attitudes and Perceptions Toward Statistics.* Honors in the Major Theses. 165. University of Central Florida. https://stars.library.ucf.edu/cgi/viewcontent.cgi?referer=https://www.google.com/&httpsredir=1&article=1175&context=honorstheses, Stand vom 12. August 2019.

Gill, O. & O'Donoghue, J. (2007). Justifying the Existence of Mathematics Learning Support. Measuring the Effectiveness of a Mathematics Learning Centre. *Proceedings of the ALM, 14*, 154-164. http://newukmlsc.lboro.ac.uk/resources/uploaded/alm14olivia.pdf, Stand vom 12. August 2019.

HEA (2015). *Framework for Flexible Learning in Higher Education.* Heslington: Higher Education Academy. https://www.heacademy.ac.uk/system/files/downloads/flexible-learning-in-HE.pdf, Stand vom 12. August 2019.

Heublein, U. & Wolter, A. (2011). Studienabbruch in Deutschland. Definition, Häufigkeit, Ursachen, Maßnahmen. *Zeitschrift für Pädagogik, 57*, 214-236.

Krieg, S., Egetenmeier, A., Maier, U. & Löffler, A. (2017). Der Weg zum digitalen Bildungs(t)raum – Durch digitale Aufgaben neue Lernumgebungen schaffen. In C. Igel (Hrsg.), *Bildungsräume* (S. 96-102). Münster: Waxmann.

Lage, M. J., Platt, G. J., & Treglia, M. (2000). Inverting the classroom: A gateway to creating an inclusive learning environment. *Journal of Economic Education, 31*, 30-43. https://doi.org/10.1080/00220480009596759

Laging, A. & Voßkamp, R. (2016). Identifizierung von Nutzertypen bei fakultativen Angeboten zur Mathematik in wirtschaftswissenschaftlichen Studiengängen. In A. Hoppenbrock, R. Biehler, R. Hochmuth & H.-G. Rück (Hrsg.), *Lehren und Lernen von Mathematik in der Studieneingangsphase. Konzepte und Studien zur Hochschuldidaktik und Lehrerbildung Mathematik* (S. 585-600) Wiesbaden: Springer. https://doi.org/10.1007/978-3-658-10261-6_37

Li, K. C. & Wong, B. Y. Y. (2018). Revisiting the Definitions and Implementation of Flexible Learning. In K. C. Li, K. S. Yuen & B. T. M. Wong (Hrsg.), *Innovations in Open and Flexible Education* (S. 3-13). Singapur: Springer. https://doi.org/10.1007/978-981-10-7995-5_1

Luttenberger, S., Macher, D., Maidl, V., Rominger, C., Aydin, N. & Paechter, M. (2018). Different patterns of university students' integration of lecture podcasts, learning materials, and lecture attendance in a psychology course. *Education and Information Technology, 23*, 165-178. https://doi.org/10.1007/s10639-017-9592-3

Matthews, J., Croft, T., Lawson, D. & Waller, D. (2013). Evaluation of mathematics support centres: a literature review. *Teaching Mathematics and its Applications, 32*, 173-190. https://doi.org/10.1093/teamat/hrt013

Mertens, R., Krüger, A. & Vornberger, O. (2004). Einsatz von Vorlesungsaufzeichnungen. *Good Practice – Netzbasiertes Lehren und Lernen. Osnabrücker Beiträge zum medienbasierten Lernen, 1*, 79-92. https://doi.org/10.1515/9783110511826-001

Middendorff, E. (2015). Wachsende Heterogenität unter Studierenden? Empirische Befunde zur Prüfung eines postulierten Trends. In U. Banscherus, A. Mindt, A. Spexard & A. Wolter (Hrsg.), *Differenzierung im Hochschulsystem. Nationale und internationale Entwicklungen und Herausforderungen* (S. 261-278). Münster: Waxmann.

Mooraj, M. & Zervakis, P. A. (2014). Der Umgang mit studentischer Heterogenität in Studium und Lehre. Chancen, Herausforderungen, Strategien und gelungene Praxisansätze aus den Hochschulen. *Zeitschrift für Inklusion, 8*(1-2).

Müller, C. & Javet, F. (2019). Flexibles Lernen als Lernform der Zukunft? In D. Holtsch, M. Oepke & S. Schumann (Hrsg.), *Lehren und Lernen in der Sekundarstufe: Gymnasial- und wirtschaftspädagogische Perspektiven* (S. 84-95). Bern: hep.

Mürner, B. & Polexe, L. (2014). Digitale Medien im Wandel der Bildungskultur – neues Lernen als Chance. *Zeitschrift für Hochschulentwicklung, 9*(3), 1-12. https://doi.org/10.3217/zfhe-9-03/02

Persike, M. & Friedrich, J.-D. (2016). Lernen mit digitalen Medien aus Studierendenperspektive. *Arbeitspapier Nr. 17.* Berlin: Hochschulforum Digitalisierung. https://doi.org/10.1007/978-3-658-05953-8_28

Schmoelz, A. (2014). Elements of Multimodal Didactics: Lecture Casting. *Zeitschrift für Hochschulentwicklung, 9*(3), 117-126. https://doi.org/10.3217/zfhe-9-03/13

Schulmeister, R., Metzger, C. & Martens, T. (2012). Heterogenität und Studienerfolg. Lehrmethoden für Lerner mit unterschiedlichem Lernverhalten. *Paderborner Universitätsreden, 123.*

Thiel, F., Blüthmann, I., Ficzko, M. & Lepa, S. (2007). *Ergebnisse der Befragung der exmatrikulierten Bachelorstudierenden an der Freien Universität Berlin – Sommersemester 2007.* https://www.ewi-psy.fu-berlin.de/einrichtungen/arbeitsbereiche/schulentwicklungsforschung/downloads/Exmatrikuliertenbefragung_2007.pdf?1310986825, Stand vom 12. August 2019.

Tillmann, A., Bremer, C. & Krömker, D. (2012). Einsatz von E-Lectures als Ergänzungsangebot zur Präsenzlehre: Evaluationsergebnisse eines mehrperspektivischen Ansatzes. In G. S. Csanyi, F. Reichl & A. Steiner (Hrsg.), *Digitale Medien – Werkzeuge für exzellente Forschung und Lehre* (S. 235-249). Münster: Waxmann.

Tillmann, A., Niemeyer, J. & Krömker, D. (2016). „Das schaue ich mir morgen an" – Aufschiebeverhalten bei der Nutzung von eLectures; eine Analyse. In U. Lucke, A. Schwill & R. Zender (Hrsg.), *DeLFI 2016: 14. E-Learning Fachtagung Informatik* (S. 47-58). Bonn: Gesellschaft für Informatik e.V.

Autorinnen

M.Sc. Kim Laura AUSTERSCHMIDT ‖ Universität Bielefeld, Abteilung für Psychologie ‖ Universitätsstraße 25, D-33615 Bielefeld

https://uni-bielefeld.de/psychologie/abteilung/arbeitseinheiten/06/personen/austerschmidt.html

kim.austerschmidt@uni-bielefeld.de

Dr. Sarah BEBERMEIER ‖ Universität Bielefeld, Abteilung für Psychologie ‖ Universitätsstraße 25, D-33615 Bielefeld

https://uni-bielefeld.de/psychologie/abteilung/arbeitseinheiten/06/personen/bebermeier.html

sarah.bebermeier@uni-bielefeld.de

Jeremy DELA CRUZ[1], Christian Olivier GRAF & Anika WOLTER
(Winterthur)

Assessing the Impact of "More-Flexible" Learning as Part of a Study Program

Abstract

With the increasing use of Flexible Learning approaches in Higher Education at the Zurich University of Applied Sciences (ZHAW), measuring their effectiveness, from both an educational and a participant's point of view, is of particular importance. In response to the limited scientific contributions on this topic, this article presents a possibility of how an assessment can take place: this study analyzes 62 undergraduate student responses to a Blended Learning task and compares the participant findings with a pre-existing educational competency framework.

Keywords

Flexible/Blended Learning, Assessment and Evaluation, Didactic Concept and Impact Assessment, Higher Education

---

[1] E-Mail: delz@zhaw.ch

Scientific Contribution · DOI: 10.3217/zfhe-14-03/10

1   Introduction & Context

Learning accompanies us throughout our whole life and according to LACH-MANN (1997) learning is the process by which a relatively stable modification in stimulus–response relations develops as a consequence of functional environmental interaction via the senses.

Due to the increasing digitization of society, this takes on a new form, which also influences the educational transaction (FLEACĂ, 2017) leading to educational approaches such as Blended Learning (BL), Online Learning, E-learning or M-learning. However, there does not seem to be a universal understanding of the terms so far: if Flexible Education (FE) and Flexible Learning (FL) are seen as umbrella terms for these forms of learning, then the lack of common definition is notable. (CASEY & WILSON, 2005; KIRKPATRICK & JAKUPEC, 1999; NICOLL, 1998).

For clarity, we will use VAN DEN BRANDE's (1993) definition of FL, presented as *"Enabling learners to learn when they want (frequency, timing, duration), how they want (modes of learning), and what they want (that is learners can define what constitutes learning to them)"* (p.2).

Despite the growing popularity of asynchronous and online learning environments (BERKSTRESSER, 2016) it has been proven that quality interaction and social presence can be crucial for both synchronous and asynchronous models (HSU & HSIEH, 2014).

Student engagement is a key element for educational designers (WANG & FREDRICKS, 2014) where different learning preferences, approaches, and styles have different purposes and should not be used interchangeably (RAJARATNAM & D'CRUZ, 2016).

WANNER & PALMER (2015) point out that it is the responsibility of lecturers and institutions to develop "flexible students" and take care of the personalizing of assessment which implies a familiarity with the diversity of the group of learners (FITZGERALD et al., 2013).

Overall, environments should be created to keep students engaged (MCGARRY, THEOBALD, LEWIS, & COYER, 2015), but simultaneously how should outcomes of FL curricula be assessed?

RENNIE (2007) generally describes learning outcomes as specific understandings or skill sets that a student needs to achieve. TE RIELE, WILSON, WALLACE, MCGINTY, & LEWTHWAITE (2016) grouped the intended outcomes of FL Programs into five types: 1) Traditional academic outcomes, 2) Post-program destinations, 3) Student engagement, 4) Personal, and 5) Social well-being, and broader community engagement and well-being.

Teaching engagement, quality of content, access, support services and own performance combined with learning experience are seen as important from the learner's side (DIEBEL & GOW, 2009; CANT & COOPER, 2014). Lecturers, in contrast, need to be able to excel in effective pedagogy, communication and interaction opportunities (DOMIAN & WACHE, 2009). How can this be seen now in the context of the BL?

BL is one approach to FL and can be described as *"the mix of traditional methods of teaching, such as face-to-face teaching and online teaching"* (BLIUC, GOODYEAR, & ELLIS, 2007). BL can incrementally deliver adequate learning experiences concurrent with content delivery (HSU & HSIEH, 2011).

GRAHAM (2006) identified increased effectiveness of education, access and convenience, and cost effectiveness as outcomes of BL. Despite these advantages, two major challenges are identified in the implementation of BL approaches: First, student expectation of less work and lack of self-responsibility, and second, lack of educational institutions and technical support for lecturers, including increased time commitment. (PARTRIDGE, PONTING, & MCKAY, 2011; HAMDAN, MCKNIGHT, MCKNIGHT, & ARFSTROM, 2013; VAN DER STAP, & VAN BERGEN, 2016).

As with FL, no single model has yet proven to be effective in measuring BL program effectiveness, but there are some interesting approaches such as the value flow model of LOUKIS, GEORGIOU, & PAZALOS (2007), or the BL assessment

Scientific Contribution

(BLA) framework based on the OECD eBusiness indicators proposed by WONG, TATNALL, & BURGESS (2014). However, as VAN DER STAP et al. (2016) explains, these models do not fully capture the dynamic interplay in an academic environment and therefore have less explanatory power. Therefore, it can be stated that a comparison of models for evaluating the effectiveness of FL and BL is hardly possible. Finally, as DUARTE (2016) finds, educational institutions should find new frameworks which help to compare with others and measure success and growth.

In order to find new frameworks with which educational designers and lecturers of management programs can apply, an open discussion is required beforehand, considering different perspectives.

Therefore, the question arises of how to assess the effectiveness of flexible didactic designs, from both the educational perspective and the learners' perspective.

As there is still no consistent and accepted model in the academic literature for the measurement of outcomes of FL or BL, it is difficult to use existing approaches that attempt to explain didactic designs from an educational and learner perspective. Thus, new ways must be found to measure effectiveness, simultaneously taking student and lecturers' perspectives into account. This research provides a template for possible FL or BL assessment and may be useful to educators who are involved in the process of curriculum design.

This article aims to serve as a discussion contribution in delivering learning and teaching, which may be suitable for flexible educational forms in Higher Education. In this respect, BL was chosen as an appropriate object of research. This research focused on a learning unit case study within the BSc-program for General Management students. A further look at challenges and premises in the literature in answering the question shows the immense variety of determinates in designing an effective and accurate program in a higher education context.

2 Research Approach

This study employs a qualitative, descriptive methodology. Content analysis via qualitative coding methods and thematic analyses are used to capture and present the participant's experiences.

The participants for this study are students enrolled in the English-language, Advanced International Business (AIB) module in the ZHAW Bachelor of Science degree program in Business Administration with a specialization in General Management. Assessments for the AIB module included a Case Study Report and Presentation (CS), Individual Reflection (IR), and an End-of-Module Exam (EoM). This research draws on the first two of these three assessments with 180 students participating in this module during the 2018 Fall Semester.

While the AIB module was not delivered as a "flexible" module per se, the CS provided opportunity for "instructor-offered flexibility" as described by NORMAND, LITTLEJOHN & FALCONER (2008), lending itself to four of COLLIS & MOONEN's (2004) five dimensions of flexibility leading to a "more flexible" educational design. The elements of flexibility related to *Entry Requirements, Start & Finish Times,* and *Assessment Standards* were not incorporated into the CS assessment; all others were represented to varying degrees.

The CS focused on the internationalization effort of a European-based company in the beverage industry. The CS required students to work in self-formed groups to address questions related to the internationalization plan, taking into account various international business (IB) factors.

In the IR, students submitted a one-page, individual reflection on the module. This assignment was presented as *"an opportunity for you to describe your experience in the AIB module, and explain how that experience has changed you or helped you to grow and develop."* Students were not requested or instructed to write specifically on the CS, but rather to reflect on the module and the experience of learning.

Upon examination, 62 of the 180 submissions for the IR assessment mentioned the CS, and it is from the roughly 6,500 words in these 62 individual reflections that the data for this study is collected. Data saturation point was not defined, as all 62 entries were deemed relevant.

3 Analysis

3.1 Educational Perspective

ZHAW's Competency Framework (BAUMGARTNER, MÜLLER, JAVET, & WOSCHNACK, 2016) was used as the pre-defined themes and categories to address the educational perspective. The aim was to see which, and to what degree, the academic competencies were addressed by the CS task. The themes and corresponding categories are given in Table 1.

Table 1: ZHAW Competency Framework (BAUMGARTNER et al., 2016)

Competencies/Themes	Skills/Categories
Theme 1: Professional Competence	• Knowing and understanding subject content of theoretical importance and practical relevance • Applying, analyzing, and synthesizing subject content of theoretical and practical relevance • Evaluating subject content of theoretical and practical relevance
Theme 2: Methodological Competence	• Problem-solving and critical thinking • Scientific methodology • Work methods, techniques, and procedures • Information literacy • Creativity and innovation
Theme 3: Social Competence	• Written communication • Oral communication • Teamwork and conflict management • Intercultural insight and ability to change perspective
Theme 4: Self-competence	• Self-management and self-reflection • Ethical and social responsibility • Learning and Change

The anonymized data was coded, deductively, against these categories by two independent researchers using frequency coding, with inter-coder agreement given at ca. 90% indicating a high level of reliability according to NEUENDORF (2001). Over 300 occurrences were recorded and tabulated for further analysis (*cf. 4.1.5*).

3.2 Participant Perspective

In order to assess the outcomes of the flexible didactic task from the participant's perspective, various inductive methods of coding were used.

Initial coding was initially used to get an overview and "big-picture" perspective, followed by Descriptive coding, and In Vivo coding. (SALDANA, 2013; CRE-SWELL, 2013) Over 300 Descriptive and In Vivo codes were assigned to ten categories as described below, in descending order:

1. **Learning Experience,** with over 50 entries, includes all mentions of the learning experience which were directed towards the CS and corresponding task.
2. **Application of (IB) Theory** includes codes that describe the application of various IB theories, or text that contains the word "applied" or "apply" in relation to course content.
3. **New (IB) Knowledge &/or Theory** codes include references to the acquisition, increase, deepening, broadening, and strengthening, of international business knowledge.
4. **Importance of Teamwork and Communication** codes, that highlight the significance and development of interpersonal skills, were assigned to this category.
5. **Benefit or Impact of the Task** identifies participants' personal development or benefits not directly related to IB.
6. **Self-management and Time Management** codes refer to self-organization aspects of the task, including the scheduling, pacing, and the importance of managing energy and time resources.
7. **Interesting, Relevant, Enjoyable;** A sub-category of Learning Experience, focuses specifically on the words "interesting", "enjoyable", and "relevant", as these three words were frequently used (and often co-located) when describing the learning experience.
8. **Challenges** includes the personal, process, and broader, group-related issues that participants encountered during the task.

9. **Skills Development** identifies improvement in academic skills which are not in other categories.
10. **Future Application** suggested future use of knowledge from this task. While this category only had single-digit codes, it was still deemed relevant enough to warrant its own category.

These categories were further combined and condensed into the following themes with their constituent categories:

Theme 1: The Flexible Learning Experience, including the categories of "Learning Experience", "Interesting, Relevant, Enjoyable", "Challenges", and "Future Application"

Theme 2: Knowledge and Understanding, including the categories of "Application of (IB) Theory", and "New (IB) Knowledge &/or Theory"

Theme 3: Interpersonal Skills, including the categories of Importance of "Teamwork and Communication", and "Self-Management and Time management"

Theme 4: Skills Development, including "Benefit or Impact of the Task", and "Skills Development"

The results of these analyses are discussed in further detail in the following section.

4 Findings

4.1 Educational Perspective

4.1.1 Professional Competency (PC)

Participants' robust evaluation of this theme, with 35% of occurrences in the data, represents the most significant contribution to the overall program learnings. Participants' evaluation of relevance and applicability (18%) was especially evident.

The category of Applying, Analyzing and Synthesizing relevant content (12%) Knowing and Understanding (5%) were also well represented.

4.1.2 Methodological Competency (MC)

The categories of Work Methods (9%), Scientific Methodology (7%), and Critical Thinking (5%) were also well defined in the responses, with 25% of the occurrences assigned to the MC theme; this knowledge transfer is especially significant in the context of the BL environment, where contact with the instructor was limited on the FL task.

4.1.3 Social Competence (SoC)

The 16% of occurrences ascribed to this theme, does not fully convey the breadth and depth of SoC development in this task; some of the participants' richest detail and most explicit examples of learning relate to increased social competence. Specifically, the category of Teamwork and Conflict Management (8%) and Intercultural Insight (5%) were noted.

4.1.4 Self-competence (SeC)

Self-management (14%), and Learning and Change (8%) appear as the most significant categories of this theme. However, this may be expected as the data was drawn from participants' individual reflections so there is likely a pre-existing bias towards self-reflection in the data collection instrument. Nevertheless, this theme represents 24% of the occurrences in the data.

4.1.5 Summary of Educational Perspective Findings

Table 2 below, summarizes the findings from the Educational Perspective and demonstrates which competencies are identified by the participants in the FLE. While there is always room for improvement, it was encouraging to see that all four Competency Framework themes were represented in the data.

Table 2: ZHAW Competency Framework Frequency Coding

		Σ	%
PC	Knowing and Understanding Subject Content	15	
	Applying, Analyzing and Synthesizing Content	38	35
	Evaluating Subject Content of Theoretical & Practical Relevance	56	
MC	Problem-solving & Critical Thinking	15	
	Scientific Methodology	21	
	Work Methods, Techniques, & Procedures	27	25
	Information Literacy	8	
	Creativity and Innovation	6	
SoC	Written Communication	4	
	Oral Communication	8	
	Teamwork & Conflict Management	25	16
	Intercultural Insight & Ability to Change Perspective	14	
SeC	Self-management & Self-reflection	42	
	Ethical & Social Responsibility incl. Time Management	9	24
	Learning & Change	25	
	Totals	**313**	**100**

4.2 Participant Perspective

Participant quotes have been lightly edited for punctuation and grammar but an effort has been made to preserve and present the participant's voice.

4.2.1 The Flexible Learning Experience

The most significant finding from the participants was their description of the FLE itself: Aside from the recurrent "Interesting", "Enjoyable", and "Relevant" entries, the participant's description of the learning experience presented a challenging but rewarding experience wherein they were intrinsically motivated to not only perform in the task, but to internalize the learning and knowledge on the topic of international business.

> *"To begin with, the biggest difficulty and the same time the best experience within this module was the True Fruits case study for me. Since it was not just a small case as a part of an exam as usual, I was able to apply my knowledge in an international business module, which I have gathered during the last two semesters and administered it in a broader context. I am convinced that I have expanded my knowledge and also learned much more through the lessons of the module AIntBus."*

For a number of participants, the FLE represented the highlight of the module; participants wrote how this task was *"the most outstanding project during this course is the True Fruits study case… this experience helped me grow."* and *"The most impressive experience during the module was to conduct an entire analysis on the company "True Fruits"*. All but one indicated that the FLE was overall, a positive one, with many describing the task as an *"enriching"* and *"valuable experience"*.

Many, describing their experiences in this module, emphasized the challenges that this task presented, especially related to group work and time management, but also stressed the rewards and benefits gained from working in this flexible learning environment, especially the opportunity to apply international business theory on a real world case, as described in further detail in the next finding.

4.2.2 Knowledge & Understanding

The opportunity to directly apply theoretical knowledge in a real-world environment was appreciated by the participants in this module and stood as a key takeaway, from both the task and the module.

> *"In my opinion, my knowledge has broadened the most while working on the True Fruits case, which includes an assignment and a presentation. For me, the assignment was significantly important, because I was able to apply the content of the lessons directly on the case. I think the assignment is very close to the real business. My knowledge in the area of international business not only grew because I learned some theory, moreover it developed while adapting it directly on real cases."*

This practical dimension of the FLE, as an effective approach to learning, was another aspect on which participants commented positively:

> *"The ability to link theory with practice was the most useful skill which I gained during this module. This skill leads to personal growth and can be applied in future for any other case."*

This self-directedness in the acquisition and application of IB theory has led to a more apparent connection between theory and practice.

4.2.3 Interpersonal Skills

The challenge of working in a group setting was another prominent finding of this research: Due to the relative lack of structure in the FLE, participants were compelled to self-organize, schedule, and communicate to a degree that they may not have previously encountered in their studies. Conflict management, collaboration, and communication were some of the interpersonal skills that were perceived to have been improved by the participants while performing this task.

> *"The case study report about True Fruits was challenging in the beginning. Not only because of the topic but also because of the time management and group organization. We had some difficulties to start with the*

written report because we weren't all of the same opinion about the structure of the work."

"Overall I have to say, even though it was a little nerve-racking, I learned how to manage and divide tasks within the group and how to solve conflicts within the group so that everyone is satisfied, which will certainly be helpful for future work in teams."

This ten-week task also underlined the challenges of dispersed working as participants found ways to share ideas, give and receive feedback, and empathize with their groupmates:

"The main challenge when it comes to team work is possessing both the ability to listen to others, to take on a new role in a group, to deal with criticism and to turn it into something productive as well as the ability to think and to work independently, to rely and trust your own capacities and skills and to speak up for your opinions and ideas instead of agreeing to everything the others want. This kind of works are at the same time challenging and supporting, which is the most effective way of not only making you better at work but also as a human being."

Improvement of self-management and time management skills were also identified through this task:

"During this exercise, I not only acquired a better management of time but I also considerably improved my interpersonal skills. In fact, working in a team is difficult in many ways but it was a great experience for young students like me to learn how to manage a team and how to work efficiently without losing time."

Program management was available to intervene in cases where interpersonal conflicts arose, which provided an additional learning opportunity, but this was the exception, with most teams self-regulating and mediating conflict on their own.

4.2.4 Skills Development

Aside from the acquisition and application of IB knowledge, and theory, improvements in other areas were also identified; these included improved organizational skills, writing skills, research skills, and critical thinking skills. Developments in confidence, self-awareness, and cultural awareness were also recognized by participants.

> *"Overall, I can say that the (True Fruits) Case has strengthened my holistic/integrative thinking. In general, my knowledge has grown stronger in the field of International Business in this term. After the course, I feel more confident in interacting with international customers and suppliers at my future workplace. Furthermore I feel comfortable with coming up with new ideas about internationalization."*

These skills were not prescribed as a learning outcome of this task from the onset. Thus, this finding represents the most significant synergistic benefit of the FLE.

4.2.5 Comparison of Both Perspectives

The findings above represent the major or most significant themes of the research from the participant's perspective and aside from the Professional Competency/Flexible Learning Experience, roughly align with the themes of ZHAW's Competency Framework, as shown in Table 3 below.

While these are not exact matches in terms of constituent categories, their similitude is worth noting.

ZHAW Competency Framework Themes		Emergent Participant Themes
1	Methodological Competence	Knowledge and Understanding
2	Social Competence	Interpersonal Skills
3	Self-competence	Skills Development

Table 3: Comparison of Educational and Participant Themes

5 Discussion

In the preparation for the described procedure of the evaluation of student competence acquisition using the example of a BL-task, it was shown that it is not possible to fall back on a previously recognized scientific framework or model.

It became obvious that clearly defined criteria were needed to measure the effectiveness of a BL-unit. In this case, it was based on the ZHAW Competency Framework. However, these criteria can vary depending on the education provider and may also be influenced by different external factors.

In our example, Professional Competency was expressed particularly unambiguous with a third of the respondents mentioning it. This also makes it evident that the young BSc-student's life phase, i.e. preparing for professional life, must also be taken into account. This learning setting has novelty value for the learner and is accordingly regarded as experiential. The educational setting, including the learning input, proved to be critical, and in this case, made a positive contribution to this experience.

With the application of a more flexible learning environment and selected competency framework, the presented approach has shown that the effectiveness of the flexible didactic designs can be measured taking into account the educational and learner perspective.

It became clear that the measure of effectiveness, which describes the relationship between an achieved goal and a defined goal, depends on a variety of determinants and their interdependencies. The choice and determination for the own teaching setting ultimately lies with the educational designer and lecturer.

6 References

Baumgartner, A., Müller, C., Javet, F., & Woschnack, U. (2016). Criteria to Assess Professional, Methodological, Social & Self-Competence. *Innovation in Higher & Professional Education No. 5.* Center for Innovative Teaching and Learning, Zurich University of Applied Sciences.

Berkstresser, K. (2016). The Use of Online Discussions for Post-clinical Conference. *Nurse Education in Practice, 16*(1), 27-32.

Bliuc, A.-M., Goodyear, P., & Ellis, R. A. (2007), Research Focus and Methodological Choices in Studies into Students' Experiences of Blended Learning in Higher Education. *The Internet and Higher Education, 10*(4), 231-244.

Cant, P. P., & Cooper, S. J. (2014). Simulation in the Internet Age: The place of Web-based simulation in nursing education: An integrative review. *Nurse Education Today, 34*(12), 1435-1442.

Casey, J., & Wilson, P. (2005). *A practical guide to providing flexible learning in further and higher education.* Quality Assurance Agency for Higher Education Scotland, Glasgow.

Chapman, H., Lewis, P. A., Osborne, Y., & Gray, G. (2013). An Action Research Approach for the Professional Development of Vietnamese nurse educators. *Nurse Education Today, 33*(2), 29-132.

Collis, B., & Moonen, J. (2004). *Flexible Learning in a Digital World* (2nd ed.). Abingdon: Routledge and Falmer.

Creswell, J. W. (2013). *Qualitative Inquiry and Research Design: Choosing among five approaches* (3rd ed.). Thousand Oaks, CA: Sage.

Dorrian, J., & Wache, D. (2009). Introduction of an Online Approach to Flexible Learning for On-campus and Distance Students: Lessons learned and ways forward. *Nurse Education Today, 29*(2), 157-167.

Duarte, A. (2016). Blended Learning: Institutional Frameworks for Adoption and Implementation. *Theses & Dissertations 9*.

Fitzgerald, L., Wong, P., Hannon, J., Solberg Tokerud, M., & Lyons, J. (2013). Curriculum Learning Designs: Teaching health assessment skills for advanced nursing practitioners through sustainable flexible learning. *Nurse Education Today, 33*(10), 1230-1236.

Fleacă, E. (2017). Entrepreneurial Curriculum through Digital-Age Learning in Higher Education – A Process-based Model. *TEM Journal, 6*(3), 591-598.

Graham, C. R. (2006). Blended Learning Systems: Definition, current trends, and future directions. In C. J. Bonk & C. R. Graham (Eds.), *Handbook of Blended Learning: Global Perspectives Local Designs.* San Francisco, CA: Pfeiffer Publishing.

Hamdan, N., McKnight, P., McKnight, K., & Arfstrom, K. M. (2013). *A White Paper Based on the Literature Review Titled a Review of Flipped Learning.* Flexible Learning Network.

Hsu, L. L., & Hsieh, S. I. (2011). Effects of a Blended Learning Module on Self-reported Learning Performances in Baccalaureate Nursing Students. *Journal of Advanced Nursing, 67*(11), 2435-2444.

Jokinen, P., & Mikkonen, I. (2013). Teachers' Experiences of Teaching in a Blended Learning Environment. *Nurse Education in Practice, 13*(6), 524-528.

Kirkpatrick, D., & Jakupec, V. (1999). Becoming Flexible: What does it mean? In A. Tait & R. Mills (Eds.), *The convergence of distance and conventional education: Patterns of flexibility for the individual learner.* London and New York Routledge.

Kulier, R., Coppus, S. F. P. J., Zamora, J., Hadley, J., Malick, S., Das, K., & Khan, K. S. (2009). The Effectiveness of a Clinically Integrated E-learning Course in Evidence-based Medicine: A cluster randomised controlled trial. *BMC Medical Education, 9*(21), 1-7.

Lachman, S. J. (1997). Learning is a Process: Toward an Improved Definition of Learning. *The Journal of Psychology, 131*(5), 477-480.

Loukis, E., Georgiou, S., & Pazalos, K. (2007). A Value Flow Model for the Evaluation of an E-Learning Service. *ECIS 2007 Proceedings Paper 175*.

McGarry, B. J., Theobald, K., Lewis, P. A., & Coyer, F. (2015). Flexible Learning Design in Curriculum Delivery Promotes Student Engagement and Develops Metacognitive Learners: An integrated review. *Nurse Education Today, 35*(9), 966-973.

Neuendorf, K.A. (2001). *The Content Analysis Guidebook*. London: Sage.

Nicoll, K. (1998). "Fixing" The "Facts": Flexible learning as policy invention. *Higher Education Research & Development, 17*(3), 291-304.

Normand, C., Littlejohn, A., & Falconer, I. (2008). Flexible Delivery: A model for analysis and implementation of flexible programme delivery. *Innovations in Education and Teaching International, 45*(1), 25-36.

Partridge, H., Ponting, D., & McCay, M. (2011). *Good Practice Report: Blended learning*. Australian Learning and Teaching Council.

Preston, G., Phillips, R., Gosper, M., McNeill, M., Woo, K., & Green, D. (2010). Web-based Lecture Technologies: Highlighting the changing nature of teaching and learning. *Australasian Journal of Educational Technology, 26*(6), 717-728.

Rajaratnam, N., & D'Cruz, S. M. (2016). Learning Styles and Learning Approaches: Are they different? *Education for Health, 29*(1), 59-60.

Rennie, F. (2007). Understanding Practitioners Perspectives of Course Design for Distributed Learning. *European Journal of Open, Distance, and E-learning, 2007/II*.

Saldana, J. (2013). *The Coding Manual for Qualitative Researchers*. London: Sage.

Sword, T. S. (2012). The Transition to Online Teaching as Experienced by Nurse Educators. *Nursing Education Perspective, 33*(4), 269-271.

Te Riele, K., Wilson, K., Wallace, V., McGinty, S., & Lewthwaite, B. (2016). Outcomes from Flexible Learning Options for Disenfranchised Youth: What counts? *International Journal of Inclusive Education, 21*(2), 117-130.

van den Brande, L. (1993). *Flexible and Distance Learning*. Chichester, UK: John Wiley.

van der Stap, N., Edwards, S., & van Bergen, H. (2016). Ensuring Effective Flexible Learning through Blended Learning. *Society for Information Technology & Teacher Education International Conference*. Association for the Advancement of Computing in Education.

Wang, M-T., & Fredricks, J. A. (2014). The Reciprocal Links between School Engagement, Youth Problem Behaviors, and School Dropout During Adolescence. *Child Development, 85*(2), 722-737.

Wanner, T., & Palmer, E. (2015). Personalising Learning: Exploring student and teacher perceptions about flexible learning and assessment in a flipped university course. *Computers & Education, 88*, 354-369.

Wong, L., Tatnall, A., & Burgess, S. (2014). A Framework for Investigating Blended Learning Effectiveness. *Education & Training, 56*(2/3), 233-251.

ZFHE Vol. 14 / Issue. 3 (November 2019) pp. 157-177

Authors

Dr. Jeremy DELA CRUZ ‖ Zürcher Hochschule für Angewandte Wissenschaften, Abteilung International Business ‖ Stadthausstr. 14, CH-8401 Winterthur

delz@zhaw.ch

Christian Olivier GRAF ‖ Zürcher Hochschule für Angewandte Wissenschaften, Abteilung International Business ‖ Stadthausstr. 14, CH-8401 Winterthur

grac@zhaw.ch

Anika WOLTER ‖ Zürcher Hochschule für Angewandte Wissenschaften, Abteilung International Business ‖ Stadthausstr. 14, CH-8401 Winterthur

woln@zhaw.ch

Lukas LUTZ[1] & Frank MAYER (Osnabrück)

Smart Success – ein digitaler Assistent als Beitrag zu einer Kultur des flexiblen Studierens

Zusammenfassung

Die an der Hochschule Osnabrück entwickelte Webanwendung „Smart Success"
bietet Studierenden ein Instrument zur individuellen Planung des eigenen
Studienverlaufs. Dadurch wird eine Kultur des flexiblen Studierens in dreifacher
Hinsicht gefördert: Erstens behalten Studierende auch bei einem flexibel
gestalteten Studienverlauf den Überblick über ihr Studium. Zweitens werden durch
das neuartige Frühwarnsystem demotivierende oder stigmatisierende Effekte auf
Studierende verhindert. Drittens erfolgt ein Wandel der Hochschulkultur. Diese
Wirkung der Webanwedung setzt jedoch die Existenz ergänzender
Beratungsangebote und geeigneter organisationaler Rahmebedingungen voraus.

Schlüsselwörter

Studienverlauf, Frühwarnsystem, Digitalisierung, Webanwendung

---

[1] E-Mail: l.lutz@hs-osnabrueck.de

Smart Success – A digital assistant that contributes to a culture of flexible study

Abstract

The web application "Smart Success", which has been developed at the Osnabrück University of Applied Sciences, offers students an instrument for planning their course of study individually. This contributes to a culture of flexible study in three ways: First, students get an overview of their flexibly created course of study. Second, the innovative early warning system prevents demoralising and stigmatising effects on students. Third, the academic culture changes. However, these effects of the web application presuppose that there is complementary student counseling and an appropriate organisational framework.

Keywords

course of study, early warning system, digitisation, web application

1   Einleitung

Ausgehend von dem ubiquitär zu beobachtenden Phänomen, dass Studierende digitale Medien wie Laptops, Smartphones und Tablets wie selbstverständlich nutzen (vgl. BLATTER, 2015), wird derzeit an der Hochschule Osnabrück die Webanwendung *Smart Success* entwickelt.[1] Sie unterstützt als digitaler Assistent Studierende bei der Planung und Monitoring des Studiums, ermöglicht die Kontaktaufnahme zu Beratungspersonen und bietet Selbsteinschätzungstests (s. Abbildung 1).

In diesem Beitrag soll *Smart Success* unter dem Aspekt der Flexibilisierung des Studiums betrachtet werden, weshalb im Folgenden ausschließlich die Funktionen

---

[1] Die Entwicklung wird durch das Bundesministerium für Bildung und Forschung gefördert (Qualitätspakt Lehre; Förderkennzeichen 01PL16064).

‚Frühwarnsystem', ‚Studienverlaufsplanung' und ‚Studienverlaufsberatung' darge-stellt werden.

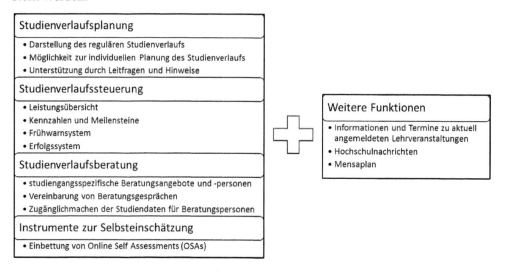

Studienverlaufsplanung
- Darstellung des regulären Studienverlaufs
- Möglichkeit zur individuellen Planung des Studienverlaufs
- Unterstützung durch Leitfragen und Hinweise

Studienverlaufssteuerung
- Leistungsübersicht
- Kennzahlen und Meilensteine
- Frühwarnsystem
- Erfolgssystem

Studienverlaufsberatung
- studiengangsspezifische Beratungsangebote und -personen
- Vereinbarung von Beratungsgesprächen
- Zugänglichmachen der Studiendaten für Beratungspersonen

Instrumente zur Selbsteinschätzung
- Einbettung von Online Self Assessments (OSAs)

Weitere Funktionen
- Informationen und Termine zu aktuell angemeldeten Lehrveranstaltungen
- Hochschulnachrichten
- Mensaplan

Abb. 1: Funktionen des digitalen Assistenten Smart Success

2 Frühwarnsysteme

Frühwarnsysteme dienen der Prävention von Studienabbruch und somit der Erhö-hung des (quantitativen) Studienerfolgs der Studierenden. In einem ersten Schritt werden auf Basis zuvor festgelegter Kriterien Studierende identifiziert, die sich potenziell in abbruchgefährdeten Studienphasen befinden. In einem zweiten Schritt werden diese Studierenden benachrichtigt und zur Inanspruchnahme von Bera-tungs- und Unterstützungsangeboten motiviert (vgl. HINKELMANN, MAUCHER & SEIDL, 2016; SCHULZE-STOCKER, SCHÄFER-HOCK & PELZ, 2017).

Entscheidend für Nutzen und Wirkung eines Frühwarnsystems ist die Beschaffen-heit der Kriterien, anhand derer potenziell abbruchgefährdete Studierende identifi-ziert werden. Frühwarnsysteme verwenden in der Regel u. a. die Anzahl der Fachsemester sowie die mit der Anzahl der Fachsemester ins Verhältnis gesetzte Summe erworbener Leistungspunkte als Kriterien. Dabei wird – soweit wir sehen – bei allen Frühwarnsystemen das *Regelstudium* als normativer Bezugspunkt gewählt: Es wird davon ausgegangen, dass ein ‚normales‘, im Rahmen der Regelstudienzeit absolviertes Studium zu Studienerfolg führt, während ein zeitlich ‚gestrecktes‘, über die Regelstudienzeit hinausgehendes Studium als problematisch und abbruchgefährdet verstanden wird. An der TU Dresden beispielsweise werden Studierende u. a. dann benachrichtigt, wenn sie „die Regelstudienzeit um zwei oder mehr Semester überschritten" oder „in den vorangegangenen zwei Semestern in der Summe weniger als 30 Leistungspunkte erbracht" (SCHULZE-STOCKER et al., 2017, S. 28) haben.

WILHELM (2017, S. 107) weist jedoch darauf hin, dass „eine Reihe von Studienverläufen [...] aus diversen Gründen bewusst atypisch angelegt sind" und diese Studienverläufe durch Frühwarnsysteme fälschlich „als problematisch dargestellt werden".[2] Diese Überlegung betrifft unserer Auffassung nach besonders die *Wirkung* der durch das Frühwarnsystem versendeten Benachrichtigung auf die angesprochenen Studierenden im Besonderen und auf die Hochschulkultur im Allgemeinen. Soweit wir sehen, liegen zur Wirkung von Frühwarnsystemen noch keine empirischen Untersuchungen vor. Es ist jedoch als möglich zu betrachten, dass eine stigmatisierende oder demotivierende Wirkung auf Studierende ausgeht, wenn der von Studierenden bewusst atypisch angelegte und aus subjektiver Sicht erfolgreiche Studienverlauf durch das Frühwarnsystem als problematisch interpretiert wird, da er vom Regelstudienverlauf abweicht. Zudem erweckt ein solchermaßen funktionierendes Frühwarnsystem den Eindruck, als wäre von Seiten der Hochschule ein flexibel an die jeweilige Lebenssituation angepasstes und daher gegebe-

---

[2] Die pauschale Ablehnung von Frühwarnsystemen durch WILHELM (2017) teilen wir nicht: Frühwarnsysteme implizieren nicht *a priori*, dass der Beratungsprozess einer ökonomischen Logik unterworfen und beraterische Qualitäts- und ethische Standards aufgegeben werden (vgl. BLUM & ROCKSTROH, 2018).

nenfalls gestrecktes Studium nicht gewünscht – ein für die Hochschulkultur problematisches Signal.[3]

3 Frühwarnsystem auf Basis individueller Planung des Studienverlaufs

Die angesprochene Problematik kann einer Lösung zugeführt werden, wenn Studierende die Möglichkeit erhalten, ihren Studienverlauf nach individuellen Maßgaben zu planen, und auf Basis dieses individuellen Studienplans gegebenenfalls durch das Frühwarnsystem benachrichtigt werden. Genau dies bietet *Smart Success*.

Die Studierenden sehen in der Software zunächst den regulären Verlauf ihres jeweiligen Studiengangs entsprechend der Studienordnung als graphische Darstellung. Hiervon ausgehend ist die *individuelle Planung des Studiums* möglich, indem die einzelnen Module des Studiengangs auf andere als die regulären Semester verschoben werden können. Dadurch ist es möglich, das ‚Strecken' des Studiums – beispielsweise aufgrund von Sorgeverantwortung, aber auch aufgrund nicht bestandener Prüfungsleistungen – übersichtlich abzubilden. Der Studienplan kann zudem um weitere geplante private oder studienbezogene Aktivitäten (z. B. Praktika) ergänzt werden. Da die individuelle Planung des eigenen Studienverlaufs eine komplexe Aufgabe darstellt, werden zur Unterstützung Leitfragen und Hinweise

---

[3] Man stelle sich exemplarisch eine alleinerziehende Studentin vor, die aufgrund ihrer Sorgeverantwortung sich das Ziel setzt, 20 Leistungspunkte pro Semester zu erwerben, und dieses Ziel erreicht, sodass sie ihren Studienverlauf subjektiv als erfolgreich bewertet. Welche Wirkung wird eine Nachricht auf sie ausüben, in der sie aufgrund der Überschreitung der Regelstudienzeit zu einem Beratungsgespräch eingeladen wird? Bereits latent vorhandene Zweifel (‚Vielleicht werde ich das Studium als Alleinerziehende nicht schaffen?') könnten verstärkt werden oder es könnte der Eindruck der Stigmatisierung entstehen (‚Ein Hochschulstudium ist nichts für mich, weil ich zu langsam bin').

eingeblendet; beispielsweise der Hinweis, zu prüfen, ob die Voraussetzungen zum Besuch des Moduls (z. B. fachliche Kenntnisse aus anderen Modulen) erfüllt sind.

Das in *Smart Success* integrierte Frühwarnsystem basiert auf dieser individuellen Studienplanung: Studierende erhalten eine Benachrichtigung, wenn sie in einem Semester weniger als zwei Drittel der von ihnen individuell geplanten Leistungspunkte erworben haben; in diesem Fall ist aufgrund der großen Differenz zwischen Planung (Soll) und tatsächlich erreichten Leistungspunkten (Ist) anzunehmen, dass größere Studienprobleme existieren und daher ein Beratungsgespräch angezeigt ist.[4] Studierende, die bewusst weniger Leistungspunkte als regulär pro Semester vorgesehen erwerben und über die Regelstudienzeit hinaus studieren, erhalten also keine Benachrichtigung, sofern dies ihrer persönlichen Studienverlaufsplanung entspricht.

4 Individuelle Planung des Studienverlaufs als Beitrag zur Flexibilisierung des Studiums

Aufgrund der zunehmenden Heterogenität der Studierendenschaft (vgl. WILD & ESDAR, 2014) ist zu konstatieren, „dass heutige Studierendenkohorten […] in steigendem Maße multiple Lebensziele verfolgen oder auch vereinbaren müssen" (WILD & ESDAR, 2014, S. 33), z. B. Sorgeverantwortung oder berufliche Tätigkeit neben dem Studium. Eine Möglichkeit, diesen „Konflikt zwischen privaten, beruflichen und studiumsbezogenen Anforderungen" (WILD & ESDAR, 2014, S. 33) aufzulösen und somit Studienerfolg zu ermöglichen, besteht in der *Flexibilisie-*

---

[4] Die Differenz zwischen Ist und Soll kann dadurch entstehen, dass Studierende – bspw. aufgrund von Lernschwierigkeiten – wenig Prüfungsleistungen bestehen und somit wenig Leistungspunkte erwerben. Sie kann aber ebenso auch durch eine zu ambitionierte Planung verursacht werden. Aus der Beratungspraxis sind zahlreiche Fälle bekannt, in denen Studierende 35 oder mehr Leistungspunkte pro Semester zu absolvieren intendieren.

rung des Studiums, um dessen ‚Passgenauigkeit' zu privaten und beruflichen Verpflichtungen zu gewährleisten.

Das auf der individuellen Studienplanung der Studierenden basierende Frühwarnsystem von *Smart Success* trägt indirekt zu dieser Flexibilisierung bei: Es wird verhindert, dass Studierende, die ihren Studienverlauf flexibel an die eigene Lebensrealität anpassen und dadurch bewusst vom regulären Studienplan abweichen, durch Nachrichten des Frühwarnsystems demotiviert, als ‚problematische', ‚langsame' oder gar ‚unerwünschte' Studierende stigmatisiert und für ihr Studierverhalten geradezu bestraft werden, indem sie – trotz subjektiv erfolgreichen Studierens – eine Benachrichtigung durch das System erhalten.

Einen direkten Beitrag zur Flexibilisierung des Studiums leistet *Smart Success* durch die Funktion, die individuelle Planung des Studienverlaufs (und somit auch einzelner Semester) unter Berücksichtigung der persönlichen Studien- und Lebenssituation unkompliziert zu ermöglichen. Dadurch wird gewährleistet, dass Studierende auch bei einem flexibel gestalteten, vom Regelstudium abweichenden Studienverlauf den Überblick über ‚anstehende' Aufgaben und Aktivitäten eines Semesters behalten. Außerdem werden Studierende dazu motiviert, ihren flexibel gestalteten Studienverlauf bewusst und selbstreguliert zu planen statt plan- und ziellos durch ihr Studium zu ‚treiben'. Da die Webanwendung sowohl auf PCs und Laptops als auch auf mobilen Endgeräten (Smartphones und Tabletts) lauffähig ist, können Studierende örtlich flexibel ihr Studium planen. *Smart Success* stellt damit eine Antwort auf die zunehmende Diversität der Studierenden und die Tatsache dar, dass ein relevanter Teil der Studierendenschaft neben dem Studium privat und beruflich eingespannt ist. Da die individuelle Studienplanung im Verlauf des Studiums modifiziert, also die (idealerweise) im ersten Semester erstelle Planung in späteren Semestern überarbeitet werden kann, können die Studierenden ihre Planung flexibel an neue, zu Studienbeginn noch nicht vorhergesehene Situationen anpassen. Flexibilisierung des Studiums ist in diesem Kontext somit nicht als singuläres Ereignis zu Studienbeginn, sondern als ein *Prozess* während des gesamten Studienverlaufs zu verstehen.

Nicht zuletzt trägt *Smart Success* – so unsere Erwartung – zu einem Wandel der hochschulischen Lern- und Studienkultur bei: Die Tatsache, dass eine von der Hochschule entwickelte und somit ‚offizielle' Software die Möglichkeit zur individuellen Studienplanung bietet, übermittelt allen Hochschulangehörigen die Botschaft, dass eine Abweichung vom regulären Studienverlauf keineswegs ‚unerwünscht' oder ‚schlecht', sondern explizit ‚erlaubt' und ‚normal' und, wenn dies den Studienerfolg sichert, ‚erwünscht' ist.

5 Begleitung der individuellen Studienplanung durch Beratung

Eine Software zur Planung eines individuellen Studienverlaufs allein ist nicht hinreichend, um den *Erfolg* eines flexiblen, an die jeweilige Lebensrealität der Studierenden angepassten Studiums zu gewährleisten. Trotz der in *Smart Success* integrierten Leitfragen und Hinweise zur Studienplanung ist es möglich, dass durch Planungsfehler – beispielsweise das Nichtbeachten von fachlichen Voraussetzungen von Modulen oder von Regelungen zur Auswahl von Wahlpflichtmodulen – dysfunktionale Studienplanungen entstehen, die Studienerfolg erschweren oder verhindern. Deshalb sollten Studierende bei umfänglicheren ‚Umplanungen' des regulären Studienverlaufs durch Mitarbeitende oder Lehrende beraten werden.

Aus diesem Grund bietet *Smart Success* den Studierenden eine Übersicht über die Personen, bei welchen sie in ihrem jeweiligen Studiengang Unterstützung durch Beratungsgespräche finden können. Um die Suche nach einer Ansprechperson zu erleichtern, finden sich bei jeder Beratungsperson Angaben zu den von ihr bedienten Anliegen und Themen. Um eine unkomplizierte und schnelle Kontaktaufnahme zu ermöglichen, können die Studierenden in der Software eine Anfrage zur Vereinbarung eines Beratungsgesprächs stellen. Außerdem können sie auf freiwilliger Basis ihre Studiendaten (Leistungsdaten und individuelle Studienplanung) der kontaktierten Beratungsperson zugänglich machen, um dieser sowohl eine fundierte

Vorbereitung auf das Beratungsgespräch als auch einen Bezug auf die entsprechenden Daten während des Gesprächs zu ermöglichen.

6 Organisationale Vorgaben als Grenzen der individuellen Studienplanung

Der individuellen Studienplanung sind Grenzen gesetzt, da nicht jeder individuelle Studienplan mit den organisationalen Vorgaben einer Hochschule vereinbar ist. An der Hochschule Osnabrück existiert keine Höchststudiendauer, sodass eine wichtige organisationale Voraussetzung für die Flexibilisierung des Studiums in Hinblick auf dessen zeitliche Streckung gegeben ist.

Die Prüfungsordnungen der Hochschule Osnabrück erlauben eine maximal zweimalige Wiederholung einer Prüfung; nach nicht bestandenem Drittversuch erfolgt die Exmatrikulation. Das Studium kann an der Hochschule Osnabrück also nicht so weit flexibilisiert werden, dass nichtbestandene Prüfungen beliebig oft wiederholt werden. Diese organisationale Vorgabe wird in *Smart Success* abgebildet: Studierende werden durch das Frühwarnsystem nach nichtbestandenem Zweitversuch benachrichtigt, da in diesem Fall der Studienerfolg massiv gefährdet ist und eine Beratung dringend geboten scheint. Das Frühwarnsystem von *Smart Success* basiert somit zum einen auf einem individuellen (Erwerb von weniger als zwei Drittel der individuell geplanten Leistungspunkte), zum anderen auf einem konstanten Faktor (Drittversuch).

7 Ergebnis und Schlussfolgerungen

Digitalisierung an Hochschulen bezog sich in der Vergangenheit im Sinne eines ‚E-Learnings' zunächst auf die unmittelbare Gestaltung von Lehr-Lernprozessen mittels digitaler Medien. Derzeit ist jedoch eine Ausweitung des Digitalisierungsprozesses an Hochschulen zu beobachten, der über den Rahmen des E-Learnings hinausgeht und den Gesamtbereich ‚Studium und Lehre' umfasst (vgl. GETTO & KERRES, 2017; KERRES, 2018).

In den Kontext dieser „Digitalisierung von Studium & Lehre" (GETTO & KER-RES 2017, S. 18) fügt sich die Entwicklung von *Smart Success* ein, welches *kein* E-Learning-Tool im Sinne eines Instruments darstellt, welches unmittelbar in Lehr-Lernprozessen Verwendung findet. Vielmehr ist *Smart Success* ein Instrument, das *vor* und *nach* Lehr-Lernprozessen zum Einsatz kommt: In der Planung des Studienverlaufs, in der Information über Stand und Fortschritt des Studiums, in der Warnung vor leistungskritischen Studienphasen und in der niedrigschwelligen Kommunikation von Beratungsangeboten und Vereinbarung von Beratungsgesprächen. Wie die obigen Ausführungen zu zeigen intendierten, stellen über E-Learning hinausgehende Maßnahmen zur Digitalisierung von Studium und Lehre aussichtsreiche Versuche dar, zentrale Ziele der Hochschulentwicklung – wie hier die Flexibilisierung des Studiums – zu realisieren (allgemein GETTO & KERRES, 2017). In welchem Umfang diese Ziele der Hochschulentwicklung durch digitale Assistenten wie *Smart Success* tatsächlich realisiert zu werden vermögen, wird allerding erst in der Zukunft beantwortet werden können; empirische Forschung zur studentischen Nutzung und Akzeptanz digitaler Assistenten sowie zu ihrer Wirkung auf den Studienerfolg stehen noch aus.

Abschließend sollen aus den konkret auf die Entwicklung von *Smart Success* gerichteten Ausführungen allgemeine, für die Entwicklung anderer Hochschulen relevante Schlussfolgerungen gezogen werden:

- Flexibilisierung im Hochschulbereich bedeutet nicht nur, Lehr-Lernprozesse flexibel zu gestalten (‚flexibles Lernen'), sondern auch den Kontext zu flexibilisieren, in dem diese Lehr-Lernprozesse stattfinden (‚flexibles Studieren'). Einen wichtigen Aspekt flexiblen Studierens stellt die Möglichkeit dar, den Studienverlauf flexibel an die eigene Lebensrealität anpassen und gegebenenfalls zeitlich strecken zu können. Eine Webanwendung, die Studierenden ein Instrument bietet, um den eigenen Studienverlauf individuell und selbstreguliert zu planen sowie die erstellte Planung übersichtlich graphisch darzustellen, abzuspeichern und zu späteren Zeitpunkten zu modifizieren, trägt demgemäß zu einer Kultur des flexiblen Studierens bei.

- Flexibles Studieren setzt geeignete organisationale Rahmenbedingungen voraus. Auch ein digitaler Assistent vermag ohne diese Rahmenbedingungen nicht zur Förderung flexiblen Studierens beizutragen. Die Möglichkeit, mit Hilfe eines digitalen Assistenten den Studienverlauf zu planen, wird *ad absurdum* geführt, wenn die prüfungsrechtlichen Vorgaben der Hochschule eine Streckung des Studiums nicht oder nur in geringem Maße erlauben. In diesem Fall muss der Entwicklung der Software ein Prozess der Transformation dieser prüfungsrechtlichen Vorgaben vorhergehen. Organisationale Vorgaben wie etwa die maximale Anzahl an Prüfungsversuchen sind zudem in der Software abzubilden (allgemein zu den letzten beiden Punkten vgl. KERRES, 2018).

- Frühwarnsysteme sollten auf der individuellen Planung der Studierenden basieren. Dadurch wird die Stigmatisierung von Studierenden, welche dem regulären Studienverlauf bewusst nicht folgen, vermieden und die Hochschulkultur so weiterentwickelt, dass ein flexibel gestalteter Studienverlauf nicht mehr als ‚Abweichung von der Normalität' verstanden wird.

- Software zur individuellen Studienplanung trägt nur dann zu einem flexiblen *und erfolgreichen* Studium bei, wenn sie durch passende Beratungsangebote ergänzt wird. Dazu ist die Erarbeitung eines Beratungskonzeptes – mit Informationen zur Software, möglichen Anliegen der Studierenden sowie Methoden und Materialien zu ihrer Bearbeitung – zur Unterstützung der Beratungspersonen sinnvoll. Unserer Auffassung unumgänglich ist auch eine flächendeckende Qualifikation der Beratenden, da nur so ein gelingender und verantwortbarer Beratungsprozess garantiert werden kann.

8 Literaturverzeichnis

Blatter, M. (2015). Auf ein Wort. In M. Blatter & F. Hartwagner (Hrsg.), *Digitale Lehr- und Lernbegleiter: Mit Lernplattformen und Web 2.0-Tools wirkungsvoll Lehr- und Lernprozesse gestalten* (S. 10-17). Bern: hep.

Blum, C. & Rockstroh, M. (2018). Hinschauen lohnt sich: ein Frühwarnsystem im Interesse der Studierenden und der Universität. *Zeitschrift für Beratung und Studium, 13*(3/4), 105-108.

Getto, B. & Kerres, M. (2017). Digitalisierung von Studium und Lehre: Wer, warum und wie? In I. van Ackeren, M. Kerres & S. Heinrich (Hrsg.), *Flexibles Lernen mit digitalen Medien ermöglichen: Strategische Verankerung und Erprobungsfelder guter Praxis an der Universität Duisburg-Essen* (S. 17-34). Münster & New York: Waxmann.

Hinkelmann, M., Maucher, J. & Seidl, T. (2016). Softwaregestützte Studienverlaufsanalyse zur frühzeitigen gezielten Studienberatung. *die hochschullehre, 2.* http://www.hochschullehre.org/?p=824, Stand vom 6. Juni 2019.

Kerres, M. (2018). Vom E-Learning zur Digitalisierung von ‚Studium & Lehre': Perspektiven für die Hochschuldidaktik. In T. Brinker & K. Ilg (Hrsg.), *Lehre und Digitalisierung: 5. Forum Hochschullehre und E-Learning-Konferenz am 25.10.2016* (S. 6-8). Bielefeld: UVW.

Schulze-Stocker, F., Schäfer-Hock, C. & Pelz, R. (2017). Weniger Studienabbruch durch Frühwarnsysteme – Das Beispiel des PASST?!-Programms an der TU Dresden. *Zeitschrift für Beratung und Studium, 12*(1), 26-32.

Wild, E. & Esdar, W. (2014). *Eine heterogenitätsorientierte Lehr-/Lernkultur für eine Hochschule der Zukunft: Fachgutachten im Auftrag des Projekts nexus der Hochschulrektorenkonferenz.* https://www.hrk-nexus.de/fileadmin/redaktion/hrk-nexus/07-Downloads/07-02-Publikationen/Fachgutachten_Heterogenitaet.pdf, Stand vom 6. Juni 2019.

Wilhelm, D. (2017). Kritische Reflektion einiger Ökonomisierungstendenzen in der Studienberatung. *Zeitschrift für Beratung und Studium, 12*(4), 106-109.

Autoren

Lukas LUTZ ‖ Hochschule Osnabrück, LearningCenter ‖ Albrechtstraße 30, D-49076 Osnabrück

www.hs-osnabrueck.de/de/learningcenter/

l.lutz@hs-osnabrueck.de

Frank MAYER ‖ Hochschule Osnabrück, LearningCenter ‖ Albrechtstraße 30, D-49076 Osnabrück

www.hs-osnabrueck.de/de/learningcenter/

f.mayer@hs-osnabrueck.de

Roger SEILER[1] & Stefan KORUNA (Winterthur)

Digitales Toolkit BWL-Studierende – Emerging Technologies virtualisiert

Zusammenfassung

Dieser Werkstattbericht zeigt auf, wie eine virtualisierte Lernumgebung ein flexibles, mobiles und betriebssystemunabhängiges Lernen ermöglicht. Diese kann jederzeit gesichert und wiederhergestellt werden, was ein gefahrloses Experimentieren und Ausprobieren ermöglicht. Es wird aufgezeigt, wie Studierenden Emerging Technologies und Web-Grundlagen vermittelt werden können. Mit dem Einsatz einer virtuellen Lernumgebung, dem Content Management System (Wordpress) und Web Frameworks wird es möglich, schnell gute Ergebnisse zu erzielen, was sich motivierend auf die Studierenden auswirkt. Damit stellen sich auch bei abstrakten Themen rasch Lernerfolge ein.

Schlüsselwörter

Virtualisierte Lernumgebung, Emerging Technologies (AR/VR/MR/XR, Blockchain, Chatbots, Künstliche Intelligenz, Machine Learning, Plattformen (IBM Bluemix / IBM Watson)), Technologie Bootcamp, Digitale Transformation, HTML/CSS und Content Management System (CMS)

---

[1] E-Mail: roger.seiler@zhaw.ch

Werkstattbericht · DOI: 10.3217/zfhe-14-03/12

Digital toolkit for students of economics –
Emerging technologies virtualized

Abstract

This report shows how a virtualized learning environment enables flexible and mobile learning that is operating-system-independent. This virtual enviroment can be backed up and restored at any time. This enables safe experimentation and testing. The paper also explains how emerging technologies and web basics can be taught to business students. The use of a virtual learning environment, a content management system (Wordpress) and web frameworks allows beginners to quickly achieve respectable results, which positively affects students' motivational level. This approach speeds up learning success and outcomes, even with abstract topics.

Keywords

virtual learning environment, emerging technologies (AR/VR/MR/XR, blockchain, chatbots, artificial intelligence, machine learning, cloud (IBM Bluemix / IBM Watson)), digital transformation, HTML/CSS and content management system (CMS)

1   Einleitung und Hintergrund

Die digitale Transformation basierend auf „emerging Technologies" (siehe HA-LAWEH (2013) bzgl. Verständnis des Begriffs) sowie die daraus resultierende Automation haben im Fachgebiet der Ökonomie starkes Interesse an einem Basis-verständnis dieser Technologien geweckt. Zu „emerging Technologies" können Augmented Reality (AR), Virtual Reality (VR), Blockchain, Chatbots, künstliche Intelligenz (KI) und Machine Learning (ML) sowie Plattformen (z. B. Amazon Webservices, IBM Bluemix) gezählt werden. Diese Technologien werden in der Praxis immer relevanter für Unternehmen, und ein Grundverständnis von deren Funktionsweise gilt auch für nicht-technische Disziplinen als unverzichtbar. Strategische Wettbewerbsvorteile und neue Geschäftsmodelle können durch IT entstehen. In diesem Zusammenhang wird von der IT als dritter Hand gesprochen (PAVLOU & EL SAWY, 2010). Um Technologiepotenziale zu erkennen und Geschäftsmodelle abzuleiten, braucht das Management zunehmend ein technologisches Grundverständnis, damit die Technologie überhaupt als nützlich erkannt und erfolgreich zum Einsatz kommen kann.

Zudem gibt es bzgl. der Disziplin Ökonomie die Forderung nach mehr Interdisziplinarität, Pluralität sowie Erweiterung des Blickes, um technische Entwicklungen nicht aufgrund der Trägheit der Disziplin zu verpassen (DOHMEN, 2017). Diese Forderung besteht auch bzgl. MINT/Mathematik (CRAMER et al., 2015), denn diese Fächer sind zum Verständnis von Technologie eine zentrale Voraussetzung – zum Beispiel beim Machine Learning.

Der vorliegende Werkstattbericht beschreibt einen Ansatz, wie technisch anspruchsvolle Lerninhalte Studierenden der Ökonomie/BWL vermittelt werden können, indem durch Virtualisierung technische Hürden, welche durch die Gerätevielfalt bei Studierenden entstehen, vermieden werden können. Eine solche Virtualisierung löst nicht nur technische Hürden (z. B. Inkompatibilitäten zum Betriebssystem). Sie ermöglicht Studierendenden sogar jederzeit, auf ihren mobilen Endgeräten auf die Lernumgebung zugreifen zu können. Sodann kann die virtuelle Lernumgebung auf weiteren Geräten (z. B. zu Hause oder auf dem Computer bei der Arbeit) einfach verfügbar gemacht werden, was ein mobiles, flexibles Lernen ermöglicht.

1.1 Einbettung in den Studiengang

An der School of Management and Law (SML) der Zürcher Hochschule für angewandte Wissenschaften (ZHAW) wurde das Grundverständnis der „emerging Technologies" als Bedürfnis von Studierenden erkannt. BWL-Studierenden wird ein Wahlpflichtmodul (WPM) im Umfang von drei European Credit Transfer System (ETCS) angeboten, um diesem Bedürfnis gerecht zu werden.

2   Umsetzung des WPM Digitales Toolkit für BWL-Studierende

2.1   Inhaltlicher Rahmen

Den Studierenden wurde im Wahlpflichtmodul (WPM) „Digitales Toolkit für BWL-Studierende" eine Übersicht zu Emerging Technologies wie Automation, Blockchain (inkl. Cryptocurrencies), Mixed Reality (Virtual und Augmented), Chatbots, Einführung Web / CMS[2] (HTML/CSS[3]), Machine Learning und Plattformen / Cloud (inkl. Schnittstellen) vermittelt. Zentrales Element in der virtuellen Lernumgebung ist das Content Management System (CMS) WordPress, weil der Einstieg in Webtechnologien sowie die Web-Programmierung damit einfach und anschaulich zu erläutern ist. Außerdem existieren viele Erweiterungen (Plug-ins), um das CMS auf einfache Art mit zusätzlichen Funktionalitäten zu erweitern. Ein Beispiel hierfür ist die Watson Sentiment-Analyse, die Emotionen im Text erkennt, damit dieser beim Verfassen besser geschrieben werden kann, oder die Integration eines Chatbots.

Nicht selten stellt die Vermittlung der technischen Inhalte für Nicht-Informatik-Studienrichtungen besondere Herausforderungen an die Dozierenden bzgl. einer verständlichen Vermittlung teils abstrakter Inhalte dar. Ebenso verschärfen sich technische Hürden mit dem Ansatz von BYOD[4], bei dem Studierende ihre eigenen Geräte (z. B. Laptops oder Tablets) selber in den Unterricht mitbringen und damit die Pannenanfälligkeit, infolge erhöhter Rechnervielfalt sowie Komplexität, erhöhen. Es gibt bei BYOD typischerweise mehr Probleme mit Treibern, und bei der Installation von Software können betriebssystemspezifische Fehler (beispielsweise

---

[2] Content-Management-System

[3] Hyper Text Markup Language / Cascading Style Sheets

[4] Bring your own device

Kompatibilität) und rechnerspezifische Fehler (beispielsweise Firewall-Konfiguration) auftreten.

2.2 Technologischer Rahmen

Um die Hürde der Gerätevielfalt zu überwinden, wurde eine virtualisierte Infrastruktur als Lernumgebung erstellt, welche den Studierenden zu Beginn des Unterrichts auf einem USB-Stick als Abbild der lauffähigen virtuellen Umgebung des Dozierenden mit vorinstallierter und konfigurierter Software übergeben wurde.

Die Studierenden installierten die Virtualisierungssoftware Oracle VirtualBox VM[5] und konnten damit die virtuelle Lernumgebung und das CMS WordPress sowie Dateien für Übungen einfach importieren und laufen lassen, ohne selbst weitere Konfigurationen oder Software installieren zu müssen. Sie hatten also quasi ein weiteres System auf ihrem Gerät installiert, um im Unterricht in dieser Lernumgebung arbeiten zu können.

Diese Virtualisierung hat den großen Vorteil, dass Probleme infolge unterschiedlicher Laptopkonfigurationen oder Betriebssystemen gar nicht erst entstehen. Im vorliegenden Beispielfall (Abb. 1, schwarze Box) läuft auf der Hardware (Apple) das Betriebssystem Mac OS. Darauf wird die Virtualisierungssoftware installiert (Abb. 1, blaue Box), welche die Kompatibilität zu den verschiedenen Betriebssystemen sicherstellt. Innerhalb dieser Software wird die angesprochene Lernumgebung zur Verfügung gestellt (Abb. 1, weinrote Box). Hierdurch wird sichergestellt, dass alle Studierenden immer die gleiche Konfiguration und dieselben Dateien haben und vorinstallierte sowie konfigurierte Software (z. B. Webserver) ohne weitere Schritte zur Verfügung stehen (siehe Abb. 2). Somit wird der Laptop der Studierenden nicht mit weiterer Software belastet oder gar funktionsunfähig gemacht durch Inkompatibilitäten. Zusätzlich werden Inkompatibilitäten zwischen der Übungsumgebung und Betriebssystem grundsätzlich verhindert. Dies ist eine

---

[5] Virtual Machine

große Entlastung bzgl. Supporttätigkeit und Troubleshooting seitens der Dozierenden.

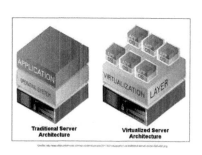 

Abb. 1: Übersicht der im Unterricht verwendeten Virtualisierung

In Abbildung 2 ist im ersten Fenster links oben das Steuerungsskript von Webserver und Datenbank zu sehen, welches über die Konsole (dunkles Fenster in der Mitte) ein Passwort zum Starten verlangt. Oben rechts sind Knöpfe zu sehen, mit denen der Webserver und die Datenbank gestartet, gestoppt und neugestartet werden können. In den unteren beiden Fenstern rechts ist die Website des CMS zu sehen (Frontend), wie sie auch Surfende im Web sehen würden. Im Fenster links davon ist das Backend zu sehen, wo im CMS Plug-ins und Einstellungen vorgenommen werden können, welche die Funktionalität, das Aussehen oder die Inhalte der Website ändern.

Abb. 2: Übersicht über die im Unterricht verwendeten Virtualisierung

Den Studierenden wurde gezeigt, wie Sie mit einem Plug-in im CMS ein Backup erstellen können, um Datenverlust zu vermeiden. Des Weiteren wurde den Studierenden erörtert, wie sich auch vom ganzen virtualisierten System ein Backup erstellen lässt, damit vorgenommene Änderungen am Betriebssystem oder Dateien gesichert sind. Somit wird ein gefahrloses Experimentieren und Ausprobieren möglich, denn der vorherige Zustand ist vollständig gesichert und kann wiederhergestellt werden. Das schafft Vertrauen und Experimentierfreude.

Die Studierenden haben durch den obigen Ansatz stets eine saubere, lauffähige Lernumgebung zur Verfügung. Diese Umgebung ist auch inhaltlich flexibel (weitere Software kann mit dem System installiert und darauf experimentiert werden); sodann läuft niemand Gefahr, den eigenen Rechner laufunfähig zu machen. Insbesondere bei Personen, die am Anfang des Lernprozesses stehen, kann eine solche Panne schnell geschehen und zu Frustration führen. Insbesondere trifft dies auf Teilzeitstudierende zu, die berufsbedingt einem großen Zeitdruck ausgesetzt sind (BESSIÈRE et al., 2006). Frustration mit Technologie wirkt sich wiederum negativ auf die Lernleistung aus (KHANLARIAN & SINGH, 2015), was mit obigem Ansatz der Virtualisierung und einfacher Backup- und Restore-Funktionalität vermieden werden kann.

2.2 Didaktische Aspekte

2.2.1 Durchführung

Die Studierenden erhielten in zwei Lektionen (90 Minuten) zu Semesterbeginn eine Einführung mit einem Überblick zu Emerging Technologies und in den folgenden Wochen jeweils Inputreferate zu den einzelnen Technologien. Die für die BWL-Studierenden zum Teil sehr abstrakten und fachfremden Inhalte wurden mit anschaulich Beispielen erläutert, um ganz im Sinne der „cognitive load theory" (SWELLER, 2016) keine initiale kognitive Überlastung herbeizuführen (siehe auch CLARK (2001) für eine Übersicht zum Einsatz von Medien im BWL-Unterricht). Zu Beginn der Lektionen wurde ein kurzer Block mit Fragen und Repetition (z. B. mit Kahoot) zur vorherigen Lektion eingebaut. Im Anschluss wurde die verbleibende Zeit für Unterstützung bei den Übungen verwendet. Zwischen den wöchentlichen Lektionen hatten die Studierenden den Auftrag, vermittelte Inhalte in Übungen selbständig zu vertiefen.

Einige Themen wie Schnittstellen in der Cloud sind so komplex, dass ein Rahmen oder Beispieldateien vom Dozierenden vorgegeben wurden, um eine Unterstützung bzgl. Lösungspfade zu geben. Die Studierenden konnten auf diese Vorarbeiten zurückgreifen und dadurch von einer erheblichen Komplexitätsreduktion profitieren. Auf diese Weise konnte der Lernerfolg sichergestellt und gleichzeitig eine Überforderung und Frustration vermieden werden. Die Studierenden mussten z. B. eine API[6] in der Cloud mit einer vorbereiteten Datei nutzen. Eine unzureichende Unterstützung beim Einstieg in ein solches Thema würde schlicht zu Überforderung und zu Frustration mit Technik führen.

---

[6] Application Programming Interface

Weiters konnten erste Schritte im Programmieren gemacht werden, indem Bausteine wie zum Beispiel Web-Frameworks wie Bootstrap eingesetzt wurden. Diese Bausteine ermöglichen es den Studierenden schnell, mit dem Basiswissen zur Web-Programmierung aus der Vorlesung beispielsweise eine Bildergalerie bzw. ein Karussell mit Bildern erstellen zu können. Dies führt zu schnellen, nützlichen und anschaulichen Lernerfolgen, was sich nach Aussagen der Studierenden sehr positiv auf deren Motivation auswirkt. Des Weiteren berichten Studierende, dass ihnen der Bausteinansatz hilft, eine allfällige Angst vor technischen Themen zu nehmen, da sich rasch ansehnliche Ergebnisse erzielen lassen. Solche Ergebnisse konnten auch mit sog. TUIs (Tangible User Interfaces), welche visuell sehr ansprechend und interaktiv sind, erreicht werden, obschon diese nach aktuellem Stand der Forschung noch keine hinreichende Bedingung für Lernerfolg sind (CUENDET et al., 2015).

Mit dem CMS konnten Studierende sowohl schnell Webseiten erstellen (siehe Anhang, Abbildung A) als auch das CMS konfigurieren und erweitern (Abbildung B) – zum Beispiel Plug-Ins, welche beispielsweise künstliche Intelligenz für Textanalyse nutzen.

3 Schlussfolgerung

Die nachfolgenden Schlussfolgerungen stützen sich auf Beobachtungen des Dozierenden, Dialoge mit Studierenden und Evaluationen zur Durchführung des Moduls.

3.1 Learnings – technische Umsetzung

Die Nutzung von Virtualisierungsinstrumenten hat sich bewährt, denn so konnte ab der ersten Lektion gearbeitet und neue Technologien ausprobiert und getestet werden. Alle Studierenden waren innert weniger Minuten startklar und hatten zusätzlich Freude am geschenkten USB-Stick. Zusätzlich motivierte beim Thema Mixed Reality das Google Cardboard, da Studierende ein persönliches Exemplar der Brille erhielten (siehe Abb. 3), um virtuelle Welten erleben zu können. Beide soeben genannten positiven Aspekte können beispielsweise mit der Forschung zu Reziprozität (siehe FEHR & Falk (2002) oder KUBE et al. (2012)) erklärt werden, weil Studierende die Goodies ihrerseits mit Einsatz erwidern.

Quelle: https://shop.heise.de/katalog/vr-wissen-virtual-reality-2016

Abb. 3: Google-Cardboard-VR-Brille

Der zentrale Vorteil der Virtualisierung ist die Kompatibilität mit den Endgeräten der Studierenden, hingegen wird dieser Vorteil mit einer gewissen Statik erkauft, denn möchte man Änderungen machen, müssen Studierende die komplette Virtualisierung erneut importieren. Ein Lösungsansatz ist, indem auf der virtuellen Lernumgebung auf Webinhalte verlinkt wird oder ein Skript geschrieben wird, welches Inhalte bei bestehender Internetverbindung in die virtuelle Lernumgebung herunterlädt und diese damit aktualisiert, damit bei Änderungen nicht die ganze virtuelle Umgebung aktualisiert werden muss.

3.2   Allgemeine Learnings aus Sicht der Dozierenden

Fachfremde Studierende hatten nach eigenen Aussagen etwas Respekt, ggf. sogar Angst vor den technischen Themen. Es ist wichtig, ihnen diese Angst zu nehmen (ROGERSON & SCOTT, 2010), indem anschauliche Beispiele und Unterstützung in Form von Übungen und Vorarbeiten vorliegen, welche die Komplexität zu Beginn reduzieren, damit sich rasch Erfolgserlebnisse und Begeisterung einstellen.

Anschließend dürfen die Inhalte durchaus anspruchsvoll und herausfordernder werden.

Aus Dozentensicht bietet die virtualisierte Lernumgebung folgende Vorteile:

1. Viel weniger technische Fehler oder Kompatibilitätsprobleme sind aufgetreten.
2. Technische Inhalte können anschaulicher, interaktiver und gleichzeitig an den Wissenstand der Studierenden angepasst werden.
3. Keine wertvolle Unterrichtszeit geht mit technischen Problemen, die nicht zum Lernerfolg beitragen, verloren.

3.3 Learnings aus der Studierendenperspektive

Als sehr vorteilhaft bezeichnet wurden insbesondere die Übersichten, die Einblicke und die Anwendungen sowie Beispiele, an denen der anspruchsvolle und komplexe Stoff vermittelt wurde, was Studierende abschließend und mehrfach als sehr spannend und interessant erlebten. Zudem waren sie überrascht, wie einfach die virtuelle Lernumgebung genutzt werden konnte.

Zwar wurden die Übungen als anspruchsvoll bezeichnet; allerdings sahen die Studierenden den Mehrwert für das zukünftige Berufsleben. Besonders erfreulich war, dass einige Studierende das CMS für die Gestaltung ihrer Vereinswebseite einsetzten.

3.4 Transfer auf andere Fachbereiche

Der Einsatz einer virtualisierten Lernumgebung zur Flexibilisierung des studentischen Lernens kann auf andere Fachbereiche übertragen werden, weil diese Technologie bzw. dieser Ansatz nicht per se an bestimmte Inhalte gebunden ist. Daher ist es denkbar, dass Studierenden eine Moodle-Umgebung oder ein interaktives Wiki in einer Virtualisierung übergeben wird. Dadurch wird klar, dass die Virtualisierung als Ansatz einen generischen Charakter hat, der nicht auf technische Disziplinen limitiert ist.

4 Fazit

Durch den Einsatz von Virtualisierung werden technische Unwegsamkeiten und Schwierigkeiten vermieden, was eine Fehler- und Frustrationsquelle beseitigt. Weiter werden durch den Einsatz von Bausteinen (WordPress CMS und Web-Frameworks) schnelle Erfolgserlebnisse ermöglicht, was anspornend wirkt. Dies fördert die Lernmotivation und vermeidet eine Überforderung trotz vieler Lerninhalte in kurzer Zeit. Der Einsatz von „Giveaways" in Form von USB-Sticks zu Beginn ist ein Eisbrecher, der die initiale Motivation weiter fördert. Während des Semesters verleihen Google-Cardboard-Brillen einen weiteren Motivationsschub.

Die virtualisierte Lernumgebung ermöglicht es Studierenden, flexibel und mobil die Lerninhalte stets mitzuführen und einfach auf weiteren Geräten zu verwenden. Des Weiteren ermöglicht diese Lernumgebung die risikolose Anwendung von Wissen, da ein funktionierender Zustand der Umgebung einfach wiederhergestellt werden kann, was Studierende motiviert, mit den Technologien zu experimentieren und auch mal etwas auszuprobieren.

Der Ansatz der virtuellen Lernumgebung sollte auch in anderen Fachdisziplinen angewendet werden können, da positive Lernerfolge zu erwarten sind und es vermutlich auch motivierender ist als ein passives oder theoriegetriebenes Konzept. Abschließend wird dazu aufgerufen, einen solchen Disziplinentransfer zu machen und auch eine Cloudvariante zu prüfen. Weiters könnten wissenschaftlich die Unterschiede dieses Lernszenarios zu anderen, klassischeren Ansätzen untersucht werden, um weitere wissenschaftliche Evidenz bzgl. des flexiblen Lernens mit einer virtuellen Lernumgebung zu schaffen.

5   Literaturverzeichnis

Bessière, K., Newhagen, J. E., Robinson, J. P. & Shneiderman, B. (2006). A model for computer frustration: the role of instrumental and dispositional factors on incident, session, and post-session frustration and mood. Computers in Human Behavior 22, 941–961. https://doi.org/10.1016/j.chb.2004.03.015

Clark, R. E. (2001). Educational Media. In *International Encyclopedia of the Social & Behavioral Sciences* (S. 4279-4283). Elsevier. https://doi.org/10.1016/B0-08-043076-7/02335-4

Cramer, E., Walcher, S. & Wittich, O. (2015). Mathematik und die „INT"-Fächer. In J. Roth, T. Bauer, H. Koch & S. Prediger (Hrsg.), *Übergänge Konstruktiv Gestalten: Ansätze Für Eine Zielgruppenspezifische Hochschuldidaktik Mathematik* (S. 51-68). Wiesbaden: Springer Fachmedien. https://doi.org/10.1007/978-3-658-06727-4_4

Cuendet, S., Dehler-Zufferey, J., Ortoleva, G. & Dillenbourg, P. (2015). An integrated way of using a tangible user interface in a classroom. *International Journal Of Computer-Supported Collaborative Learning, 10*, 183–208. https://doi.org/10.1007/s11412-015-9213-3

Dohmen, C. (2017). Zehn Jahre nach der Finanzkrise – Wirtschaftswissenschaften reagieren träge [WWW Document]. Deutschlandfunk. https://www.deutschlandfunk.de/zehn-jahre-nach-der-finanzkrise-wirtschaftswissenschaften.724.de.html?dram:article_id=400373, Stand vom 24. Mai 2019.

Fehr, E. & Falk, A. (2002). Psychological foundations of incentives. *European Economic Review, 46*, 687-724. https://doi.org/10.1016/S0014-2921(01)00208-2

Halaweh, M. (2013). Emerging technology: What is it. *Journal of technology management & innovation, 8*, 108-115.

Khanlarian, C. & Singh, R. (2015). Does technology affect student performance. *Global Perspective on Accounting Education, 12*, 1-22.

Kube, S., Maréchal, M.A., Puppe, C. (2012). The Currency of Reciprocity: Gift Exchange in the Workplace. *American Economic Review, 102*, 1644-1662. https://doi.org/10.1257/aer.102.4.1644

Pavlou, P. A., El Sawy, O. A. (2010). The "Third Hand": IT-Enabled Competitive Advantage in Turbulence Through Improvisational Capabilities. *Information Systems Research, 21*, 443–471. https://doi.org/10.1287/isre.1100.0280

Rogerson, C., Scott, E. (2010). The Fear Factor: How It Affects Students Learning to Program in a Tertiary Environment. *Journal of Information Technology Education: Research, 9*, 147-171.

Sweller, J. (2016). Working Memory, Long-term Memory, and Instructional Design. *Journal of Applied Research in Memory and Cognition, 5*, 360-367. https://doi.org/10.1016/j.jarmac.2015.12.002

Autoren

Dr. Roger SEILER || Zürcher Hochschule für angewandte Forschung, School of Management and Law || St.-Georgen-Platz 2, CH-8400 Winterthur

https://www.zhaw.ch/de/ueber-uns/person/seir/

roger.seiler@zhaw.ch

Dr. Stefan KORUNA || Zürcher Hochschule für angewandte Forschung, School of Management and Law || St.-Georgen-Platz 2, CH-8400 Winterthur

https://www.zhaw.ch/de/ueber-uns/person/koru/

stefan.koruna@zhaw.ch

Abb. A: CMS Front End

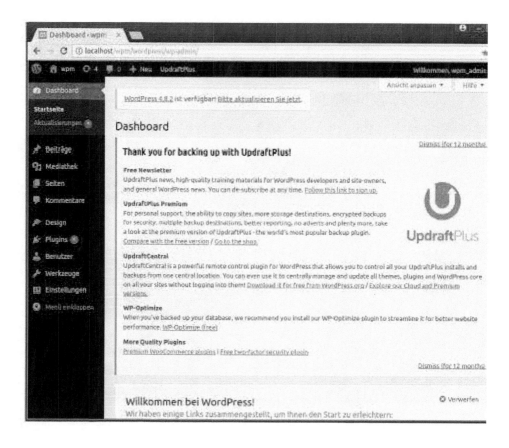

Abb. B: CMS Backend

Statische Webseiten

```
<!DOCTYPE html>
<html>
<head>
<title>Page Title</title>
</head>
<body>

<h1>My First Heading</h1>
<p>My first paragraph.</p>

</body>
</html>
```

Quelle: https://www.w3schools.com/html/html_intro.asp

Dynamisch generierte Webseiten

```
<!DOCTYPE html>
<html>
<body>

<?php
$x = 1;

while($x <= 5) {
  echo "The number is: $x <br>";
  $x++;
}
?>

</body>
</html>
```

```
The number is: 1
The number is: 2
The number is: 3
The number is: 4
The number is: 5
```

Quelle: https://www.w3schools.com/PhP/showphp.asp?filename=demo_loop_while

Abb. C: Statische vs. dynamische Webseiten

Komponente verwenden

- Elemente des Frameworks sind schon designt (siehe CSS-Klassen)
- HTML Gerüst mit CSS-Verweisen kann direkt verwendet werden
- Beispiel: Bootstrap Panel

```
<div class="panel panel-default">
    <div class="panel-heading">
        <h3 class="panel-title">Panel title</h3>
    </div>
    <div class="panel-body">
        <p>Inhalt der in diesem Abschnitt angezeigt werden soll.</p>
    </div>
</div>
```

Panel title

Inhalt der in diesem Abschnitt angezeigt werden soll.

Abb. D: Web Framework

Werkstattbericht

Abb. E: Web Framework (Carousel)

Abb. F: CSS Klassen

Tabellen Komponente verwenden

- Tabelle mit Interaktion einbinden
  (graue Zeilen bei Mouse-Over)

```
<table class="table table-hover">
  <thead>
    <tr>
      <th>Vorname</th>
      <th>Nachname</th>
      <th>Email</th>
    </tr>
  </thead>
  <tbody>
    <tr>
      <td>Reto</td>
      <td>Meier</td>
      <td>reto@zhaw.ch</td>
    </tr>
    <tr>
      <td>Sara</td>
      <td>Gubler</td>
      <td>sara@zhaw.ch</td>
    </tr>
    <tr>
      <td>Sandra</td>
      <td>Loosli</td>
      <td>sandra@reto@zhaw.ch</td>
    </tr>
  </tbody>
</table>
```

Abb. G: Tabellen Hover

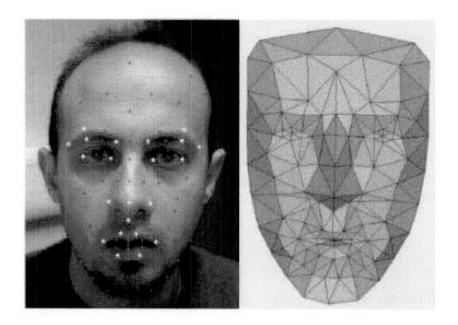

Abb. I: Face Recognition
(Quelle: https://www.researchgate.net/publication/229041533_3D_tracking_of_facial_features_for_augmented_reality_applications/figures?lo=1)

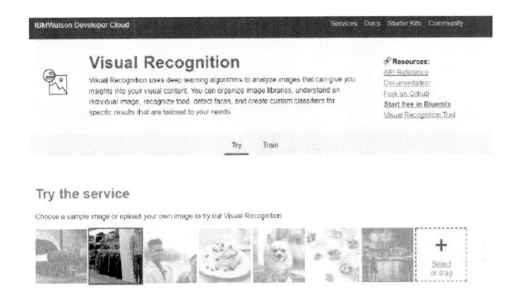

Abb. J: IBM Watson (Bilderkennung)

Abb. K: Emotionen in Bildern erkennen
(Quelle: https://hbr.org/2016/06/the-secret-to-negotiating-is-reading-peoples-faces)

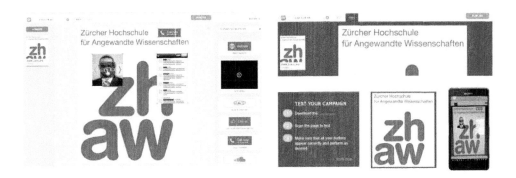

Abb. L: Augmented Reality auf dem Smartphone

Abb. M: Chatbot Widget Backend

Abb. N: Chatbot Widget Frontend

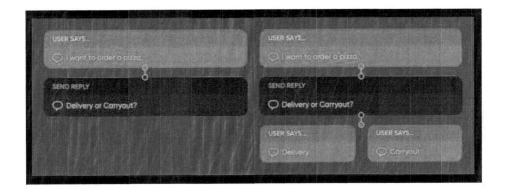

Abb. O: Chatbot (Flow.ai)

Bledar FAZLIJA[1] (Winterthur)

Intelligent Tutoring Systems in Higher Education – Towards Enhanced Dimensions

Abstract

This paper describes how intelligent tutoring systems (ITSs) improve flexible learning in higher education. The benefits of ITSs over course management systems (CMSs) are discussed, and we demonstrate how the traditionally used dimensions of flexibility can be enhanced to tackle the challenges that higher education is facing from an abundance of online educational products and services. In addition, a new data-driven approach to analyzing questions about flexible learning is suggested, which could lead to better-optimized settings for flexible learning.

Keywords

flexible learning, intelligent tutoring systems, computer-assisted learning, education, artificial intelligence

---

[1] E-mail: bledar.fazlija@zhaw.ch

Workshop Report · DOI: 10.3217/zfhe-14-03/13

1 Introduction

Flexible learning is one of many research topics in the field of education that has recently attracted much attention (LI & WONG, 2018; TUCKER & MORRIS, 2011; IRVINE & COSSHAM, 2011; CASEY & WILSON, 2005; LING et al., 2001; COLLIS & MOONEN, 2002). Much of this interest stems from the availability of a plethora of learning and teaching options and strategies using digital technologies and opportunities to address current learning challenges (LI & WONG, 2018; BATES, 2001; VAN DE BRANDE, 1993). New forms of learning enabled by such technologies, such as access to learning materials at any time and in any location, or even studying over distance would be intuitively termed "flexible." The impact of technology on education and flexible learning, in particular, has been so strong that many use the term flexible learning synonymously with "open learning," "distance learning," or "technology-mediated learning" (IRVINE & COSSHAM, 2011). Often, flexible learning is discussed in the context of technology — in particular for CMSs, whose components, properties, and functions are related to crucial aspects of flexible learning (DE BOER & COLLIS, 2005). Similarly, this paper analyzes the benefits of using ITSs in the context of flexible learning while being guided by the following questions: What aspects (or dimensions) are most crucial for flexible learning? What dimensions enhance learning and under what circumstances? How can flexible learning be implemented efficiently?

2 Flexible Learning

Recent research into flexible learning has focused on a few key aspects. Besides implementations, one goal is to extend the notion of intuitively agreeable forms of flexible learning to encompass all possible aspects or "dimensions," as some authors describe them (e.g., LING et al., 2001 or COLLIS & MOONEN, 2002), and to give them a general definition. This current lack of a general definition is considered counterproductive by COLLIS & MOONEN (2002), although it may have helped the field of flexible learning to gain momentum and develop in many relevant directions. LI & WONG (2018), DE BOER & COLLIS (2005), and COLLIS & MOONEN (2002), have contributed towards formalizing the notion of flexible learning (see LI & WONG (2018) or TUCKER & MORRIS (2011) for a more recent analysis of the existing literature and ongoing discussion about the definition of flexible learning). This recent trend involves establishing a formal definition by describing the notion of flexible learning either using distinctions from other well-known learning concepts such as "open learning," "distance learning," and "technology-mediated learning," or by describing all the relevant dimensions that play a role in learning, such as time and content.

COLLIS, VINGERHOETS, & MOONEN (1997) provides a complete list of the dimensions used to study flexible learning through a literature review and surveys. In COLLIS & MOONEN (2002), technology, pedagogy, implementation, and institution are identified as core components for study when developing an understanding of flexible learning, with "learner choice" at the center. A more balanced approach would be to analyze who should have what choices, determined by theoretical considerations and empirical evidence upon using data analysis. The use of ITSs and methodologies from educational data science are critical tools in this development. A recent review by LI & WONG (2018) lists relevant dimensions and scientific studies, together with corresponding findings. These dimensions are time, content, entry requirement, delivery, instructional approach, assessment, resource and support, and orientation or goal. There are several examples of implementations of flexible learning at universities, which have shown considerable success, including MÜLLER, STAHL, ALDER, & MÜLLER (2018) and DE BOER & COLLIS (2005).

3 Intelligent Tutoring Systems (ITSs)

Personalized learning, with tutors actively mentoring students, is one way to ensure learning is adapted to student needs, and it has been highly effective (HATTIE, 2008). There have also been attempts to emulate human tutors using computers such as with ITSs (MA, ADESOPE, NESBIT, & LIU, 2014; ANDERSON, BOYLE, & REISER, 1985), designed to make personalized learning accessible to everyone. ITSs are computer system designed to instruct students to study topics according to their needs by the automatic generation of individualized content, grading, feedback, instructions, or progress tracking. Formally, ITSs have the following structure (NKAMBOU, MIZOGUCHI, & BOURDEAU, 2010; NWANA, 1990):

A domain model (cognitive or expert knowledge model built on a theory of learning)
A student model (cognitive and affective states and their evolution as the learning process advances)
A tutoring model (gets input from above layers and implements tutoring actions)
A user-interface model

Figure 1: Structure of ITSs

Below is a description of several key components of ITSs related to the above structure that are beneficial for our discussion on flexible learning and highlight the advantages of ITSs over CMSs.

Progress Tracking

Firstly, ITSs use advanced models to track students' progress and assess their cognitive state. A component of this is knowledge tracing (KT) — a class of models designed to trace states of knowledge using interaction data (inputs during problem-solving exercises). The most prominent type is Bayesian knowledge tracing (BKT) (CORBETT & ANDERSON, 1994) and its variants. A more recent KT approach uses recurrent neural networks (RNN) and is called deep knowledge tracing (DKT) (PIECH et al., 2015). Most KT models rely on exercise tags and the results – whether the exercises were solved correctly or not – to learn to predict the outcome of future interactions. The clustering of students is another means of analyzing groups of students and estimating their cognitive state.

There have also been attempts to estimate the affective state of students using new models and data from wearable technology (SANO, 2016; WATANABE, MATSUDA, & YANO, 2013). Moreover, cognitive neuroscience attempts to understand aspects of learning that help to select the right cognitive model for ITS systems (GABRIELI, 2016; SARRAFZADEH, ALEXANDER, DADGOSTAR, FAN, & BIGDELI, 2008; REDCAY et al., 2010). ITSs also enable the collection of rich interaction data.

Content Generation

The second main advantage of advanced ITSs is that they can generate content automatically. We will consider examples of automatically generated content from my own ITS implementation, which deals with the application of ITSs in mathematics education. In the context of ITSs, several forms of content (exercises, theory sheets, etc.) can be generated automatically while taking account of different parameters, including the difficulty of exercises, the form of crucial aspects of exercises (such as the form of the parameter in an equation), the skills needed to solve exercises, and many other factors.

Instructional Aspects

In terms of instructional approaches, advanced ITSs allow for considerable flexibility (MA, ADESOPE, NESBIT, & LIU, 2014; POLSON & RICHARDSON, 2013; ANDERSON, BOYLE, & REISER, 1985). When it comes to enabling students to acquire skills and teaching them problem-solving techniques, educational institutions, instructors, and students can all benefit. This aspect, coupled with content generation above, indicates huge pedagogical potential, allowing for individual learning paths while providing institutions with a clear picture of the courses they offer. The instructor can monitor students in real-time and offer assistance as necessary while students benefit from access to an array of individualized learning materials.

4 Enhancing Flexible Learning Through ITSs

4.1 ITSs as an Extension of CMSs

From the outset, it is evident that ITSs far exceed CMSs in terms of functionality. In this paper, I am assuming ITSs, when implemented, include all the functions offered by CMSs, although ITSs suitable for application in learning institutions must satisfy this condition. Indeed, such systems have already been successful for many years in universities and schools (MA, ADESOPE, NESBIT, & LIU, 2014; KOEDINGER, ANDERSON, HADLEY, & MARK, 1997).

Most universities nowadays use some form of CMS to provide students with a degree of flexible learning. However, the question remains as to whether, in an era of artificial intelligence, the flexibility offered by CMSs accurately reflects the needs of students and provides solutions to the challenges currently faced by universities. This paper argues that although CMS-based progress in flexible learning is both positive necessary, greater benefit would lie in more advanced options in flexible learning related to content, assessment, and instructional approaches. Analogous to the CMS discussion in DE BOER & COLLIS (2005), the components of ITSs and their corresponding functionalities can be analyzed and related to the studied dimensions of flexible learning. The following section will focus on the dimensions from which the highest ITS gains might be expected in terms of flexibility. Figure 2 depicts the additional possibilities of commonly used dimensions.

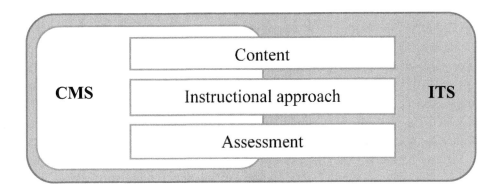

Figure 2: Relationship between CMSs and ITSs and extended dimensions content, instructional approach, and assessment

4.2   Content-, Assessment-, and Pedagogical Flexibility Through ITSs

Although flexible learning can exist without the application of technology, some features are not feasible unless advanced technologies such as ITSs are used. These aspects are crucial for pedagogical considerations and the efficacy of learning when considering any scenario other than for one-to-one tutoring. The terms "pedagogy" and "instructional approaches" are often used synonymously in the literature (e.g., COLLIS & MOONEN, 2002). The following sections discuss content, instructional approaches, and assessment in detail and outline how they are refined by ITSs.

Content

In the context of CMSs, the flexibility of content is discussed in all the relevant literature including LI & WONG (2018), DE BOER & COLLIS (2005), and COLLIS & MOONEN (2002). In the realm of ITSs, however, this aspect can be far more powerful. As already discussed, automatic generation of content is one of the essential features of advanced ITSs, and one particular case is highlighted here.

A student learning to solve linear equations may have problems tacking such a task for many different reasons. For a start, the type of linear equation might be too difficult, which can have a variety of causes. With access to ITSs, the student can let the computer program generate linear equations with specific properties and levels of difficulty (see Figure 3); automatic explanations, hints, and step-by-step solutions can be generated. Tasks can also be transformed from algebra exercises (for which the student must apply the usual rules until he or she arrives at a solution) to multiple-choice exercises at any stage in the problem-solving process (see Figure 5). Figure 4 shows an example of how ITSs help generate content fully automatically when entering the number of distinct complexity classes (i.e., number of different levels of difficulty) and the kind of parameters (e.g., integer coefficients or integers and rational numbers, etc.). The examples cited here are from my own implementation of ITSs.

Instructional Approaches

Flexibility in instructional approaches is considered more challenging to implement because of the additional workload for instructors and gaps between what students want and what instructors can provide (TUCKER & MORRIS, 2011). ITSs can help here by providing essential incentives as well as additional insights for instructors. Some authors conclude from their studies that flexibility is only desired by students in a small number of specific aspects (TUCKER & MORRIS, 2011). We would expect a very different outcome for the same dimensions in other settings. For instance, the application of ITSs in mathematics education offers new options to students, which are highly likely to be used and appreciated since they contain some of the features of human tutoring that have proved so efficient (HATTIE, 2008). Figure 4 depicts a learning mode in which the student can solve exercises step-by-step while receiving instructions in various forms, as well as immediate feedback. Figure 5 shows how, when encountering difficulty, a student can ask for a multiple-choice choice form of the same question.

Automatic and Dynamic Assessment

Another critical benefit of ITSs is the possibility of automatic grading and other forms of assessment. This gives the student the option of receiving ongoing feedback by self-testing with automatically generated tests and solving problems in an exercise-solving mode. Furthermore, the instructor can choose from a range of assessment options, allowing for a variety of subject-specific tests that vary in content and form. Obviously, this is only feasible in systems such as ITSs, which assist the instructor. Moreover, such systems give teachers the flexibility to decide on the amount of information and instruction provided to students.

Class of Complexity	Complexity	Problem	Solution	Hints
0	0.06	$7 \cdot x = 9 \cdot x$	$x = 0$	Simplification Left; Divide both sides by constant;
0	0.11	$-7 \cdot x = 8 \cdot (x - x)$	$x = 0$	Remove parenthesis: Use the associativity law; Divide both sides by constant;
0	0.13	$4 \cdot x = -7 - 7$	$x = -\frac{7}{2}$	Divide both sides by constant;
0	0.18	$x = 2 \cdot (-7 \cdot x + 2 \cdot x)$	$x = 0$	Adding elements + multiplication ; Divide both sides by constant;
1	0.25	$5 \cdot (8 + (7 + 5)) \cdot x = -x$	$x = 0$	Adding elements; Adding elements + multiplication ; Divide both sides by constant;
1	0.28	$-7 \cdot x = 7 \cdot (h - 6) \cdot x$	$x = 0$	Use the distributivity law: From l.h.s. to r.h.s.; Divide both sides by constant;
1	0.33	$4 \cdot (-3 + (-9 + 5) \cdot x) = 4$	$x = -1$	Adding elements + multiplication ; From l.h.s. to r.h.s.; Divide both sides by constant;
1	0.33	$5 \times 6 \cdot (\frac{6}{8} + (6 - 1)) \cdot x$	$x = \frac{10}{69}$	Adding elements; Adding elements + multiplication ; Divide both sides by constant;

Figure 3: Example of content generation with specific levels of difficulty and simple hints.

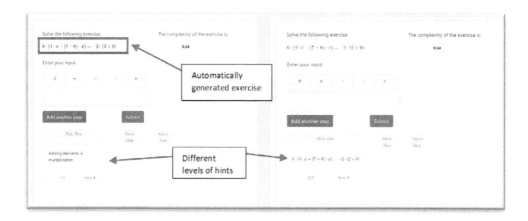

Figure 4: Showing hints of different types for given exercises. On the left, we see the presentation of a hint in words. By clicking on "Next," the same hint is highlighted in the equation.

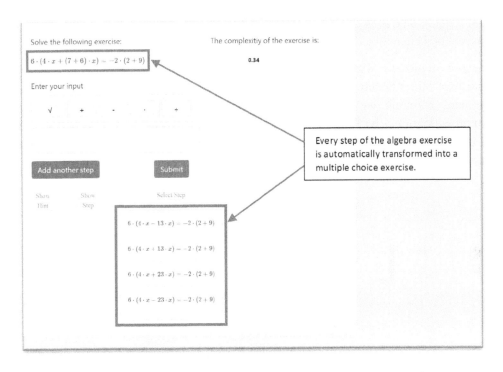

Figure 5: Transforming an exercise from an algebraic to a multiple-choice format

5 Traditional Higher Education and ITSs

There are many ways to utilize ITSs in higher education. The meta-analysis (MA, ADESOPE, NESBIT, & LIU, 2014) suggests that using ITSs could be as efficient as learning individually with a human tutor. It also stresses that ITSs should not be considered a replacement for other modes of instruction, but rather a complementary tool. In this section, I will briefly describe two scenarios likely to enhance learning and demonstrate the benefits of this flexibility with respect to the dimensions discussed above.

In the figure below, "L" stands for lecture and "E" for exercise class or lab. Dashed arrows indicate human input.

Figure 6 depicts the scenario in which an ITS is used only in exercise classes. The instructor of the lecture and the exercise class tutor can influence the ITS' working in many different ways, including determining the range of difficulty, topics covered, flexibility with respect to content, etc. In this model, the class has aspects of conventional exercises classes as well as interactions with the ITS. The students interacting with the ITS have all the features outlined in Section 4.

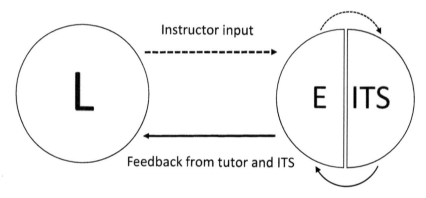

Figure 6: Traditional lecture and ITS-supported exercise class

Figure 7 shows a scenario in which an ITS is used in both lectures and exercise classes. The student interaction data in both settings are used to provide instructors and tutors with information related to the learning state of the students. The instructor can use the ITS in the lecture to ask the students to answer theoretical questions, solve quizzes or simple exercises, or work through a mathematical proof.

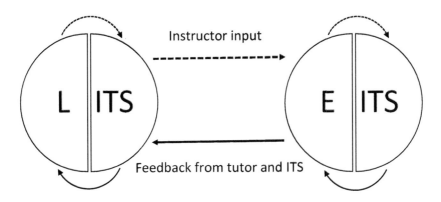

Figure 7: An ITS is used as part of the lecture and in the exercise class to support both students, instructors, and tutors

All data collected during the interaction between students, instructors, and tutors and ITSs are valuable for analyzing the effectiveness of flexible learning and will feed into future research.

6 Conclusion

Higher education institutions face competition from many online learning products and services, such as open online courses and other forms of learning in the private sector. ITSs, which enable personalized learning, dynamic assessment, and individual learning paths, could help overcome these challenges in combination with the traditional strengths of universities. However, ITSs are costly and rely on both technical and pedagogical specialists to implement models such as the two outlined above, while ensuring the system delivers all the requirements set by instructors and institutions. The new possibilities offered by ITSs raise many questions and require careful planning as well as constant analysis of the effect that these new teaching methods have on students.

7 Bibliography

Anderson, J., Boyle, C., & Reiser, B. (1985). Intelligent tutoring systems. *Science, 228(4698)*, 456-462.

Bates, T. (2001). *National strategies for e-learning in post-secondary education and training.* Paris: UNESCO/IIEP.

Casey, J., & Wilson, P. (2005). *A practical guide to providing flexible learning in further and higher education.* Glasgow: Quality Assurance Agency for Higher Education Scotland.

Chen, D. (2003). Uncovering the provisos behind flexible learning. *Educational Technology & Society, 6(2)*, 25-30.

Cole, J. A. (2007). *Using Moodle: Teaching with the popular open source course management system.* O'Reilly Media, Inc.

Collis , B., & Moonen, J. (2002). Flexible Learning in a Digital World. *Open Learning: The Journal of Open, Distance and e-Learning, 17(3)*, 217-230.

Collis, B., & Moonen, J. (2001). *Flexible learning in a digital world: Experiences and Expectations.* Routledge.

Collis, B., & Moonen, J. (2002). Flexible Learning in a Digital World. *Open Learning: The Journal of Open, Distance and e-Learning, 17(3)*, 217-230.

Collis, B., Vingerhoets, J., & Moonen, J. (1997). Flexibility as a key construct in European training: *British Journal of Educational Technology, 28(3)*, 199-218.

Corbett, A., & Anderson, J. (1994). Knowledge tracing: Modeling the acquisition of procedural knowledge. *User Modeling and User-Adapted Interaction, 4(4)*, 253-278.

De Boer, W., & Collis, B. (2005). Becoming more systematic about flexible learning: beyond time and distance. *ALT-J: Association for Learning Technology journal, 13(1)*, 33-48.

Gabrieli, J. (2016). The promise of educational neuroscience: Comment on Bowers. *Psychological Review, 123(5)*, 613-619.

Hattie, J. (2008). *Visible Learning: A Synthesis of Over 800 Meta-Analyses Relating to Achievement.* Routledge.

Irvine, J., & Cossham, A. (2011). Flexible learning: Reflecting on a decade of library and information studies programmes at the Open Polytechnic of New Zealand. *Library Review, 60*(8), 712-722.

Koedinger, K., Anderson, J., Hadley, W., & Mark, M. (1997). Intelligent tutoring goes to school in the big city. *International Journal of Artificial Intelligence in Education (IJAIED), 8*, 30-43.

Li, K., & Wong, B. (2018). Revisiting the Definitions and Implementation of Flexible Learning. In K. S. K. C. Li (Ed.), *Innovations in Open and Flexible Education* (pp. 3-13). Singapore: Springer Singapore.

Ling, P., Arger, G., Smallwood, H., Toomey, R., Kirkpatrick, D., & Bernard, I. (2001). *The effectiveness of models of flexible provision of higher education.* Canberra, Australia: Department of Education, Training and Youth affairs.

Liu, M., Lai, C., Su, Y., Huang, S., Chien, Y., Huang, Y., & Hwang, J. (2015). Learning with Great Care: The Adoption of the Multi-sensor Technology in Education. In *Sensing Technology: Current Status and Future Trends III* (pp. 223-242). Springer.

Ma, W., Adesope, O. O., Nesbit, J. C., & Liu, Q. (2014). Intelligent tutoring systems and learning outcomes: A meta-analysis. *Journal of educational psychology, 106(4), 901.*

Müller, C., Stahl, M., Alder, M., & Müller, M. (2018). Learning Effectiveness and Students' Perceptions in A Flexible Learning Course. *European Journal of Open, Distance and E-learning, 21(2)*, 44-52.

Nelson, T., & Dunlosky, J. (1991). When People's Judgments of Learning (JOLs) are Extremely Accurate at Predicting Subsequent Recall: The "Delayed-JOL Effect". *Psychological Science, 2*(4), 267-270.

Nkambou, R., Mizoguchi, R., & Bourdeau, J. (2010). *Advances in Intelligent Tutoring Systems.* Springer.

Workshop Report

Nwana , H. (1990). Intelligent tutoring systems: an overview. *Artificial Intelligence Review, 4,* 251-277.

Piech, C., Bassen, J., Huang, J., Ganguli, S., Sahami, M., Guibas, L., & Sohl-Dickstein, J. (2015). Deep Knowledge Tracing. *Neural Information Processing Systems (NIPS),* 505-513. MIT Press.

Polson, M., & Richardson, J. (2013). *Foundations of intelligent tutoring systems.* Psychology Press.

Rajamani, G. R. (2012). Automatically Generating Algebra Problems. In *AAAI.* Microsoft Research.

Redcay, E., Dodell-Feder, D., Pearrow, M., Mavros, P., Kleiner, M., Gabrieli, J., & Saxe, R. (2010). Live face-to-face interaction during fMRI: A new tool for social cognitive neuroscience. *Neuroimage, 50*(4), 1639-1647.

Sano, A. (2016). *Measuring college students' sleep, stress, mental health and wellbeing with wearable sensors and mobile phones.* MIT.

Sano, A., Taylor, S., & Picard, R. (2016). Associations between mental health and academic performance, sleep behaviors, trait and daily behaviors in college students. *Anxiety and Depression.*

Sarrafzadeh, A., Alexander, S., Dadgostar, F., Fan, C., & Bigdeli, A. (2008). How do you know that I don't understand?" A look at the future of intelligent tutoring systems. *Computers in Human Behavior, 24*(4), 1342-1363.

Tucker, R., & Morris, G. (2011). Anytime, anywhere, anyplace: Articulating the meaning of flexible delivery in built environment education. *British Journal of Educational Technology, 42(6),* 904-915.

Van de Brande, L. (1993). *Flexible and distance learning.* Chichester: John Wiley.

Watanabe, J., Matsuda, S., & Yano, K. (2013). Using wearable sensor badges to improve scholastic performance. *ACM Pervasive and Ubiquitous Computing (Ubicomp).*

Wong, L. H. (2011). What seams do we remove in mobile assisted Seamless Learning? A critical review of the literature. *Computers and Education, 57(4),* 2364-2381.

Author

Dr. Bledar FAZLIJA ‖ ZHAW School of Management and Law ‖ CH-8041 Winterthur

bledar.fazlija@zhaw.ch

Christian GLAHN[1] & Marion R. GRUBER (Zürich)

Flexibel in neuen Kontexten lernen

Zusammenfassung

Mobile Technologien sind im Alltag omnipräsent, werden jedoch in der Hochschullehre wenig genutzt. Ansätze wie Seamless Learning zeigen didaktische Potentiale und Herausforderungen bei der Integration mobiler Technologien in die Lehre auf. Damit diese Potentiale didaktisch ausgeschöpft werden können, müssen diese Ansätze operationalisiert werden. Dafür fehlen empirische Grundlagen über das Verhältnis von Flexibilität, Kontext, und Technologie in der Lehre. Dieser Beitrag untersucht geräteintrinsische Faktoren der Kontextualisierung und Flexibilisierung von Lehrangeboten im Rahmen einer mehrjährigen Seamless-Learning-Studie an einer Schweizer Universität.

Schlüsselwörter

Kontextualisierung, Unterrichtsplanung, Mobiles Lernen, Seamless Learning, Micro-Learning

---

[1] E-Mail: christian.glahn@zhaw.ch

Wissenschaftlicher Beitrag · DOI: 10.3217/zfhe-14-03/14

235

Christian Glahn & Marion R. Gruber

Flexible Learning in New Contexts

Abstract

Although mobile technologies are omnipresent in daily life, they are little used in university teaching. Approaches such as seamless learning show both the didactic potential and the challenges of integrating mobile technologies into teaching. In order to tap into the didactic potential of such technologies, these approaches must first be operationalized. However, there is currently only limited empirical knowledge about the relationship between flexibility, context, and technology. This paper analyses device-intrinsic factors of contextualisation and the flexibility of courses in a multi-year seamless learning study at a Swiss university.

Keywords

contextualization, educational design, mobile learning, seamless learning, microlearning

1 Ausgangslage

Mobile Technologien sind im Alltag allgegenwärtig. Viele unterschiedliche Geräte und Gerätetypen sind ständig im Alltag präsent. Dazu gehören neben Smartphones auch Laptops, portable Audioabspielgeräte wie MP3-Player, mobile Spielkonsolen, Fitness-Tracker und nicht zuletzt Smartwatches. Gemeinsam bilden die verschiedenen Gerätetypen den digitalen Lebensraum von Studierenden an Hochschulen (GLAHN & GRUBER, 2019). Die massive Durchdringung des Alltags durch mobile Technologien lässt sich in der praktischen Hochschullehre an Schweizer Hochschulen jedoch kaum nachvollziehen. Neben den technischen Herausforderungen bei der Integration unterschiedlicher Gerätetypen und Betriebssysteme, wird eines der Grundprobleme bei der Einbindung mobiler Technologien in die Lehre durch die immer wiederkehrende Frage nach dem besonderen Mehrwert des mobilen Lernens für die Hochschuldidaktik verdeutlicht. Gleichzeitig lässt sich das Ausklammern dieser Technologien aus der Hochschullehre sowohl aus methodologischer Sicht (FERREIRA et al., 2014; MÜLLER, OTERO, ALISSANDRAKIS & MILRAD, 2015; SPECHT, HANG & SCHNEIDER BARNES, 2019) als auch aus Studierendenperspektive (GLAHN, 2013B; GLAHN & GRUBER, 2019) nicht rechtfertigen.

Das Potential des mobilen Lernens ist die größere Flexibilisierung von Lernangeboten. Dabei haben sowohl die Portabilität der Geräte (NORRIS & SOLOWAY, 2012) als auch die Kontextualisierung der Lernangebote (CHAN et al., 2007) eine zentrale Bedeutung. Unsere Reise begann an der Universität Zürich mit dem Ziel, mobile Technologien in die bestehende Hochschullehre einzubinden und damit komplexe und flexible Lernangebote zu unterstützen (GLAHN, GRUBER & TARTAKOVSKI, 2015). Die besondere Herausforderung war nicht die Unklarheit wie diese neuen Technologien Lernprozesse beeinflussen und verändern (TRAXLER, 2007; SHARPLES, ARNEDILLO-SÁNCHEZ, MILRAD & VAVOULA, 2009), sondern dass Lehrpraktiken und -umgebungen aus Sicht des didaktischen Repertoires der Dozierenden bereits durch andere Technologien besetzt sind. Diese Perspektive wird durch die Konzepte und Ideen des Blended Learning beeinflusst, die das Campusstudium mit der flexiblen Fernlehre verbinden (ROVAI & JORDAN, 2004; GARRISON & VAUGHAN, 2008), indem sie analoge und digitale (online) Lernangebote getrennt halten (LAGE, PLATT & TREGLIA, 2000; YOUNG & PEROVIC, 2016; EVERS, 2018).

Die strikte Trennung von analogen und digitalen Lernangeboten im Blended Learning wird durch mobile Technologien (HWANG, LAI & WANG, 2015) und multimodale Ansätze (MORENO & MAYER, 2007) unschärfer. Damit die Möglichkeiten dieser neuen Technologien hochschuldidaktisch greifbar werden, ist ein Umdenken der didaktischen Gestaltungsprinzipien für flexibles Lernen notwendig. Unser Zugang zur Integration von mobilen Lernangeboten in die existierende Lehre basiert auf zwei zentralen Konzepten: dem *Seamless Learning* (KUH, DOUGLAS, LUND & RAMIN GYURMEK, 1994) und dem *Micro-Learning* (GLAHN, GASSLER & HUG, 2004).

Wong & Looi (2011) greifen das Konzept des *Seamless Learning* auf und verweisen auf die verbindende Funktion mobiler Technologien. Seamless Learning basiert auf der Beobachtung von Kuh und Kollegen (1994), dass sich die akademische Leistung von Studierenden in Hochschulen, die aktiv verschiedene Lernkontexte verbinden, signifikant besser ist als die Leistungen von Studierenden an Hochschulen, in denen eine solche Verbindung nicht erfolgt. Bei dieser Integration ermöglichen mobile Technologien durch ihre nahezu universelle Verfügbarkeit die Verbindung von formalen, nicht-formalen, informellen und inzidentellen Lernerlebnissen (WONG & LOOI, 2011; LOOI & SEOW, 2015).

Entsprechend verstehen wir Seamless Learning als didaktisches Gestaltungsprinzip, bei dem Kontexte im Zentrum der Lehrplanung und Curriculumsentwicklung stehen (LOOI & SEOW, 2015; GLAHN & GRUBER, 2018). In diesem Zusammenhang definieren wir „Kontext" sowohl als (a) technisch jegliche Information, die dazu verwendet werden kann, um eine Situation einer Entität zu charakterisieren (DEY, 2001), als auch (b) lerntheoretisch den „natürlichen" Rahmen, der jegliche Handlung situiert und aktiv beeinflusst (LAVE & WENGER, 1991). Kontext als didaktisches Gestaltungselement zu verstehen ist insofern neu, als dass Zugänge zur didaktischen Gestaltung entweder kontext-agnostisch sind (MERRIËNBOER & KIRSCHNER, 2013), Kontext als Bereitstellungsmodus (GAGNÉ, WAGER, GOLAS & KELLER, 2004; LAGE, PLATT & TREGLIA, 2000; EVERS, 2018; YOUNG & PEROVIC, 2016), als passiven Rahmen (ROMISZOWSKI, 1981; REIGELUTH, 1983; REIGELUTH & KELLER, 2009; REIGELUTH & CARR-CHELLMAN, 2009; KOPER, 2003; LAURILLARD, 2012) oder als soziale Interaktion (ENGESTRÖM, 2015; DILLENBOURG, 2015) interpretieren.

Den allgemeinen Modellen der didaktischen Gestaltung stehen Konzepte gegenüber, die Lernerlebnisse durch aktive technische und manuelle Interventionen auf Kontexte ausrichten (LUCKIN, 2010; SHARPLES, ARNEDILLO-SÁNCHEZ, MILRAD & VAVOULA, 2009; SPECHT, 2009; 2015; SO, TAN, WEI & ZHANG, 2015; SPECHT, HANG & SCHNEIDER BARNES, 2019) und sich im Kern auf die Prinzipien kontextsensitiver Systeme (DEY, 2001; ZIMMERMANN, LORENZ & OPPERMANN, 2007) beziehen. Die aktive Kontextualisierung operationalisiert Daten von Akteurinnen/Akteuren und der Umwelt, um Interaktionen an eine Situation anzupassen oder um Situationen zu verbinden (SPECHT, 2015). Solche aktive Kontextualisierung bezeichnen wir als *kontextsensitive Ansätze*.

Micro-Learning bezeichnet Lernprozesse, die aus kurzen und in sich abgeschlossenen Lernaktivtäten bestehen, die in andere Aktivitäten oder Prozesse mit geringen Störungen eingebettet werden können (GLAHN, GASSLER & HUG, 2004; GASSLER, HUG & GLAHN, 2004). Jede Micro-Learning-Aktivität besteht aus einer Aktivierungsphase, einer Durchführungsphase und einer Rückmeldephase. Eine Lernaktivität ist dann eine Micro-Learning-Aktivität, wenn sie nicht in Teilaktivitäten unterteilt werden kann, die wiederum alle Aktivitätsphasen umfassen (GLAHN, 2013a). Das zentrale didaktische Paradigma hinter Micro-Learning ist die Kontinuität der Interaktion mit dem Lerngegenstand durch sich wiederholende Lernsituationen (ibid.). In diesem Sinne unterstützt Micro-Learning den Spacing-Effekt (DEMPSTER, 1989), der für die Bildung (DEMPSTER, 1988; BJORK & ALLEN, 1970) und insbesondere für die Hochschullehre (BJORK, 1979) seit Langem bekannt ist.

Auf Grund des kompakten und in sich geschlossenen Interaktionsprozesses eignet sich Micro-Learning für mobile Lernangebote (KOVACHEV, CAO, KLAMMA & JARKE, 2011; MITSOPOULOU & GLAHN, 2013). Hierbei ist die grundsätzliche Kontextneutralität der einzelnen Lernaktivitäten wichtig, was durch einen kontextsensitiven Auswahlalgorithmus kompensiert werden kann.

2 Fragestellung

Wir verstehen Seamless Learning als didaktisches Gestaltungsprinzip (LOOI & SEOW, 2015), bei dem mobile Technologien Kontexte verbinden. Daraus ergibt sich die Frage, *ob kontextualisiertes Lernen an Hochschulen immer aktiv vorstrukturiert werden muss?* Dem steht die Idee des situierten Lernens gegenüber, die nahelegt, dass jedes Lernen prinzipiell kontextuell verankert ist (LAVE &

WENGER, 1991). Kontextsensitive Ansätze (LUCKIN, 2010; SPECHT, 2009) stellen eine enge Bindung zwischen Lernaktivitäten und Lernkontexten her.

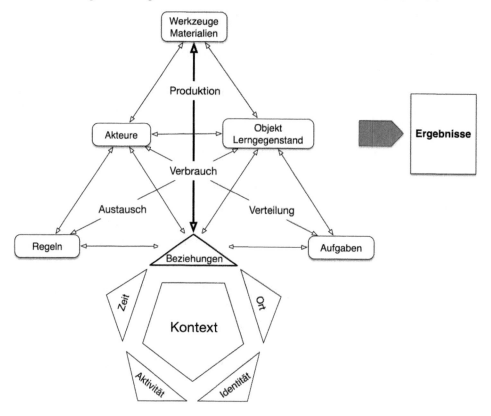

Abb. 1: Erweitertes Aktivitätstheoretisches Modell nach Engeström (2015) mit Erweiterungen nach Glahn & Gruber (2018), Hervorhebung der Werkzeug-Kontext-Beziehung für diesen Beitrag.

Die Forschungsfrage lässt sich aus der Verallgemeinerung von Engeströms (2015) Aktivitätstheorie ableiten. Engeströms Aktivitätstheorie entwickelt ein Aktivitäts-modell mit sechs Komponenten: „Akteure", „Objekte" im Sinn des Lerngegen-stands, „Werkzeuge und Materialien", „Regeln", „Gemeinschaft" und „Arbeitstei-

lung" (ENGESTRÖM, 2015; 2010). In diesem Modell (Abb.1) entspricht das Gestalten von Lernaktivitäten der Ausrichtung der einzelnen Aktivitätselemente zuei-
nander sowie der Konfiguration der Beziehungen zwischen den Elementen (EN-
GESTRÖM, 2010). Dabei bestimmen allein soziale Beziehungen der Gemeinschaft
den Rahmen einer Aktivität (ENGESTRÖM, 2015, S. 99ff). Sharples, Taylor und
Vavoula (2007) kritisieren, dass aus Sicht des mobilen Lernens der Rahmen einer
Aktivität nicht allein durch die Gemeinschaft bestimmt wird. In diesem Sinne,
sollte der Begriff der Gemeinschaft im Modell mit Kontext verallgemeinert werden
(ibid.). Das lässt sich aus der Modellierung kontextsensitiver Systeme ableiten
(GLAHN & GRUBER, 2018), in der Gemeinschaft als Ausprägung sozialer Beziehungen nur eine rahmengebende Kontextdimension ist (ZIMMERMANN, OP-
PERMANN & LORENZ, 2007).

Unsere Fragestellung bezieht sich auf das Spannungsfeld zwischen Werkzeugen
und Materialien auf der einen und dem Kontext auf der anderen Seite. Kontextsensitive Ansätze wurden umfassend im Zusammenhang mit der Entwicklung von
adaptiven Lernumgebungen untersucht (BRUSILOVSKY, 2001; SPECHT, 2009).
Stark vereinfacht entspricht das der Beziehung: „Wenn Kontext, dann Material
oder Werkzeug". Im Modell ist die Beziehung zwischen Werkzeugen/Materialien
und dem Kontext bi-direktional. Für die entgegengesetzte Beziehung: „Wenn
Werkzeug oder Material, dann Kontext" fehlen jedoch Studien für nicht-soziale
Kontextdimensionen.

Die umgekehrte Beziehung ausgehend vom Werkzeug-Element einer Aktivität ist
sowohl in expliziten kontextspezifischen Anforderungen an Lernaktivitäten als
auch in impliziten Anforderungen von Lernmaterialien. Die expliziten Anforderungen umfassen temporale, lokale, soziale sowie technische Voraussetzungen.
Diese Anforderungen bilden den *immanenten* Rahmen für den Einsatz von Lernmaterialen und Werkzeugen, wobei dieser strukturelle Rahmen eines Lernmaterials
und Werkzeugs bei didaktischen Interventionen berücksichtigt werden muss. Daneben vermuten wir strukturunabhängige Eigenschaften, die durch Akteurin-
nen/Akteure auf Materialien und Werkzeuge projiziert und diesen *intrinsisch* zugewiesen werden. Diese Eigenschaften könnten eine Kontextualisierung unabhän-

gig von didaktischen Entscheidungen der Lehrenden auslösen. Vor diesem Hintergrund lässt sich die oben gestellte Frage wie folgt umformulieren:

Existieren kontextualisierende Charakteristiken von Werkzeugen und Lernmaterialien, die unabhängig von der Gestaltung der Lehre sind?

Diese Fragestellung ist für die Entwicklung flexibler Lernangebote von besonderer Bedeutung, weil sie sich auf den Aufwand zur Neukonzeption von Blended-Learning-Angeboten bei der Einführung neuer Technologien bezieht.

3   Methode

Um unsere Forschungsfrage beantworten zu können, müssen die kontextuellen Abhängigkeiten einer Unterrichtsplanung *minimiert* werden. Falls es keine werkzeug- und materialgebundene implizite Kontextualisierung existiert, dann würden die Lernenden die entsprechenden Aktivitäten in den gleichen Kontexten durchführen, wie die nicht-minimalisierten Lernaktivitäten und die jeweils andere Aktivität ignorieren.

Wir überprüfen unsere Annahme mit Hilfe einer mobilen App, die in der gleichen Einführungsveranstaltung in den Kommunikationswissenschaften einer Deutsch-Schweizer Universität eingesetzt wurde. Die wöchentliche Lehrveranstaltung wurde bereits im Vorfeld mehrere Jahre im Blended-Learning-Format durchgeführt. Zum Zeitpunkt der Studie war das Lernmanagementsystem (LMS) nicht für die Verwendung mit mobilen Geräten optimiert. In der Veranstaltung wurden zu jeder Sitzung Vertiefungsmaterialien und Selbsttest online angeboten. Alle Online-Aktivitäten waren für die Studierenden freiwillig und nicht prüfungsrelevant.

Die Online-Selbsttests waren als Fragebatterien von Auswahlfragen gestaltet und bezogen sich auf das Verständnis der Lerninhalte. Diese Selbsttests standen den Studierenden im LMS für die eigenständige Durchführung zur Verfügung. Dadurch ergaben sich Variationen im Arrangement und in der Orchestrierung der Lernaktivitäten, die in Glahn & Gruber (2018) detailliert beschrieben wurden.

Die Fragen und Ergebnisse waren den Studierenden über den gesamten Verlauf der Lehrveranstaltung zugänglich. Die meisten Fragen in den Selbsttests wurden von früheren Lehrveranstaltungen übernommen. Für jeden Jahrgang haben die Dozierenden den Fragenbestand ergänzt.

Unsere Studie hat die mobile Lern-App *Mobler* (GLAHN, 2013a) für alternative Lernaktivitäten auf mobilen Geräten eingesetzt. Die App unterstützt Android- und iOS-Smartphones und implementiert den Micro-Learning-Ansatz. Die App ist für die mobile Durchführung von Test-Aufgaben aus einem LMS konzipiert. Dadurch wurde die Identität der digitalen Lerninhalte sichergestellt. Die Studierenden hatten zu jedem Zeitpunkt die Wahlfreiheit zwischen den Online-Selbsttests und dem mobilen Angebot, wobei sie beide Varianten zusammen verwenden durften.

Anders als die gebündelten Aufgaben der Selbsttest, stellt die App die Aufgaben unabhängig voneinander dar. Die Auswahl der nächsten Aufgabe erfolgt dabei automatische auf Basis der vorangegangenen Leistungen. Nachdem die Studierenden eine Aufgabe gelöst haben, stellt *Mobler* eine automatische Rückmeldung bereit (Abb. 2). Fragestellungen und Feedback werden durch die Dozierenden im LMS festgelegt.

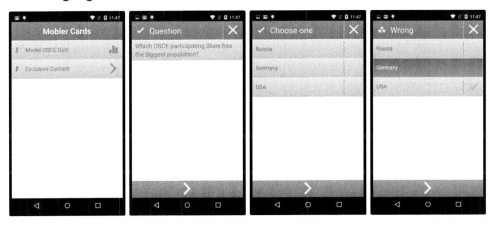

Abb. 2: *Mobler*-Bildschirme (Android Version) – von links nach rechts: Kursauswahl, Aktivierung, Durchführung/Beantwortung, Rückmeldung.

Wissenschaftlicher Beitrag

Mobler minimiert die kontextuellen Abhängigkeiten durch die folgenden Funktionen: Asynchrone Datensynchronisation, Isolation einzelner Aufgaben und pseudozufällige Aufgabenauswahl, keine Erinnerungsfunktion. Dadurch wird der Aktivitätskontext auf den umgebenden Kurs bzw. das Thema sowie die aktuelle Aufgabe reduziert. Durch den asynchronen Datenaustausch werden die Interaktionen von Verbindungsanforderungen entkoppelt. Dadurch können die Studierenden Lernaktivitäten auch ohne Internet-Verbindung jederzeit beginnen und beenden.

Unsere Studie wurde im Rahmen der regulären Lehre in fünf aufeinanderfolgenden Jahrgängen in Form von Designexperimenten (COLLINS, JOSEPH & BIELACZYC, 2004; EDELSON, 2001) gemeinsam mit den Dozierenden der Lehrveranstaltung durchgeführt. Die Ausgangslage und die Rahmenbedingungen der Lehrveranstaltungen erlaubten keine kontrollierten Untersuchungsbedingungen. Stattdessen führten wir die Untersuchung als Feldstudie mit fünf Durchläufen durch.

Mit einem Fragebogen wurde die wahrgenommene Nutzung der App in verschiedenen Kontexten erhoben. Der Fragebogen umfasst Fragen zur Technologieakzeptanz, zum Technologiebesitz und -zugang, zur mobilen Mediennutzung, zur Akzeptanz der *Mobler*-App sowie zu den Nutzungskontexten der App (GLAHN, GRUBER & TARTAKOVSKI, 2015). Die Erhebung erfolgte im Rahmen der Lehrevaluation nach Abschluss der Lehrveranstaltung, wodurch die Repräsentativität der Stichprobe nicht direkt bestimmbar ist.

Zur Analyse der Nutzungskontexte wurden fünf allgemeine Kontexte unterschieden: «zu Hause», «Unterwegs (z.B. im Zug oder der Tram)», «in der Arbeit», «in der Universität/in der Bibliothek», sowie «in der Freizeit (z. B. beim Treffen mit Freundinnen/Freunden)». Diese Kontexte wurden gewählt, um die allgemeine Studiensituation abzubilden. Zur Bestimmung der anwendungsspezifischen und kontextbezogenen Smartphone-Nutzung sowie zur Nutzung der *Mobler*-App wurde die gleiche 6-stufige Likert-Skala mit den Stufen „nicht zutreffend" (0), „gar nicht" (1), „seltener als monatlich" (2), „monatlich" (3), „wöchentlich" (4), „täglich oder öfter" (5) verwendet.

Zur Akzeptanz und zur Integration der App wurden 20 Aussagen mit einer 6-stufigen Likert-Skala gestellt. Die Skala umfasste die folgenden Abstufungen: „trifft gar nicht zu" (1), „trifft meistens nicht zu" (2), „trifft eher nicht zu" (3), „trifft eher zu" (4), „trifft meistens zu" (5) und „trifft auf jeden Fall zu" (6). Im Folgenden werden nur die Aussagen „Die *Mobler*-App ist eine sinnvolle Ergänzung zu OLAT-. bungsfragen" und „Die *Mobler*-App könnte OLAT-Übungsfragen ersetzen" diskutiert, weil sie sich direkt auf die Unterschiede der mobil und online angebotenen Lernaktivitäten beziehen.

4 Ergebnisse

Insgesamt haben 332 von 1745 Studierenden an der Befragung teilgenommen (s. Tabelle 1). In allen Jahrgängen hatten alle Studierenden ein eigenes Smartphone, wobei die Teilnehmenden für jeden Kontext angaben, ihre Smartphones täglich in diesem Kontext zu verwenden. Die Nutzungsfaktoren wurden zum Vergleich der Jahrgänge herangezogen. Die nicht signifikanten Varianzen zwischen den Kohorten verweisen indirekt auf die Repräsentativität der Stichprobe.

Auf die Frage zu den Nutzungskontexten der App, antworteten die Studierenden überwiegend, *Mobler* „zu Hause" und „unterwegs" zu nutzen. Die anderen Kontexte waren unabhängig vom Jahrgang deutlich weniger relevant (Abb. 4). Während der Kontext „zu Hause" mit den bestehenden Angeboten deckungsgleich ist, ist die deutliche Verwendung von Nahverkehrsreisezeiten als Lernkontext neu. Die geringe Verwendung am Arbeitsplatz spiegelt die Erwerbstätigkeit der Studierenden in dieser Studienphase wider. Obwohl die Studierenden berichteten, die App regelmäßig zu nutzen, blieb die Verwendung unter anderen Nutzungsformen des Smartphones wie Texting oder Photo- und Video-Sharing (Abb. 3).

Abbildung 4 zeigt für den Jahrgang 2018 eine verstärkte Verwendung der *Mobler*-App auf dem Campus. Das lässt sich aus den vorhandenen Informationen nur bedingt mit unseren Daten erklären, weil das didaktische Design der Lehrveranstaltung, die Studienorganisation und der räumliche Rahmen unverändert blieben. Nur die intensivere Verwendung der App der Kohorte blieb als Erklärung (s. Tabelle 1). Eine ANOVA zwischen den Jahrgängen hat jedoch keine signifikanten Unterschiede zur Nutzungsintensität ergeben (p = .074).

Tab. 1: Eingeschriebene Studierende und *Mobler*-Nutzung per Jahrgang

Jahrgang	2014	2015	2016	2017	2018
Eingeschriebene Studierende	410	343	323	342	327
Mobler Nutzungsrate	74%	83.9%	84.8%	84.8%	87.7%
Mobler min. wöchentliche Nutzung	32%	51.6%	44.1%	47.5%	43.1%
Mobler min. tägliche Nutzung	24%	26.9%	30.5%	27.1%	36.9%
Fragebogenrücklauf	12%	27%	18%	17%	20%

Auf die Frage, ob *Mobler* die Online-Selbsttest ersetzen könne, waren die Antworten auf der 6-stufigen Likert-Skala eher ablehnend ($\mu < 4.0$) (Tabelle 2). Die Antworten der Jahrgänge wurden mit einer ANOVA verglichen, wobei wir keine signifikanten Unterschiede zwischen den Jahrgängen identifizieren konnten (p = 0.46). Die Kontrollfrage, ob die App die Selbsttest sinnvoll ergänze, stimmten die Teilnehmenden auf der gleichen Skala zu ($\mu > 4.0$). Diese Zustimmung nahm jedoch über die Jahrgänge kontinuierlich ab. Diese Entwicklung weist signifikante Unterschiede zwischen den Kohorten auf (p = 0.0053). Wir vermuten, dass Ursache für diese Entwicklung in der kontinuierlichen Entwicklung der didaktischen Gesamtkonzepts liegt. Die Ergebnisse sind in Tabelle 2 dargestellt.

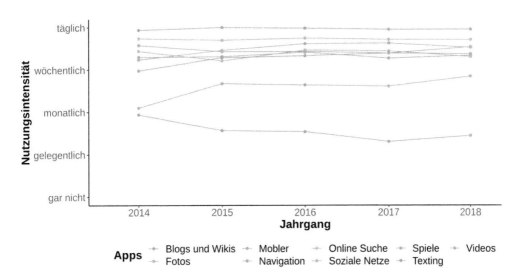

Abb. 3: Nutzungsintensität anderer App Kategorien im Vergleich zur *Mobler*-App

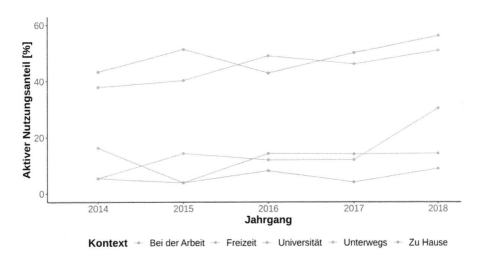

Abb. 4: Anwendungskontexte der *Mobler*-App, per Jahrgang.

Tab. 2: Gegenüberstellung: App als sinnvolle Ergänzung der Selbsttests und Selbsttests mit App ersetzen.

Jahrgang	n	Die *Mobler*-App ist eine sinnvolle Erg. nzung zu OLAT-Übungsfragen		Die *Mobler*-App könnte OLAT-Übungsfragen ersetzen.	
		Mittelwert μ	Stdabw.	Mittelwert μ	Stdabw.
2014	50	5.11	1.33	3.37	1.98
2015	93	4.88	1.24	3.78	1.75
2016	60	4.49	1.46	3.92	1.69
2107	59	4.46	1.60	3.37	1.88
2018	65	4.02	1.99	3.59	1.85

5 Implikationen für das Flexible Lernen an Hochschulen

Mit Bezug auf unsere Fragestellung zeigen unsere Daten deutlich, dass kontextualisierende Eigenschaften von mobilen Apps existieren, die unabhängig von der eigentlichen didaktischen Gestaltung sind. Die Nutzungskontexte der mobilen App überlagern sich nur im Kontext „zu Hause" mit denen der ursprünglichen Selbsttests. Ansonsten haben die beiden Zugänge einen eigenen Anwendungsbereich. Weil dieser Effekt nicht durch eine aktive Kontextualisierung erfolgen konnte, deuten unsere Ergebnisse darauf hin, dass die Annahme eines konstanten und passiven Kontexts zu verwerfen ist.

Unsere Daten zeigen, dass diese kontextualisierenden Eigenschaften den Studierenden eine größere Flexibilisierung und Erweiterung ihrer Lernumgebung ermöglichen, was von den Teilnehmenden konsistent positiv bewertet wurde. Weil diese Kontextualisierung nicht explizit in der Unterrichtsplanung verankert ist, deutet unsere Studie an, dass mobile Apps in der Hochschullehre nicht nur eine alternative Bereitstellungsform zu bestehenden Infrastrukturen darstellen, sondern eine eigenständige Funktion bei der Überbrückung von Lernkontexten und für die Flexibilisierung von Lernerlebnissen haben.

Ein entscheidender Faktor unseres Ansatzes ist, dass die erhobenen Effekte ohne Anpassung der didaktischen Konzeption und der Lehrinhalte (Aufgaben) ausschließlich durch eine Neuorganisation der Inhalte mit einer mobilen App erreicht wurden. Das bedeutet, dass flexibles Lernen im Sinne des Seamless Learning nicht zwingend mit erheblichem technischem Aufwand verbunden sein muss, sondern auch durch neue Arrangements von Funktionen und Werkzeugen über verschiedene Gerätetypen hinweg erreichbar ist.

6 Literaturverzeichnis

Bailey, C., Zalfan, M. T, Davis, H. C., Fill, K. & Conole, G. (2006). Panning for Gold: Designing Pedagogicallyinspired Learning Nuggets. *Educational Technology & Society*, 9(1), 113-122.

Bjork, R. A. (1979). Information-Processing Analysis of College Teaching. *Educational Psychologist*, 14, 15-23.

Bjork, R. A. & Allen, T. W. (1970). The Spacing Effect: Consolidation of Differential Encoding? *Journal of Verbal Learning and Verbal Behavior*, 9, 567-572.

Brusilovsky, P. (2001). Adaptive Hypermedia. *User Modeling and User-Adapted Interaction*, 11, 87-110.

Carter, P. (2012). An experience report: On the use of multimedia pre-instruction and just-in-time teaching in a CS1 course. *In Proceedings of the 43rd ACM* *technical symposium on Computer Science Education* (S. 361-366). New York, USA: ACM.

Chan, T.-W., Roschelle, J., Hsii, S., Kinshuk et al. (2007). One-to-one technology-enhanced learning: An opportunity for global research collaboration. Research and Practice in Technology Enhanced Learning, *World Scientific Publishing*, 1(1), 3-29.

Collins, A., Joseph, D. & Bielaczyc, K. (2004). Design research: theoretical and methodological issues. *Journal of the Learning Sciences*, 13(1), 15-42.

Dempster, F. N. (1988). The spacing effect: A case study in the failure to apply the results of psychological research. *American Psychologist*, 43(8), 627-634.

Dempster, F. N. (1989). Spacing effects and their implications for theory and practice. *Educational Psychology Review*, 1(4), 309-330.

Dey, A. K. (2001). Understanding and using context. *Personal and Ubiquitous Computing*, 5(1), 4-7.

Dillenbourg, P. (2015). *Orchestration graphs: modeling scalable education*. Lausanne: EPFL Press.

Ebbinghaus, H. (1885). *Über das Gedächtnis. Untersuchungen zur experimentellen Psychologie.* Leipzig: Dunker & Humblot. https://ia802701.us.archive.org/–19/–items/–berdasgedchtnis01ebbigoog/-berdasgedchtnis01ebbigoog.pdf

Edelson, D. C. (2001). Design research: what we learn when we engage in design? *Journal on the Learning Sciences*, 11(1), 105-121.

Engeström, Y. (2010). From Teams to Knots: Activity-theoretical Studies of Collaboration and Learning at Work (Rev. Hrsg.). New York, USA: Cambridge University Press.

Engeström, Y. (2015). *Learning by expanding: an activity-theoretical approach to developmental research* (Second Edition). New York: Cambridge University Press.

Evers, K. (2018). Breaking barriers with building blocks: attitudes towards learning technologies and curriculum design in the ABC curriculum design workshop. *ERUDITIO*, 2(4), 70-85.

Ferreira, D., Goncalves, J., Kostakos, V., Barkhuus, L. & Dey, A. K. (2014). Contextual experience sampling of mobile application micro-usage. In *Proceedings of the 16th International Conference on Human Computer Interaction with Mobile Devices and Services* (S. 91-100). New York: ACM.

Gagne, R. M., Wager, W. W., Golas, K. & Keller, J. M. (2004). *Principles of instructional design*, 5th Edition. Orlando: Cengage Learning.

Garrison, D. R. & Vaughan, N. D. (2008). *Blended learning in higher education: frameworks, principles, and guidelines.* San Francisco: Jossey-Bass.

Glahn, C. (2013a). Using the ADL Experience API for mobile learning; sensing, informing, encouraging, orchestrating. Proceedings of the 7th International Conference on Next Generation Mobile Apps, Services and Technologies. Prague, Czech Republic, 25-27 Sep. 2013.

Glahn, C. (2013b). *Mobile Learning in Security and Defense; Foundations, Technologies, Approaches and Challenges.* ISN Report. Zürich, Switzerland: ETH Zürich.

Glahn, C., Gassler, G. & Hug, T. (2004). Integrated learning with micro activities during access delays. *Proceedings of the AACE ED-MEDIA 2004;* Lugano, Switzerland: 21.-26.06.2004; Vol 5; 3873-3876.

Glahn, C. & Gruber, M. R. (2018). Mobile Blended Learning. In C. de Witt & C. Gloerfeld (Hrsg.), *Handbuch Mobile Learning* (S. 303-320). Heidelberg et al.: Springer.

Glahn, C. & Gruber, M. R. (2019). The Multiple Apps and Devices of Swiss Freshmen University Students. In C. Glahn, R. Power, E. Tan & M. Specht (Hrsg.), *Future Learning through Experiences and Spaces, Proceedings of the 18th World Conference on Mobile and Contextual Learning* (S. 9-16). Delft: IAMLearn.

Glahn, C., Gruber, M. R. & Tartakovski, O. (2015). Beyond delivery modes and apps: a case study on mobile blended learning in higher education. In G. Conole, T. Klobučar, C. Rensing, J. Konert & É. Lavoué (Hrsg.), *Design for teaching and learning in a networked world* (S. 127-140). Heidelberg et al.: Springer.

Gassler, G., Hug, T. & Glahn, C. (2004). Integrated micro learning; an outline of the basic method and first results. *Interactive Computer Aided Learning*, 4, 1-7.

Wissenschaftlicher Beitrag

Hwang, G.-J., Lai, C.-L. & Wang, S. Y. (2015). Seamless flipped learning: a mobile technology enhanced flipped classroom with effective learning strategies. *Journal of Computers in Education*, 2(4), 449-473.

Koper, R. (2003). Combining re-usable learning resources and services to pedagogical purposeful units of learning. In A. Littlejohn (Hrsg.), *Reusing Online Resources: A Sustainable Approach to eLearning* (S. 46-59). London: Kogan Page.

Kovachev, D., Cao, Y., Klamma, R. & Jarke, M. (2011). Learn-as-you-go: New Ways of Cloud-Based Micro-learning for the Mobile Web. In H. Leung, E. Popescu, Y. Cao, R. W. H. Lau, W. Nejdl (Hrsg.), *Advances in Web-Based Learning* - ICWL 2011. ICWL 2011. Lecture Notes in Computer Science, Bd. 7048 (S. 51-61). Berlin, Heidelberg: Springer.

Kuh, G. D., Douglas, K. B., Lund, J. P. & Ramin Gyurmek, J. (1994). *Student learning outside the classroom; transcending artificial boundaries* (ASHE-ERIC Higher Education Report No. 8). Washington, DC: The George Washington University; School of Education and Development.

Lage, M. J., Platt, G. J. & Treglia, M. (2000). Inverting the classroom: a gateway to creating an inclusive learning environment. Journal of Economic Education, 31(1), 30-43.

Laurillard, D. (2012). *Teaching as a design science, building pedagogical patterns for learning and technology*. Abingdon: Routledge.

Lave, J. & Wenger, E. (1991). *Situated learning; legitimate peripheral participation*. Cambridge: Cambridge University Press.

Looi, C.-K. & Seow, P. (2015). Seamless Learning from Proof-of-Concept to Implementation and Scaling-Up: A Focus on Curriculum Design. In L.-H. Wong., M. Milard & M. Specht. (Hrsg.), *Seamless learning in the age of mobile connectivity* (S. 419-438). Singapore: Springer.

Luckin, R. (2010). *Re-designing learning contexts: technology-rich, learner-centred ecologies*. Oxon, UK and New York: Routledge.

Merriënboer, J. J. G. van & Kirschner, P. A. (2013). *Ten steps to complex learning: A systematic approach to four-component Instructional Design* (2nd edition). New York: Routledge.

Mitsopoulou, E. & Glahn, C. (2013). Interoperability issues and solutions for integrating Mobile Micro Learning with Learning Management Systems. In *Proceedings of the Microlearning 7.0 Conference.* Krems, Austria: 25-26 Sep. 2013.

Moreno, R. & Mayer, R. (2007). Interactive Multimodal Learning Environments. *Educational Psychology Review*, *19*(3), 309-326.

Müller, M., Otero, N., Alissandrakis, A. & Milrad, M. (2015). Increasing user engagement with distributed public displays through the awareness of peer interactions. In *Proceedings of the 4th International Symposium on Pervasive Displays* (S. 23-29). New York, NY: ACM.

Norris, C. A. & Soloway, E. (2012). The Opportunity to Change Education Is, Literally, At Hand. *Educational Technology*, *52*(2), 60-63.

Reigeluth, C. M. (1983). Instructional design: what is it and why is it? In C. M. Reigeluth (Hrsg.), *Instructional-design theories and models: an overview of their current status* (S. 3-36). New York: LEA.

Reigeluth, C. M. & Carr-Chellman, A. A. (2009). Situational principles of instruction. In C. Reigeluth & A. A. Carr-Chellman (Hrsg.), *Instructional-design theories and models: building a common knowledge base*, Vol. III (S. 57-72). New York: Routledge.

Reigeluth, C. M. & Keller, J. B. (2009). Understanding instruction. In C. Reigeluth & A. A. Carr-Chellman (Hrsg.), *Instructional-design theories and models: building a common knowledge base*, Vol. III (S. 27-40). New York: Routledge.

Romiszovski, A. J. (1981*). Designing instructional systems, decision making in course planning and curriculum design.* London: RoutledgeFalmer

Rovai, A. P. & Jordan, H. M. (2004). Blended learning and sense of community: a comparative analysis with traditional and fully online graduate courses. *International Review of Research in Open and Distributed Learning*, 5(2).

Wissenschaftlicher Beitrag

Sharples, M., Arnedillo-Sánchez, I., Milrad, M. & Vavoula, G. (2009). Mobile learning. Small devices, big issues. In N. Balacheff, S. Ludvigsen, T. de Jong, A. Lazonder & S. Barnes (Hrsg.), *Technology-enhanced learning*. Dordrecht: Springer.

Sharples, M., Taylor, J. & Vavoula, G. (2007). A Theory of Learning for the Mobile Age. In R. Andrews & C. Haythornthwaite (Hrsg.), *The Sage Handbook of Elearning Research* (S. 221-247). Los Angeles et al.: Sage publications.

So, H. J., Tan, E., Wei, Y. & Zhang, X. J. (2015). What makes the design of mobile learning trails effective: A retrospective analysis. In L-H. Wong., M. Milard & M. Specht. (Hrsg.), *Seamless learning in the age of mobile connectivity* (S. 335-352). Singapore: Springer.

Specht, M. (2009). *Learning in a technology enhanced world: context in ubiquitous learning support.* Inaugural Address. September 11, 2009, Heerlen, The Netherlands: Open University in The Netherlands.

Specht, M. (2015). Connecting learning contexts with ambient information channels. In L.-H. Wong, M. Milrad & M. Specht (Hrsg.), *Seamless learning in the age of mobile connectivity* (S. 121-140). Singapore et al.: Springer.

Specht, M., Hang, L. B. & Schneider Barnes, J. (2019). Sensors for Seamless Learning. In C.-K. Looi, L.-H. Wong, C. Glahn & S. Cai (Hrsg.), *Seamless Learning, Perspectives, Challenges and Opportunities* (S. 141-152). Singapore: Springer Nature.

Traxler, J. (2007). Defining, discussing and evaluating mobile learning: the moving finger writes and having writ... The International Review of Research in Open and Distributed Learning, 8(2).

Wong, L.-H. & Looi, C.-K. (2011). What seams do we remove in mobile-assisted seamless learning? A critical review of the literature. Computers & Education, 57(4), 2364-2381.

Young, C. & Perovic, N. (2016) Rapid and creative course design: as easy as ABC? Procedia – Social and Behavioral Sciences, 228, 390-395.

Zimmermann, A., Lorenz, A. & Oppermann, R. (2007). An operational definition of context. Modeling and Using Context, 558-571.

ZFHE Jg. 14 / Nr. 3 (November 2019) S. 235-255

Autor/in

Dr. Christian GLAHN ‖ Züricher Hochschule für Angewandte Wissenschaften, Institut für Angewandte Simulation ‖ Grünetalstrasse 14, CH-8820 Wädenswil

www.zhaw.ch/ias

christian.glahn@zhaw.ch

Mag. Dr. Marion R. GRUBER ‖ Universität Zürich, Philosophische Fakultät, Digitale Lehre und Forschung ‖ Rämistrasse 69, CH-8001 Zürich

www.dlf.uzh.ch

marion.gruber@uzh.ch

Karin LANDENFELD[1], Jonas PRIEBE & Malte ECKHOFF
(Hamburg)

I-Learning – individualisiertes Lernen im Übergang von der Schule in die Hochschule

Zusammenfassung

Ein individualisiertes und flexibles Lernen ist für den Übergang von der Schule in die Hochschule eine wichtige Grundlage, um alle Studierenden mit ihren verschiedenen Schulbildungen und heterogenen Vorkenntnissen im Hinblick auf ihren gewählten Studiengang gezielt bei der Vorbereitung auf das Studium zu unterstützen. In diesem Beitrag stellen wir die videobasierte interaktive Online-Lernumgebung viaMINT mit ihren verschiedenen Möglichkeiten zur Auffrischung der heterogenen Schulkenntnisse mittels „I-Learning: integrierendes, individualisiertes, intelligentes, interaktives E-Learning" vor. Weiterhin erläutern wir die flexible Verwendbarkeit im Selbststudium, über eine Integration im Rahmen von Blended-Learning- oder Inverted-Classroom-Szenarien oder als Ergänzungsmaterial vor sowie während des Semesters.

Schlüsselwörter

I-Learning, E-Learning, MINT-Vorkurse, Online-Lernumgebung, Lernvideos

---

[1] E-Mail: karin.landenfeld@haw-hamburg.de

Werkstattbericht · DOI: 10.3217/zfhe-14-03/15

I-Learning – Flexible learning during the transition from school to higher education

Abstract

Individualized and flexible learning is an important basis for the transition from school to higher education. This enables students with different educational backgrounds and existing knowledge frameworks to prepare themselves for their individual course of study in a very focussed way. This paper presents the video-based interactive online learning environment viaMINT, which offers a variety of ways to refresh school knowledge by means of "I-Learning" (integrated, individualized, intelligent, interactive e-learning). Furthermore, we explain its flexible usage in self-study, both when integrated within blended learning or inverted classroom scenarios and when used to provide supplementary material before and during the semester.

Keywords

I-Learning, eLearning, preliminary courses for STEM fields, online learning environment, learning videos

1   Einleitung und Motivation

Die Studieneingangsphase bildet für viele Studienanfängerinnen und Studienanfänger eine besondere Herausforderung, in der sie sich zum einen an das eigenverantwortliche, selbstorganisierte Lernen gewöhnen und zum anderen gegebenenfalls fehlende schulische Fachkenntnisse aufarbeiten müssen. Diese fehlenden Kenntnisse zu erkennen und zielgerichtet vor dem Studium oder während des ersten Semesters aufzuarbeiten, ist eine zusätzliche Herausforderung.

Zur Unterstützung des Studieneinstiegs bieten viele Hochschulen vielfältig gestaltete, gesonderte Programme an, die von Mathematik-Vorkursen bis hin zu speziellen Studieneinstiegsprogrammen mit einer Streckung der Module in den ersten

Semestern reichen, um Zeit für die Aufarbeitung der fehlenden Vorkenntnisse zu gewinnen. Eine Zusammenstellung von Studienmodellen individueller Geschwindigkeit und ihrer Wirkung ist in einem Projektbericht von Mergner, Ortenburger und Vöttiner zu finden (MERGNER, ORTENBURGER & VÖTTINER, 2015).

Zur Unterstützung werden häufig auch digitale Lernplattformen herangezogen, die dann wirksam eingesetzt werden können, wenn sie den heterogenen Vorkenntnissen, den verschiedenen Lerngeschwindigkeiten und individuellen Randbedingungen gerecht werden. Es ist jedoch zu beobachten, dass digitale Lernumgebungen nicht automatisch eine Lösung bilden, sondern häufig für ein zielgerichtetes Lernen eine Einbettung in einen Lernkontext, z. B. einen Vorkurs oder eine andere Lehrveranstaltung, hilfreich ist. Durch die Einbettung sind die Studierenden nicht auf ein reines Selbststudium und die eigene Motivation angewiesen.

Für einen unterstützenden Einsatz einer digitalen Lernumgebung ist es wichtig, dass diese verschiedenen Anforderungen genügt, insbesondere sind Individualität, Intelligenz, Interaktivität und Flexibilität im Einsatz wichtig. Dieses stellt auch Zeitler in seinem Artikel (ZEITLER, 2016) heraus, in dem er den Begriff I-Learning als integrierendes, individualisiertes, intelligentes E-Learning einführt und die Notwendigkeit begründet, dass im E-Learning mehr zu leisten ist als eine reine digitale Distribution von Lernmaterialien.

In dem folgenden Beitrag wird die videobasierte interaktive Online-Lernumgebung viaMINT mit ihren verschiedenen Facetten vorgestellt und im Hinblick auf ein I-Learning betrachtet. Weiterhin werden die verschiedenen Lehr- und Lernszenarien vorgestellt, in denen die Online-Lernumgebung flexibel eingesetzt werden kann.

2 Individualisiertes Lernen in der Online-Lernumgebung viaMINT

viaMINT ist eine videobasierte, interaktive und fächerintegrierte Online-Lernumgebung zur Vorbereitung auf das Studium, in der die Studienanfängerinnen und -anfänger ihre Vorkenntnisse in den Fächern Mathematik, Physik, Chemie und Informatik auffrischen können. Durch dieses zusätzliche Lernangebot soll ein guter Start ins Studium gelingen und ein frühzeitiger Studienabbruch vermieden werden.

viaMINT wird seit 2012 an der Hochschule für Angewandte Wissenschaften (HAW) Hamburg entwickelt und wurde im Rahmen des Qualitätspakt Lehre vom Bundesministerium für Bildung und Forschung (BMBF) sowie der Behörde für Wissenschaft, Forschung und Gleichstellung (BWFG) Hamburg gefördert. Eine erste Veröffentlichung zu viaMINT mit den ersten Konzepten für ein videobasiertes interaktives Lernen im Vorkursbereich ist 2014 erschienen (LANDENFELD, GÖBBELS, HINTZE & PRIEBE, 2014). Seither sind umfangreiche Weiterentwicklungen, insbesondere im Hinblick auf ein individuelles flexibles Lernen und eine Integration der Fächer Mathematik, Physik, Chemie und Informatik umgesetzt worden.

2.1 I-Learning: Ziele und Möglichkeiten

Die Online-Lernumgebung viaMINT möchte mit ihrem Konzept und ihrer Umsetzung das individuelle und flexible Lernen unterstützen, so dass alle Studierenden die für ihren gewählten Studiengang benötigten schulischen Kenntnisse zielgerichtet aufarbeiten können. viaMINT möchte den Studierenden damit den Weg vom E-Learning zum I-Learning möglich machen: individuell – intelligent – integriert – interaktiv. Diese Begriffe finden sich in den vielen verschiedenen Zielsetzungen von viaMINT wieder.

2.1.1 Individualität

Fehlende Kenntnisse über die Anforderungen und notwendigen Vorkenntnisse im gewählten Studiengang sowie eine fehlende Selbsteinschätzung bilden häufig bereits das erste Problem beim Studieneingang, wodurch die angebotenen Vorkurse an den Hochschulen häufig nicht immer in ausreichendem Maße besucht werden.

viaMINT möchte den heterogenen Eingangsvoraussetzungen der Studierenden sowie dem individuellen Lernverhalten gerecht werden. Die Studierenden sollen ihr Lernen passend zu ihren eigenen Bedarfen gestalten können. Insbesondere sollen die individuellen Lerngeschwindigkeiten mit gewünschten und notwendigen Wiederholungsmöglichkeiten unterstützt werden, aber auch ein schnelleres Voranschreiten innerhalb der Lerninhalte soll möglich sein. Dieses wird in viaMINT durch das videobasierte interaktive Konzept und der Bereitstellung der Lerninhalte in Lernsequenzen ermöglicht (vgl. Kapitel 2.2.1). Zusätzlich werden innerhalb von viaMINT verschiedene Lernwege unterschiedlicher Tiefe und Länge angeboten (vgl. Kapitel 2.2.2).

viaMINT möchte jedem Studierenden die Möglichkeit bieten, die studiengangsrelevanten Vorkenntnisse des individuell gewählten Studiengangs schnell und übersichtlich zu erkennen sowie ein individuelles Feedback zu vorhandenem und gegebenenfalls fehlendem Wissen zu bekommen. Hierzu wird in Kapitel 2.2.3 der diagnostische Selbsttest mit den individuellen Lernempfehlungen und in Kapitel 2.2.4 das Konzept der studiengangspezifischen Individualisierung erläutert.

Weitere wichtige Aspekte der Individualität betreffen die Vielfalt der Übungsaufgaben und das zugehörige Feedback. Das Feedback soll den Lernenden eine individuelle Rückmeldung zum eigenen Lernfortschritt und Hinweise auf mögliche Fehlkonzepte geben (vgl. Kapitel 2.2.1).

Weiterhin unterstützt eine Online-Lernumgebung aufgrund ihrer dauerhaften Verfügbarkeit stets ein gewisses Maß an Individualität, insbesondere im Hinblick auf individuelle Lernzeiträume und Lernorte.

2.1.2 Intelligenz

Die Online-Lernumgebung als intelligentes System soll auf die diversen Anforderungen der Lernenden und Lehrenden reagieren können. Die Studierenden sollen Möglichkeiten zur Überprüfung ihrer schulischen Vorkenntnisse insbesondere in Hinblick auf ihren gewählten Studiengang bekommen, bei der das System passende Selbsttests bereitstellt, die Ergebnisse übersichtlich darstellt und individuelle Lernempfehlungen ausspricht. (vgl. Kapitel 2.2.3).

Weiterhin soll das System Übungsaufgaben automatisch bewerten können und den Studierenden ein passendes individuelles Feedback zur eingegebenen Lösung geben. Das System soll den Lernfortschritt aufnehmen und darstellen sowie die Kompetenzen der Studierenden analysieren und geeignet agieren können, z. B. durch ein flexibles Angebot an weiteren Lernmaterialien.

2.1.3 Interaktivität

Interaktive Übungsaufgaben, dynamische Visualisierungen und anwendungsnahe Beispiele unterstützen die Studierenden beim Verständnis der Lerninhalte. Über die Interaktion und Erprobung in den Visualisierungen werden Zusammenhänge veranschaulicht, die zum Verständnis beitragen. Durch die Verfügbarkeit unterschiedlicher Fragetypen, beispielsweise Multiple Choice, Text- oder Formeleingabe, Zuordnung oder Markierung, können unterschiedliche Lernzielniveaus in den Aufgaben umgesetzt werden. Interaktionen in Aufgaben und dynamischen Abbildungen fördern das Lernen durch unmittelbares, teilweise differenziertes Feedback.

2.1.4 Integration

Zum einen integriert viaMINT die Fächer Mathematik, Physik, Chemie und Informatik in einer gemeinsamen Lernumgebung und bietet vielfältige Lernmöglichkeiten zur Auffrischung der heterogenen Vorkenntnisse der Studienanfängerinnen und -anfänger. Zum anderen kann die Online-Lernumgebung in verschiedene Lehr- und Lernszenarien, vom reinen Selbststudium bis hin zum vorlesungsbegleitenden Einsatz, integriert werden (vgl. Kapitel 3).

2.2 Umsetzungen in der Online-Lernumgebung viaMINT

Im Folgenden werden einige der I-Learning-Ansätze in der Lernumgebung viaMINT, die bereits im vorherigen Abschnitt angesprochen wurden, genauer dargestellt und erläutert.

2.2.1 Individuelles Lernen und individuelles Feedback

viaMINT ist eine angepasste und durch eigenentwickelte Plugins erweiterte Moodle[2]-Lernumgebung. Die Studierenden lernen in viaMINT mit kurzen Lernvideos und vielen interaktiven Übungsaufgaben, die gemeinsam in thematisch abgeschlossenen Lernsequenzen angeordnet sind. Die Lernsequenzen zeigen den Studierenden einen didaktisch aufbereiteten Lernweg, in dem sie sich beim Lernen aber individuell bewegen können. Die Videos können angehalten, vor- und zurückgespult, übersprungen oder mit veränderter Geschwindigkeit angesehen werden. Dieses wird von den Studierenden gerne genutzt und häufig positiv in den Feedbacks genannt.

Die integrierten Übungsaufgaben werden automatisch ausgewertet und geben den Studierenden ein individuelles, sofortiges Feedback. Bei Bedarf können die Studierenden sich dazu passend ausgearbeitete Musterlösungen in Video- oder Textform ansehen. Ein differenziertes Feedback wird mit Hilfe des Fragetyps STACK[3] und dessen komplexen Feedbackbäumen, in denen typische Fehler und antizipierte Fehlkonzepte berücksichtigt werden können, möglich. Die randomisierten Übungsaufgaben am Ende jeder Lernsequenz bieten wiederholte Übungsmöglichkeiten.

Eine Lernsequenz aus dem Modul Bruchrechnung ist als Beispiel in der nachfolgenden Abb. 1 dargestellt.

---

[2] Moodle ist eine frei verfügbare Lernplattform, Website: https://moodle.org/.

[3] STACK: **S**ystem for **T**eaching and **A**ssessment using a **C**omputer algebra **K**ernel, Website: http://www.stack.ed.ac.uk/

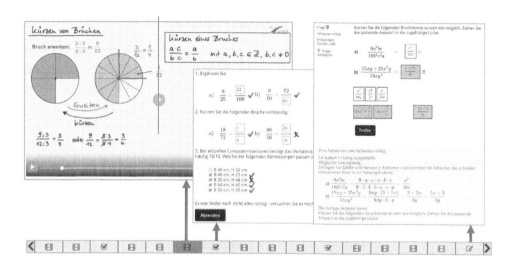

Abb. 1: Einblick in Lernelemente einer Lernsequenz aus dem Modul
Bruchrechnung

2.2.2 Unterschiedliche Lernwege

viaMINT bietet den Studierenden ein Lernen mit individueller Geschwindigkeit, Menge und Tiefe sowie verschiedene individuell gestaltbare Lernwege an. Im „ausführlichen Lernweg" bearbeiten die Studierenden der Reihe nach alle Lernelemente einer Lernsequenz, während sie beim schnelleren „Auffrischungsweg" nur jeweils die letzten beiden Lernelemente einer Lernsequenz, d. h. ein Zusammenfassungsvideo und Übungsaufgaben zur Lernsequenz, bearbeiten (vgl. Abb. 2). Auch Zwischenlösungen beider Lernwege ermöglichen den Studierenden, mit der zu ihren Vorkenntnissen passenden Geschwindigkeit zu lernen. Das Feedback der Studierenden, welches wir in den Modulen in der Lernumgebung online aufnehmen, zeigt, dass etwa 75 % der Studierenden das Tempo im „ausführlichen Weg" als genau richtig empfinden, etwa 25 % wünschen sich ein schnelleres Tempo, wie es beispielsweise im „Auffrischungsweg" angeboten wird.

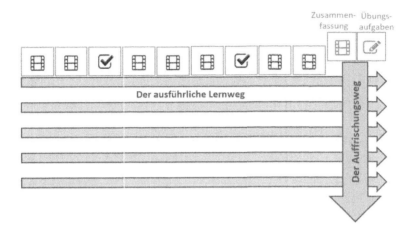

Abb. 2: Verschiedene Lernwege innerhalb von viaMINT
(LANDENFELD, GÖBBELS, HINTZE & PRIEBE, 2018)

2.2.3 Diagnostischer Online-Selbsttest und Lernempfehlungen

Die individuellen Vorkenntnisse können die Studierenden über einen freiwilligen Selbsttest ermitteln. An dem Selbsttest erkennen die Studierenden, welche Vorkenntnisse im Studium erwartet werden, welche Kenntnisse sie bereits besitzen und welche sie noch aufarbeiten müssen. Auf Basis der Testergebnisse werden durch das System individuelle Lernempfehlungen ausgesprochen, die auf dem „Persönlichen Online-Schreibtisch" im Bereich „Empfohlene Module" dargestellt werden (vgl. Abb. 3). Der Aufbau des Persönlichen Online-Schreibtisches mit den vier Bereichen „Empfohlene Module" „Belegte Module", „Abgeschlossene Module" und „Studiengangsrelevante Module" für jedes der Fächer Mathematik, Physik, Chemie und Informatik unterstützt die Lernorganisation der Studierenden, indem ihr individueller Lernfortschritt stets erkennbar ist. Ist über die studiengangspezifische Individualisierung ein spezieller Studiengang gewählt, so ist der Online-Selbsttest darauf angepasst und enthält nur Fragen zu den studiengangsrelevanten Modulen.

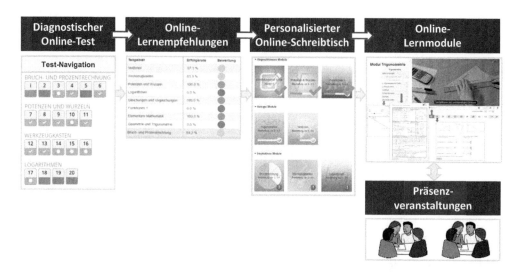

Abb. 3: viaMINT-Konzept: Diagnostischer Test am Beispiel Mathematik mit Online-Lernempfehlungen auf dem „Persönlichen Schreibtisch" (LANDENFELD, PRIEBE & WENDT, 2018)

2.2.4 Studiengangspezifische Individualisierung

Innerhalb der Lernumgebung kann der Studierende seinen eigenen Studiengang auswählen (vgl. Abb. 4). Die studiengangspezifische Ansicht der Lernumgebung viaMINT stellt dem Studierenden die studiengangsrelevanten Lernmodule für seinen gewählten Studiengang auf seinem „Persönlichen Online-Schreibtisch" dar, so dass dieser sich passgenau auf die relevanten Themen vorbereiten kann. Durch diese Unterstützung sollen sich die Studienanfängerinnen und Studienanfänger in der Vielfalt der angebotenen Lernmodule besser zurechtfinden. Durch die studiengangspezifische Anpassung des „Persönlichen Online-Schreibtisch" wird bereits frühzeitig ein Bezug zum Studiengang hergestellt und die Akzeptanz sowie die Motivation des Studierenden gefördert. Das Bearbeiten weiterer nicht empfohlener Module bleibt weiterhin möglich.

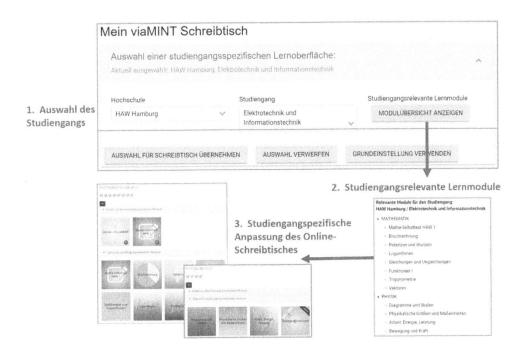

Abb. 4: Auswahl einer studiengangspezifischen Lernoberfläche

3 Flexible Verwendung einer Online-Lernumgebung

Der Vorteil einer Online-Lernumgebung ist die kontinuierliche Verfügbarkeit und die flexible Verwendbarkeit in verschiedenen Lehr- und Lernszenarien vom reinen Selbststudium bis hin zum vorlesungsbegleitenden Einsatz. Schön, Ebner & Schön zeigen in ihrem Arbeitspapier eine Übersicht über verschiedene Szenarien zur Verschmelzung von digitalen und analogen Lern-/Lehrformaten (SCHÖN, EBNER & SCHÖN, 2016).

viaMINT wurde für die Vorbereitung auf das Studium und zum Auffrischen fehlender schulischer Vorkenntnisse entwickelt. Die Online-Lernumgebung soll die Präsenzvorkurse an den Hochschulen ergänzen, jedoch nicht ersetzen, auch wenn ein reines Selbststudium mit der Lernumgebung ebenfalls möglich ist. Eine ergänzende Verwendung zu den Präsenzvorkursen ermöglicht den Studierenden ein flexibles Lernen angepasst an den eigenen Bedarf.

Bei der Darstellung verschiedener Einsatzszenarien sind Unterscheidungen nach verschiedenen Aspekten möglich:

- Nach der Organisationsform: reines Selbststudium oder Einbindung in Präsenzveranstaltungen
- Nach der Verbindlichkeit: freiwillige Verwendung oder verpflichtende Einbindung in eine Lehrveranstaltung
- Nach der zeitlichen Lage: vor dem Studium oder studienbegleitend

viaMINT wird derzeit in einer Reihe unterschiedlicher Lehr- und Lernszenarien verwendet, wovon hier einige kurz beschrieben werden sollen:

Szenario 1: Rein individuelle Vorbereitung der Studienanfängerinnen und Studienanfänger im Selbststudium. Die Studierenden werden nach der Immatrikulation per E-Mail über die Online-Lernumgebung, die Möglichkeit des Online-Selbsttests sowie den Beginn der Präsenzvorkurse informiert. Das reine Selbststudium ist insbesondere für die Studierenden hilfreich, die nicht an den Präsenzvorkursen teilnehmen können, da sie zum Beispiel noch nicht am Studienort sind.

Szenario 2: Verwendung im Blended Learning innerhalb der Präsenzvorkurse. Die Dozentinnen/Dozenten binden die Online-Lerninhalte als Ergänzung zur Vermittlung in den Vorkursen ein. Dieses ist sowohl mit dem Inverted-Classroom-Konzept, d. h. einer Bearbeitung der Onlineinhalte vor der Präsenzveranstaltung, als auch als individuelle Nachbereitung möglich. Im Department Informations- und Elektrotechnik der HAW Hamburg wird in den vierzehntägigen Präsenzvorkursen ein Inverted-Classroom-Konzept verwendet. Hier bearbeiten die Studierenden in Eigenarbeit am Nachmittag jeweils ein vorgegebenes Online-Modul. Am nächsten

Vormittag wird das Thema dann in der Präsenzveranstaltung mit ergänzenden Erklärungen, vertiefenden Aufgaben und komplexeren Anwendungsaufgaben in Einzel- und Gruppenarbeit bearbeitet. Im Department Maschinenbau und Produktion wird in den Präsenzvorkursen auf das Konzept der ergänzenden Nachbereitung mit den viaMINT-Lernmodulen gesetzt. Nach einer Vorlesungseinheit am Vormittag und Übungen am Nachmittag können die Studierenden ergänzend mit den Online-Lernmodulen lernen. Im Department Fahrzeugtechnik und Flugzeugbau hingegen wird den Studierenden eine Vorkurs-Übungsgruppe angeboten, in der sie, unterstützt durch Tutorinnen/Tutoren, viaMINT direkt im PC-Pool der Hochschule nutzen.

Szenario 3: Begleitende Verwendung während des ersten Semesters. In einer praktizierten Umsetzung der semesterbegleitenden Verwendung von viaMINT werden den Studierenden thematisch zum jeweiligen Inhalt der Mathematik-Vorlesung passende viaMINT-Lernmodule angegeben, um sich die notwendigen Vorkenntnisse für das Vorlesungsthema zu erarbeiten. Über ein erfolgreiches Absolvieren der Modulabschlusstests können die Vorkenntnisse nachgewiesen werden.

Weitere Lehr- und Lernszenarien werden an kooperierenden Hochschulen erprobt.

4 Zusammenfassung und Ausblick

In diesem Beitrag wurden die I-Learning-Möglichkeiten der Online-Lernumgebung viaMINT dargestellt und eine flexible Verwendung in verschiedenen Lehr- und Lernszenarien aufgezeigt.

Die Lernumgebung viaMINT befindet sich weiter im Auf- und Ausbau. Es werden sowohl weitere Lerninhalte entwickelt als auch weitere Komponenten insbesondere im Hinblick auf eine individuelle maßgeschneiderte Verwendbarkeit entwickelt. Aktuelle Themen sind eine barrierearme Umsetzung durch die Möglichkeit der Einblendung von Untertiteln, eine Unterstützung von internationalen Studierenden durch eine englischsprachige Gestaltung sowie eine Integration weiterer Gamification-Elemente.

5 Literaturverzeichnis

Landenfeld, K., Priebe, J. & Wendt, M. (2018). Möglichkeiten zur Auffrischung der schulischen Kenntnisse durch den Einsatz einer Online-Lernumgebung. In Universität Greifswald (Hrsg.), *Greifswalder Beiträge zur Hochschullehre Ausgabe 9: Erleichterung der Studieneingangsphase* (S. 59-72). Greifswald.

Landenfeld, K., Göbbels, M., Hintze, A. & Priebe, J. (2018). A Customized Learning Environment and Individual Learning in Mathematical Preparation Courses. In J. Silverman & V. Hoyos (Hrsg.), *Distance Learning, E-Learning and Blended Learning in Mathematics Education: International Trends in Research and Development* (S. 93-111). Cham: Springer.

Landenfeld, K., Göbbels, M., Hintze, A. & Priebe, J. (2014). viaMINT – Aufbau einer Online-Lernumgebung für videobasierte interaktive MINT-Vorkurse. *Zeitschrift für Hochschulentwicklung, 9(5),* 201-217. https://www.zfhe.at/index.php/zfhe/article/view/783/642, Stand vom 26. August 2019.

Mergner, J., Ortenburger, A. & Vöttiner, A. (2015). *Studienmodelle individueller Geschwindigkeit: Ergebnisse der Wirkungsforschung 2011-2014.* Projektbericht März 2015. https://mwk.baden-wuerttemberg.de/fileadmin/redaktion/m-mvi/offen/Bericht-Wirkungsforschung_Endfassung.pdf, Stand vom 26. August 2019.

Schön, S., Ebner, M. & Schön, M. (2016). *Verschmelzung von digitalen und analogen Lehr- und Lernformaten.* Arbeitspapier Nr. 25. Berlin: Hochschulforum Digitalisierung. https://hochschulforumdigitalisierung.de/sites/default/files/dateien/HFD_AP_Nr25_Verschmelzung_Digitale_Analoge_Lernformate.pdf, Stand vom 27. August 2019.

Zeitler, W. (2016). Humboldt Digital: E-Learning oder I-Learning? *Die Neue Hochschule, 2016*(2), 46-47. https://hlb.de/fileadmin/hlb-global/downloads/dnh/full/2016/DNH_2016-2.pdf, Stand vom 22. August 2019.

Autorin/Autoren

Prof. Dr.-Ing. Karin LANDENFELD || HAW Hamburg, Fakultät Technik und Informatik || Berliner Tor 7, D-20099 Hamburg

www.haw-hamburg.de

karin.landenfeld@haw-hamburg.de

Jonas PRIEBE || HAW Hamburg, Fakultät Technik und Informatik || Berliner Tor 7, D-20099 Hamburg

www.haw-hamburg.de

jonas.priebe@haw-hamburg.de

Malte ECKHOFF || HAW Hamburg, Fakultät Technik und Informatik || Berliner Tor 7, D-20099 Hamburg

www.haw-hamburg.de

malte.eckhoff@haw-hamburg.de

Judyta FRANUSZKIEWICZ[1], Silke FRYE, Claudius TERKOWSKY
& Sabrina HEIX (Dortmund)

Flexibles und selbstorganisiertes Lernen im Labor – Remote-Labore in der Hochschullehre

Zusammenfassung

Laborpraktika sind zum festen Bestandteil der technischen und naturwissenschaftlichen Hochschulbildung geworden. Der Megatrend der Digitalisierung führt auch hier zu Veränderungen. Einerseits können digitale Technologien ein flexibleres Lernen ermöglichen, andererseits fordern sie aber auch einen höheren Grad an Selbstorganisation seitens der Studierenden. Dieser Beitrag zeigt mit der Evaluation eines überarbeiteten Laborpraktikums, wie flexibles Lernen erfolgreich gestaltet werden kann. Studierende und Lehrende bewerten das neue Konzept positiv, sehen aber auch Bedarf nach mehr zeit- und ortsunabhängigen Lerngelegenheiten, was durch den Einsatz eines Remote-Labors ermöglicht werden kann.

Schlüsselwörter

Labordidaktik, Selbstorganisation, Online-Experiment, Remote-Labor, VISIR

---

[1] E-Mail: judyta.franuszkiewicz@tu-dortmund.de

Werkstattbericht · DOI: 10.3217/zfhe-14-03/16

Judyta Franuszkiewicz, Silke Frye, Claudius Terkowsky & Sabrina Heix

Flexible and self-directed learning in laboratory courses – Remote laboratories in higher education

Abstract

Laboratory courses have become an integral part of technical and scientific higher education. Megatrends such as digitalisation are also leading to changes. On the one hand, digital technologies can enable more flexible learning; but on the other hand, they can also demand and foster a higher degree of student self-direction. Drawing on an evaluation of a redesigned laboratory course, this paper shows how more flexible learning can be configured. Students and teachers rate the new concept positively, but also see room for improvement in terms of time and location. In the future this will be enabled by the use of a remote laboratory.

Keywords

laboratory education, self-direction, online experiment, remote laboratory, VISIR

1 Selbstorganisation als Grundlage für flexibles Lernen

Unumstritten ist, dass die zunehmende Digitalisierung zu strukturellen und technologischen Veränderungen im Bereich der Hochschulbildung führt. Gemäß den Folgen des anhaltenden „shift from teaching to learning" (BARR & TAGG, 1995) erfordern diese eigenständige und verantwortungsvolle Weiterentwicklungen im Sinne eines zunehmend flexibleren Lernens. Voraussetzung für diese Flexibilisierung ist die Selbstorganisation der Studierenden.

Selbstorganisation steht für die Fähigkeit von Lernenden, ihre Lernprozesse autonom zu organisieren und zu reflektieren. Sie entscheiden einzeln oder in Gruppen, was und wie sie wann und wo lernen wollen und müssen die Verantwortung für ihren individuellen Lernprozess und -erfolg übernehmen (COLLINS & HAMMOND, 2016). Eine Aufgabe von Lehrenden an Hochschulen ist es somit, Settings zu schaffen, die die Selbstorganisation der Studierenden ermöglichen und erfordern.

Ein in technischen und naturwissenschaftlichen Studiengängen verbreitetes didaktisches Format, das selbstorganisiertes Lernen im Bereich der Hochschullehre ermöglicht, ist das Labor bzw. Laborpraktikum. Im Folgenden wird ein Labor beschrieben, in dem im Rahmen einer didaktischen und methodischen Neugestaltung das selbstorganisierte Lernen in den Fokus gerückt wurde und in dem zukünftig durch den Einsatz eines über das Internet angesteuerten Laborversuchs flexibles Lernen ermöglicht wird.

2 Das Labor als Lernumgebung in der Hochschule

Laborübungen und -praktika sind weltweit zum festen Bestandteil der technischen und naturwissenschaftlichen Ausbildung geworden (vgl. TERKOWSKY, MAY & FRYE, 2019). Untersuchungen zur Wirksamkeit des Lernens im Labor zeigen, dass (selbstorganisiertes) forschendes Lernen im Labor die Entwicklung von fachbezogenen und fachübergreifenden Kompetenzen gezielt unterstützen kann (vgl. z. B. TERKOWSKY, HAERTEL, ORTELT, RADTKE & TEKKAYA, 2016). Darüber hinaus werden dem Experimentieren im Labor aus Perspektive der naturwissenschaftlichen und technischen Fachdidaktiken unterschiedliche Bedeutungen zugeordnet. Zum einen wird das Experiment als Fachinhalt und Objekt des Lernens verstanden, zum anderen gilt es als Fachmethode und somit Instrument des Lernens (PFANGERT-BECKER, 2010). Hier stehen sich das freie, empirisch-induktive und das strukturierte, hypothetisch-deduktive Experimentieren als gegenläufige Konzepte gegenüber (vgl. SCHWICHOW, ZIMMERMANN, CROKER & HÄRTIG, 2016). Im Bereich der Hochschule stützt sich eine Vielzahl von Laborpraktika auf das strukturierte, instruktive Konzept. Dieses ist jedoch nicht dazu geeignet, selbstgesteuertes Lernen zu fördern und flexibles Lernen zu ermöglichen (TEKKAYA et al., 2016). Oftmals sind die Folgen unzufriedene Lehrende und passive

Studierende (TERKOWSKY et al., 2016) wie im untersuchten Laborpraktikum, das im Rahmen der Ausbildung von Lehramtsstudierenden angeboten wird.

2.1 Ausgangssituation – Laborpraktikum für angehende Lehrerinnen und Lehrer im Fach Technik

Das analysierte Laborpraktikum ist Teil der Ausbildung von Lehramtsstudierenden im Fach Technik. Der Kurs besteht aus zwei aufeinander folgenden Teilen mit insgesamt 18 Versuchen und umfasst drei Semester. In Kleingruppen von zwei bis drei Personen untersuchen, dokumentieren und analysieren die Studierenden grundlegende technische und naturwissenschaftliche Phänomene. Abb. 1 zeigt den ursprünglichen Ablauf des Laborpraktikums. Diese Struktur war für alle Versuche des Labors gleich.

Abb. 1: Ausgangskonzept des technischen Laborpraktikums

Die Versuche wurden zunächst mit umfangreichen Skripten eingeleitet und mit detaillierten Anleitungen stark vorstrukturiert (FRYE, KLOIS & PUSCH, 2015). Die fachtheoretischen Inhalte der Skripte wurden in Gruppengesprächen von den betreuenden Lehrenden abgeprüft. Nach erfolgreicher Prüfung führten die Studierenden den jeweiligen Versuch anhand der strukturierten Anleitung durch. Im Anschluss wurden die aufgenommenen Daten ausgewertet und ein Bericht erstellt. Ausgehend von diesem Bericht fand ein zweites Prüfungsgespräch statt, mit dem der Versuch abgeschlossen wurde. Die betreuenden Lehrenden kritisierten, dass die Studierenden zunehmend leistungsschwach seien, nur im begrenzten Maße die gewünschten praktischen Erfahrungen sammelten und unmotiviert wirkten. Es wurde daher eine didaktische und methodische Neugestaltung des Labors initiiert. Durch Expertinnen und Experten aus dem Bereich der Labordidaktik erfolgte eine Analyse des bestehenden Konzeptes mit einer Triangulation aus:

- Dokumentenanalyse (Curricula, Skripte, Anweisungen etc.)
- teilnehmenden Beobachtungen (Versuchsdurchführung, Prüfungen etc.)
- strukturierten Interviews (Studierende, Lehrende, technisches Personal)

Basierend auf den Ergebnissen wurde in Workshops mit den Lehrenden des Laborpraktikums ein neues Konzept erarbeitet.

2.2 Neugestaltung des Laborpraktikums entsprechend den Grundprinzipien einer modernen Labordidaktik

Gemäß des Constructive Alignement (BIGGS, 1996) wurden in den Workshops Lernziele für das gesamte Laborpraktikum sowie für jeden einzelnen Versuch analysiert, reflektiert und neu definiert. Die methodische Ausgestaltung, Leistungsüberprüfung und -bewertung wurde in den Versuchen konsequent auf diese Lernziele ausgerichtet. Abb. 2 zeigt die neue Struktur der Versuche.

Abb. 2: Überarbeitetes Konzept des technischen Laborpraktikums

Skripte und Anweisungen wurden durch initiierende Problemstellungen und offene Tutorien ersetzt, um selbstorganisiertes und flexibles Lernen zu ermöglichen und zu fördern (vgl. SAVIN-BADEN & TOMBS, 2018). In Kleingruppen recherchieren die Studierenden die für sie erforderlichen Informationen, planen die Versuchsdurchführung und erhalten von Tutorinnen und Tutoren sowie den Lehrenden konstruktives Feedback zu dieser Vorbereitung. Nach der Durchführung des Versuchs entsprechend der individuellen Planung erfolgen die selbstständige Auswertung und eine abschließende Präsentation der Ergebnisse. In dieser Präsentation beurteilen Studierende und Lehrende gemeinsam, inwieweit die Lernziele erreicht wurden und ob damit ein ausreichender Lernerfolg im Versuch erreicht werden konnte.

Im neuen Konzept erarbeiten die Studierenden selbstständig das erforderliche Wissen und haben die Möglichkeit, bei Bedarf proaktiv Unterstützung einzuholen. Die Studierenden übernehmen so die Steuerung ihres Lernprozesses in den Elementen Inhalt, Methoden und Medien (FRANUSKIEWICZ, HEIX, FRYE, HAERTEL & TERKOWSKY, 2019). Ort und Zeit sind durch Anwesenheitszeiten in der Laborumgebung z. B. für die Durchführung der Versuche vorgegeben.

Nach zwei Semestern wurde dieses Konzept evaluiert. Es wurde insbesondere untersucht, ob und inwieweit selbstorganisiertes und flexibles Lernen im Rahmen des Laborpraktikums realisiert werden kann.

3 Evaluation des neugestalteten Laborkonzeptes

Ziel der Evaluation ist es, die Wirksamkeit der Veränderungen im Laborpraktikum zu bewerten. Es wurde ein qualitativer Ansatz gewählt, da so die subjektiven Perspektiven der beteiligten Personen und ihre individuellen Handlungsweisen umfassender berücksichtigt und die Reflexion der Forschenden, die in die Interpretation einfließen, erfasst, dokumentiert und ausgewertet werden können. Aufgrund der Anzahl der beteiligten Personen wurden teilstrukturierte Interviews durchgeführt.

Es wurden zehn Studierende befragt, die einen Teil der Versuche des Laborpraktikums in der alten Form und einen anderen Teil in der neugestalteten Form absolviert haben. Das Laborpraktikum erstreckt sich über insgesamt drei Semester und die Studierenden hatten individuell gewählt, welche Versuche sie in welchem Semester belegen. Außerdem bildeten sich in den Semestern zum Teil neue Gruppen. Daher bestanden personenindividuelle Kombinationen aus Versuchen in der alten und in der neuen Form, über die die Studierenden berichten konnten. Zusätzlich wurden vier Lehrende befragt, die das Laborpraktikum ebenfalls sowohl vor als auch nach der Neugestaltung betreuten. Mit Hilfe einer qualitativen Inhaltsanalyse erfolgt die Interpretation des Datensatzes.

Das überarbeitete Konzept wird als „*didaktisch sehr wertvoll*" wahrgenommen (Studierende/r B). Das Ersetzen einer Prüfungssituation durch offene Tutorien bewerten allen zehn befragten Studierenden positiv. Dies führe zur Stressreduktion und Motivationssteigerung während der Versuchsdurchführung (Studierende/r B, E, J). Darüber hinaus geben acht von zehn Studierenden an, dass sie – subjektiv erlebt – eine Steigerung ihres Lernerfolgs wahrnehmen.

> „*Man lernt die Inhalte und dann findet die Anwendung statt [in den Laboren]. Und zwar fast bedingungslos*" (Studierende/r I)

Auch die Lehrenden nehmen Veränderungen hinsichtlich der Leistungen der Studierenden im neuen Konzept wahr. Zwar wird kein Unterschied auf der inhaltlichen Ebene der Leistung erkannt (Lehrende/r A), die Steigerung der Motivation, Kreativität sowie des Interesses der Studierenden kann aber durchgängig beobachtet werden (4 von 4 Lehrende). Sechs von zehn Studierenden betonten, dass die Skripte und das damit verbundene „*Bulimie-Lernen*" (Studierende/r A) nicht mehr Teil des Labors sind.

> „*Das ist nicht mehr so ein plumpes Auswendiglernen.*" (Studierende/r G)

> „*Auswendiglernen kann ich zwar gut, auch wenn ich es dann nicht wirklich verstanden habe. Und auf Dauer hat man es so eh nicht im Kopf.*" (Studierende/r F)

Die Interviews zeigen, dass die Studierenden den Arbeits- und Zeitaufwand unterschiedlich bewerten. Die Differenzierung der Aussagen erfolgt im Vergleich zur alten Version des Praktikums und bezieht sich auf das subjektive Empfinden. Drei von zehn Studierenden schätzen den Arbeitsaufwand für die Vorbereitung der Versuche als hoch ein. Es wird angeführt, dass das Sammeln von Informationen aus verschiedenen Quellen aufwendig sei, so dass sich z. B. die Literaturrecherche aus zeitlicher Sicht als Herausforderung darstellt (Studierende/r H). Nach Aussage von zwei Studierenden ist der zeitliche Umfang des Labors gesunken, zwei Studierende geben an, dass der Umfang etwa gleichgeblieben ist und sechs der zehn Studierenden haben eine Erhöhung der investierten Zeit wahrgenommen. Als Grund wurde die erforderliche Präsenzzeit genannt. Die tutoriell betreute Vorbereitung findet in der Planungsphase der Versuche innerhalb eines festgelegten zeitlichen Rahmens als Präsenztermin statt. Auch die Durchführung der Versuche muss in einem festgelegten Zeitfenster innerhalb der Laborumgebung stattfinden. Eine flexiblere Gestaltung der Versuche hinsichtlich Ort und Zeit wäre daher wünschenswert (Studierende/r B und H). Diese Flexibilisierung der Versuchsdurchführung stellt aber eine besondere Herausforderung dar. Hier bieten Remote- oder Online-Labore besondere Potenziale (TERKOWSKY, FRYE & MAY, 2019).

4 Einsatz von Remote-Laboren zur Flexibilisierung des Lernens

Labore können in der Lehre anhand ihres Virtualisierungsgrades unterschieden werden (MAY, 2017). Als Remote-Labore werden reale Versuche im Modus der Fernansteuerung bezeichnet, bei denen die Durchführung des Versuchs in der Regel über das Internet erfolgt. Es lassen sich immer mehr Laborsysteme und Labore identifizieren, die als Remote-Labore oder Simulationen über Laborportale in Lehre und Forschung genutzt werden (z. B. GoLab, Labster, FED4FIRE, LabsLand). Die Interaktion mit diesen Laboren, d. h. das eigentliche Experimentieren, kann sowohl online als Webservice als auch als computergenerierte Simulation erfolgen (AUER, AZAD, EDWARDS & JONG, 2018).

Im Vergleich zu reinen Simulationen zeichnen sich Remote-Labore dadurch aus, dass es sich um reale Versuchsaufbauten handelt. Die Möglichkeit der unmittelbaren Steuerung des Systems wirkt i. d. R. besonders motivierend auf die Nutzenden.

Gleichzeitig besteht anders als bei reinen Simulationen auch die Möglichkeit, dass unerwartete Ergebnisse entstehen, da ein reales System stets mehr Einflussgrößen umfasst, als in einer Simulation abgebildet werden können. (MAY et al., 2017)

Obwohl Remote-Labore bereits seit einigen Jahren als technische Lösung existieren, werden sie in der Hochschulbildung nur wenig eingesetzt. Bisher handelt es sich um Einzellösungen, die spezielles technisches Equipment erfordern und nicht von Einrichtungen oder Hochschulen kooperativ genutzt werden. Eine Ausnahme stellt das Remote-Labor VISIR dar, das bereits seit mehreren Jahren an Hochschulen weltweit eingesetzt wird (ALVES et al., 2016).

4.1 VISIR (Virtual Instrument Systems In Reality)

VISIR ist ein unmittelbar einsatzbereites Remote-Labor, mit dem elektrische Schaltungen aus Widerständen, Kondensatoren, Dioden, Induktivitäten etc. auf einem virtuellem ‚Steckbrett' (dem sog. ‚Breadboard') realisiert werden. Die Bedienung des Labors erfolgt über eine Web-Oberfläche, in der Messgeräte (Multimeter, Oszilloskop) und ein Signalgenerator abgebildet werden. Diese werden über Bedienungsfunktionen wie Schalter und Drehknöpfe gesteuert, um die Laborsituation realistisch abzubilden.

Die Umsetzung der Schaltungen erfolgt durch die sog. ‚Matrix', ein System aus Relais, durch das die real integrierten elektronischen Komponenten (Widerstände etc.) verschaltet werden. In Echtzeit werden die Ein- und Ausgangs- bzw. Messgrößen von einem PXI-System an das System übermittelt. Haben Studierende auf der Web-Oberfläche eine Schaltung erstellt, werden diese Informationen an VISIR übertragen. Die auf dem virtuellen Breadboard gesteckte Schaltung wird durch die Matrix realisiert, die Messungen werden in Bruchteilen einer Sekunde durchgeführt und die Ergebnisse über die Web-Oberfläche ausgegeben.

4.2 Einsatz von VISIR im vorgestellten Laborpraktikum

Um die Selbstorganisation der Studierenden im vorgestellten Laborpraktikum hinsichtlich Ort und Zeit zu fördern, erfolgt eine Implementierung von VISIR. In einem ersten Schritt wird VISIR ergänzend zu einem bestehenden (Präsenz-) Versuch zur Verfügung gestellt. Die Studierenden erhalten die Möglichkeit, den Versuch z. B. in der Vorbereitung zu einem beliebigen Zeitpunkt durchzuführen und ihre Erfahrungen mit beiden Experimentiermodi (,hands-on' bzw. Präsenz und ,online' bzw. Remote) zu vergleichen. In einem zweiten Schritt wird es den Studierenden individuell freigestellt, welche Form der Durchführung des Versuchs sie nutzen möchten, d. h., das Remote-Labor kann dann anstelle des Präsenzversuchs verwendet werden.

5   Fazit und Ausblick

Laborpraktika sind ein fester Bestandteil der technischen und naturwissenschaftlichen Ausbildung an Hochschulen. Ein Umdenken weg von strukturierten, instruktiven Laborkonzepten ist erforderlich, um selbstorganisiertes und flexibles Lernen zu unterstützen.

Die beschriebenen und evaluierten Veränderungen im Laborkonzept fördern das selbstorganisierte Lernen. Es zeigt sich aber, dass sich der wahrgenommene Zeitaufwand dabei teilweise erhöht hat. Als Grund für diese Wahrnehmung wurde die obligatorische Präsenzzeit an der Hochschule genannt. Mit dem Einsatz eines Remote-Labors wird eine flexiblere Lernumgebung geschaffen, bei der sich Zeit und Ort als Rahmenfaktoren für den selbstorganisierten und flexiblen Lernprozess erweisen. Die Studierenden werden gefördert und gleichzeitig gefordert, mehr Verantwortung für ihre eigenen Lernprozesse zu übernehmen. Da Selbstorganisation zunächst erlernt werden muss, wird nicht davon ausgegangen, dass die Studierenden von Anfang an ihre Lernprozesse optimal gestalten werden. Reflexionsgespräche und Unterstützung seitens der Lehrenden sind unabdingbar.

6   Literaturverzeichnis

Alves, G. R., Fidalgo, A., Marques, A., Viegar, C., Felgueiras, M. C., Costa, R., Lima, N., Castro, M., Diaz-Orueta, G., Ruiz, E. S. C., Garcia-Loro, F., Garcia-Zubia, J., Hernandez-Jayo, U., Kulesza, W., Gustavsson, I., Pester, A. & Zutin, D. (2016). Spreading remote lab usage a system – A community – A Federation. *Proceedings of the 2nd International Conference of the Portuguese Society for Engineering Education*: 20.-21.10.2016 (S. 1-7). UTAD, Vila Real, Portugal.

Auer, M. E., Azad, A. K.M., Edwards, A. & d. Jong, T. (Hrsg.) (2018). *Cyber-Physical Laboratories in Engineering and Science Education*. Cham: Springer International Publishing.

Barr, R. B. & Tagg, J. (1995). From Teaching to Learning – A New Paradigm For Undergraduate Education. *Change: The Magazine of Higher Learning, 27*(6), 12-26.

Biggs, J. (1996). Enhancing teaching through constructive alignment. *Higher Education, 32*(3), 347-364.

Collins, R. & Hammond, M. (2016). *Self-directed learning: Critical practice.* London: Routledge.

Franuszkiewicz, J, Heix, S., Frye, S., Haertel, T. & Terkowsky, C. (2019). From laboratory education to laboratory edu-action: evaluation of a redesigned lab course for prospective technology teachers and resulting demands for cyber-physical 'remotification'. *Proceedings of the 5th Experiment@ International Conference (exp.at'19)*: 11.-14.06.2019. University of Madeira, Funchal, Madeira Island, Portugal, IEEE Conference Publications.

Frye, S., Klois, M. & Pusch, A. (2015). Diagnose und individuelle Förderung im universitären Laborpraktikum – Ein Praxisbericht. *Das Hochschulwesen, (5+6),* 201-205.

May, D. (2017). *Globally Competent Engineers. Internationalisierung der Ingenieurausbildung am Beispiel der Produktionstechnik*. Aachen: Shaker.

May, D., Schiffeler, N., Ortelt, T., Goeckede, F., Frerich, S., Keddi, D., Stehling, V., Richert, A., Jeschke, S., Petermann, M. & Tekkaya, A. (2017). Internationalisierung und Digitalisierung in den Ingenieurwissenschaften. *Zeitschrift für Hochschulentwicklung, 12*(4), 105-117.

Pfangert-Becker, U. (2010). Das Experiment im Lehr- und Lernprozess. *Praxis der Naturwissenschaften – Chemie in der Schule, 59*(6), 40-42.

Savin-Baden, M. & Tombs, G. (Hrsg.) (2018) *Threshold concepts in problem-based learning.* Leiden. Boston: Brill Sense.

Schwichow, M., Zimmermann, C., Croker, S. & Härtig, H. (2016). What Students Learn From Hands-On Activities. *Journal of Research in Science Teaching, 53*(7), 980-1002.

Tekkaya, A. E., Wilkesmann, U., Terkowsky, C., Pleul, C., Radtke, M. & Maevus, F. (2016). *Das Labor in der ingenieurwissenschaftlichen Ausbildung. Zukunftsorientierte Ansätze aus dem Projekt IngLab* (acatech Studie). München: Herbert Utz Verlag.

Terkowsky, C., Frye, S. & May, D. (2019). Is a Remote Laboratory a Means to Develop Competences for the 'Working World 4.0'? A Brief Tentative Reality Check of Learning Objectives. *Proceedings of the 5th Experiment@ International Conference (exp.at'19)*: 11.-14.06.2019. University of Madeira, Funchal, Madeira Island, Portugal, IEEE Conference Publications.

Terkowsky, C., Haertel, T., Ortelt, T. R., Radtke, M. & Tekkaya, A. E. (2016). Creating a place to bore or a place to explore? Detecting possibilities to establish students' creativity in the manufacturing engineering lab. *International Journal of Creativity & Problem Solving, 26*(2), 23-45.

Terkowsky, C., May, D. & Frye, S. (2019) Labordidaktik: Kompetenzen für die Arbeitswelt 4.0. In T. Haertel, C. Terkowsky, S. Dany & S. Heix (Hrsg.), *Hochschullehre & Industrie 4.0: Herausforderungen – Lösungen – Perspektiven* (S. 89-103). Bielefeld: wbv.

Autor/innen

 Judyta FRANUSZKIEWICZ || Technische Universität Dortmund, Zentrum für HochschulBildung || Vogelpothsweg 78, D-44227 Dortmund

www.zhb.tu-dortmund.de

judyta.franuszkiewicz@tu-dortmund.de

 Silke FRYE || Technische Universität Dortmund, Zentrum für HochschulBildung || Vogelpothsweg 78, D-44227 Dortmund

www.zhb.tu-dortmund.de

silke.frye@tu.dortmund.de

 Claudius TERKOWSKY || Technische Universität Dortmund, Zentrum für HochschulBildung || Vogelpothsweg 78, D-44227 Dortmund

www.zhb.tu-dortmund.de

claudius.terkowsky@tu-dortmund.de

 Sabrina HEIX || Technische Universität Dortmund, Zentrum für HochschulBildung || Vogelpothsweg 78, D-44227 Dortmund

www.zhb.tu-dortmund.de

sabrina.heix@tu-dortmund.de

Franziska GREINER[1], Nicole KÄMPFE, Dorit WEBER-LIEL,
Bärbel KRACKE & Julia DIETRICH (Jena)

Flexibles Lernen in der Hochschule mit Digitalen Differenzierungsmatrizen

Zusammenfassung

Das „one-size-fits-all"-Prinzip, das nach wie vor wohl die meisten Lehrveranstaltungen im Hochschulkontext prägt, kann der Heterogenität der Studierenden nicht gerecht werden. Der vorliegende Werkstattbericht gibt Einblicke in ein hochschuldidaktisches Konzept, in dessen Zentrum eine digital gestützte Lernumgebung für den individualisierten Kompetenzerwerb steht: die Digitale Differenzierungsmatrix. Ziel des Beitrags ist eine theoretisch fundierte sowie praxisorientierte Einführung in die Digitale Differenzierungsmatrix, die von der Darstellung zweier konkreter Einsatzszenarien in der Hochschullehre flankiert wird.

Schlüsselwörter

Heterogenität, Individualisierung, digitale Lernumgebung, Diversity Management

---

[1] E-Mail: franziska.greiner@uni-jena.de

Werkstattbericht · DOI: 10.3217/zfhe-14-03/17

Franziska Greiner, Nicole Kämpfe, Dorit Weber-Liel, Bärbel Kracke & Julia Dietrich

Flexible learning in higher education with digital differentiation grids

Abstract

The idea of a one-size-fits-all approach, which is still predominant in higher education, cannot adequately address the growing heterogeneity of student bodies. This paper offers insight into a didactic concept featuring a digital learning environment that facilitates the individualised aquisition of competences in the university context: the digital differentiation grid. Theoretically grounded and practically orientated, the current paper also presents two specific application examples for university teaching.

Keywords

heterogeneity, individualisation, digital learning environment, diversity management

1 Einleitung

Es ist keine neue Erkenntnis, dass Lernende unterschiedliche Interessen, Vorkenntnisse, motivationale Orientierungen sowie kulturelle und soziale Hintergründe haben (u. a. ECKERT, SEIFRIED & SPINATH, 2015). Für den Umgang mit heterogenen Lernvoraussetzungen wird u. a. die Individualisierung von Lernangeboten empfohlen (DUMONT, 2019). Flexible und individualisierte Lernangebote an Schulen und Hochschulen sind jedoch keine Selbstverständlichkeit. Insbesondere Vorlesungen mit mehreren hunderten Studierenden finden häufig im „one-size-fits-all"-Prinzip statt: Alle lernen zur selben Zeit am selben Ort dieselben Inhalte auf dieselbe Weise. Augenfällig ist, dass damit kaum den individuellen Bedürfnissen der Lernenden (und Lehrenden) Rechnung getragen werden kann, sondern eher der Erwerb *trägen Wissens* (RENKL, 1996) durch motivationale Defizite, wie negative Lernemotionen und mangelndes Interesse, unterstützt wird.

Dieser Werkstattbericht gibt Einblick in ein hochschuldidaktisches Konzept: die *Digitale Differenzierungsmatrix (DiffM)*, das im Kern die Gestaltung einer digital gestützten Lernumgebung für individualisierten Kompetenzerwerb darstellt. Ziel des Beitrags ist eine praxisorientierte Einführung in die DiffM, die von der Darstellung der theoretischen Grundlagen dieses Konzepts flankiert wird und mögliche Einsatzszenarien in der Hochschullehre an zwei Beispielen skizziert.

2 Digitale Differenzierungsmatrizen als individualisiertes Lernangebot

Effektive individualisierte Lernangebote zeichnen sich durch eine kontinuierliche Diagnostik, einen großen Pool an Materialien und Aufgaben für unterschiedliche Leistungsstände, eine individualisierte Lernunterstützung sowie personalisiertes Feedback aus (DUMONT, 2018; LIPOWSKY & LOTZ, 2015). Digitale Technologien versprechen hier Unterstützung (HOLMES et al., 2018). Die DiffM wurde in das Lernmanagementsystem (LMS) Moodle implementiert (https://moodle.org/) und bietet Studierenden eine strukturierte Lernumgebung mit verschieden komplexen Aufgaben, mit denen sie sowohl ihr Vorwissen (re-)aktivieren als auch überprüfen und erweitern können.

2.1 Struktur einer Digitalen Differenzierungsmatrix

In einer DiffM werden die Lernziele eines Stoffgebietes in differenzierte Lernangebote übersetzt: Die Zeilen bieten *kognitiv* unterschiedlich komplexe Aufgaben (Y-Achse), die Aufgaben in den Spalten sind *thematisch* verschieden komplex (X-Achse) (vgl. Abb. 1). Auf der Y-Achse der DiffM steigt der kognitive Abstraktionsgrad von einfachen kognitiven Prozessen wie *Erinnern* über *Anwenden* bis zum *Beurteilen* und *Produzieren* (ANDERSON et al., 2013). Die sechs von ANDERSON et al. vorgeschlagenen kognitiven Prozesse haben wir in einer vereinfachten Struktur drei Anforderungsbereichen (AFB) zugewiesen.

Mit Lernangeboten aus AFB 1 werden die kognitiven Prozesse des Wiedererkennens und der Wiedergabe von Inhalten adressiert. AFB 2 regt mehrere kognitive Prozesse an, die separat stattfinden können, sodass dieser AFB in a und b gegliedert ist: AFB 2a umfasst das Verstehen und Anwenden des gelernten Wissens, indem z. B. eigene Beispiele gefunden werden sollen. AFB 2b bildet die Analyse ab, d. h. die kognitiven Prozesse des Vergleichens und Diskriminierens. Kognitiv am anspruchsvollsten sind die Lernangebote in AFB 3; diese erfordern das Argumentieren, Beurteilen und Reflektieren, wofür das Wissen auf AFB 1 und 2 benötigt wird.

Auf der X-Achse der DiffM steigt die *thematische Komplexität* von Definitionen und zentralen Begriffen über theoretische Modelle und Ansätze hin zur theorie- und themenübergreifenden Vernetzung (KÖRNDLE, NARCISS & PROSKE, 2004). Die Steigerung wird auf dieser Achse v. a. an der zunehmenden Vernetzung der Inhalte sichtbar: Während in X1 zentrale Begriffe eher isoliert adressiert werden, sind sie in X2 miteinander verknüpft und in theoretische Modelle eingebettet. In X3 werden verschiedene Themenbereiche miteinander verzahnt.

Die klar strukturierte Lernumgebung bietet eine gute Orientierung für das selbstregulierte Lernen, da die Struktur eines Wissensgebietes sichtbar ist, und wirkt einer Überlastung des Arbeitsgedächtnisses (sog. *cognitive overload*) entgegen (VAN MERRIËNBOER & SWELLER, 2005). Die DiffM ermöglicht es den Studierenden, Lernangebote zeitlich und inhaltlich entsprechend ihrer kognitiven (u. a. Wissensstand) und motivationalen (u. a. Interessen, Fähigkeitsüberzeugungen) Lernvoraussetzungen wahrzunehmen (LI & WONG, 2018). Zudem kann die selbstständige Auswahl von Aufgaben und Lernweg eine lernhemmende Über- oder Unterforderung verhindern und motivierend wirken (LINNENBRINK-GARCIA, PATALL & PEKRUN, 2016; RYAN & DECI, 2000), weil eine bessere Passung zwischen individuellen Lernvoraussetzungen und Lernangebot gefördert wird, sodass sich die Lernenden bei der Lösung der Aufgaben als kompetent erleben können.

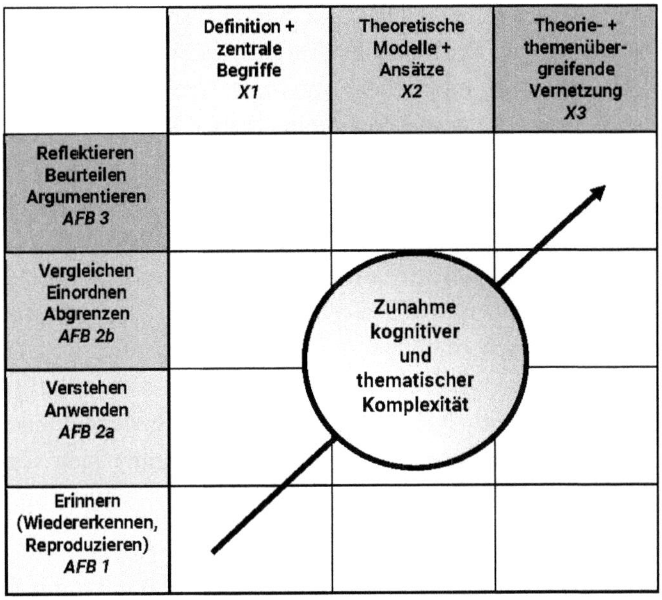

	Definition + zentrale Begriffe X1	Theoretische Modelle + Ansätze X2	Theorie- + themenüber-greifende Vernetzung X3
Reflektieren Beurteilen Argumentieren AFB 3			
Vergleichen Einordnen Abgrenzen AFB 2b		Zunahme kognitiver und thematischer Komplexität	
Verstehen Anwenden AFB 2a			
Erinnern (Wiedererkennen, Reproduzieren) AFB 1			

Abb. 1: Struktur einer DiffM

2.2 Die Aufgaben in der Differenzierungsmatrix

Das Herzstück der DiffM bilden die Aufgaben, die sich in den Feldern bzw. Zellen befinden. Mit ihnen sollen die Studierenden relevante Inhalte wiederholen, vertiefen und erweitern können sowie zur Reflexion angeregt werden. Das Lernen durch die Bearbeitung von Lerntestaufgaben stimuliert den Abruf bereits gelernten Wissens aus dem Langzeitgedächtnis sowie dessen aktive Bearbeitung im Arbeitsgedächtnis und ist u. a. der einfachen Wiederholung des Lernmaterials überlegen (sog. *Testing Effect*, ADESOPE, TREVISAN & SUNDARAJAN, 2017). Um die verschieden komplexen kognitiven Prozesse zu adressieren, können für die Gestaltung der Aufgaben entsprechende Operatoren genutzt werden (KÖRNDLE et al., 2004).

Abbildung 2 zeigt Aufgabenbeispiele aus einer DiffM. Grün umrahmt sind zwei Reproduktionsaufgaben (AFB 1). Solche Aufgaben können z. B. so gestaltet werden, dass aus einer Liste an möglichen Antworten die richtige wiederzuerkennen und auszuwählen oder die richtige Lösung einzugeben ist. Die dazugehörigen Operatoren sind z. B. „Nennen Sie…", „Geben Sie an…". Für die Gestaltung von Aufgaben in AFB 2a eignet sich z. B. die Einbindung kurzer Fallvignetten oder Videos, um den Transfer des theoretischen Wissens auf Anwendungsszenarien zu fördern (in Abb. 2 grau umrahmt). Ein passender Operator ist hier „Nennen Sie ein Beispiel für…". Aufgaben in AFB 2b können z. B. das Diskriminieren von Begriffen bzw. Konstrukten mit Operatoren wie „Was unterscheidet x von y?" fokussieren (in Abb. 2 orange eingerahmt). Bei komplexeren Aufgaben, v. a. in AFB 3 bzw. für den Bereich X3, können Argumente gegeneinander abgewogen oder komplexe Situationen bewertet werden. Dazu eignen sich Operatoren wie „Unter welchen Bedingungen…" oder „Begründen Sie…" (in Abb. 2 lila eingerahmt).

Nach der Bearbeitung der Aufgaben erhalten die Studierenden ein Feedback, das neben den korrekten Lösungen auch inhaltliche Kommentare zur Aufgabe und weitere Lösungsansätze enthalten kann (Abb. 3). Geschlossene Aufgabenformate, in denen die Antwortmöglichkeiten vorgegeben sind, bspw. Single bzw. Multiple Choice, Zuordnung oder Drag-and-Drop, ermöglichen hierbei ein automatisiertes und personalisiertes Feedback. Bei offenen Aufgabenformaten, die das Argumentieren und Reflektieren umfassen, kann entweder ein personalisiertes Feedback manuell durch die Lehrenden gegeben werden oder ein automatisiertes, nicht-personalisiertes Feedback (z. B. mit Musterlösungen) erfolgen. Alle bearbeiteten und abgeschlossenen Felder der DiffM werden in Grün hervorgehoben, sodass – auch nach Bearbeitungspausen – eine schnelle Erfassung des eigenen Lernweges möglich ist.

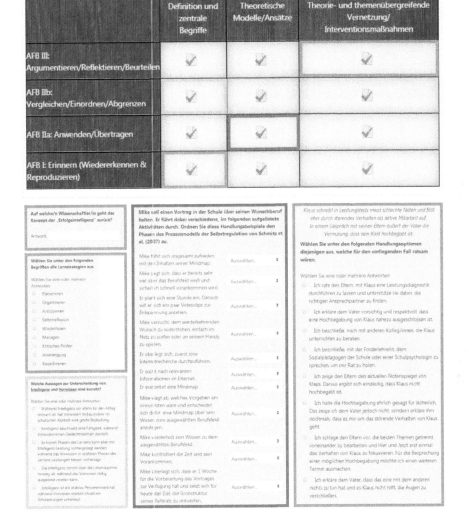

Abb. 2: Exemplarische Aufgaben

Klaus schreibt in Leistungstests meist schlechte Noten und fällt eher durch störendes Verhalten als aktive Mitarbeit auf. In einem Gespräch mit seinen Eltern äußert der Vater die Vermutung, dass sein Kind hochbegabt ist.

Wählen Sie unter den folgenden Handlungsoptionen diejenigen aus, welche für den vorliegenden Fall ratsam wären.

Wählen Sie eine oder mehrere Antworten:

    Ich rate den Eltern, mit Klaus eine Leistungsdiagnostik durchführen zu lassen und unterstütze sie dabei, die richtigen Ansprechpartner zu finden.

    Ich erkläre dem Vater vorsichtig und respektvoll, dass eine Hochbegabung von Klaus nahezu ausgeschlossen ist.

    Ich beschließe, mich mit anderen Kolleg/innen, die Klaus unterrichten, zu beraten.

    Ich beschließe, mit der Förderlehrerin, dem Sozialpädagogen der Schule oder einer Schulpsychologin zu sprechen, um mir Rat zu holen.

    Ich zeige den Eltern den aktuellen Notenspiegel von Klaus. Daraus ergibt sich eindeutig, dass Klaus nicht hochbegabt ist. ✘

    Ich halte die Hochbegabung ehrlich gesagt für lächerlich. Das zeige ich dem Vater jedoch nicht, sondern erkläre ihm nochmals, dass es mir um das störende Verhalten von Klaus geht.

    Ich schlage den Eltern vor, die beiden Themen getrennt voneinander zu bearbeiten und Hier und Jetzt erst einmal das Verhalten von Klaus zu fokussieren. Für die Besprechung einer möglichen Hochbegabung möchte ich einen weiteren Termin ausmachen. ✔

    Ich erkläre dem Vater, dass das eine mit dem anderen nichts zu tun hat und es Klaus nicht hilft, die Augen zu verschließen. ✘

Die Antwort ist falsch

Hier einige Kommentare zu den Antwortmöglichkeiten:

Ich rate den Eltern, mit Klaus eine Leistungsdiagnostik durchführen zu lassen und unterstütze sie dabei, die richtigen Ansprechpartner zu finden.	X	(Nur) mit einer psychologischen Leistungsdiagnostik lässt sich die Vermutung überprüfen.
Ich erkläre dem Vater vorsichtig und respektvoll, dass eine Hochbegabung von Klaus nahezu ausgeschlossen ist.		Ohne eine Intelligenzdiagnostik können Sie keine Aussage dazu treffen (s.o.).
Ich beschließe, mich mit anderen Kolleg/innen, die Klaus unterrichten, zu beraten.	X	Kollegialer Austausch kann die Objektivität Ihrer Einschätzung erhöhen. Die Perspektiven anderer Lehrkräfte ist eine wichtige diagnostische Quelle. Wie erleben die anderen Fachkräfte Klaus? Gibt es Gemeinsamkeiten zu ihrer Beobachtung oder systematische Abweichungen?
Ich beschließe, mit der Förderlehrerin, dem Sozialpädagogen der Schule oder einer Schulpsychologin zu sprechen, um mir Rat zu holen.	X	Siehe oben. Auch hierdurch können sie die Qualität Ihrer Einschätzung steigern durch die Einbeziehung multiprofessioneller Perspektiven.
Ich zeige den Eltern den aktuellen Notenspiegel von Klaus. Daraus ergibt sich eindeutig, dass Klaus nicht hochbegabt ist.		Ohne eine Intelligenzdiagnostik können Sie keine Aussage dazu treffen (s.o.).
Ich halte die Hochbegabung ehrlich gesagt für lächerlich. Das zeige ich dem Vater jedoch nicht, sondern erkläre ihm nochmals, dass es mir um das störende Verhalten von Klaus geht.		Auf diesem Wege könnten sie eine möglicherweise zentrale Ursache für Klaus' Verhaltensauffälligkeiten übersehen.
Ich schlage den Eltern vor, die beiden Themen getrennt voneinander zu bearbeiten und Hier und Jetzt erst einmal das Verhalten von Klaus zu fokussieren. Für die Besprechung einer möglichen Hochbegabung möchte ich einen weiteren Termin ausmachen.	X	Damit nehmen Sie das Thema ernst, (signalisieren dies auch), verschaffen sich Zeit, um darüber nachzudenken und weitere Informationen einzuholen und können trotzdem ihr Anliegen mit den Eltern besprechen.
Ich erkläre dem Vater, dass das eine mit dem anderen nichts zu tun hat und es Klaus nicht hilft, die Augen zu verschließen.		Mit diesem Ansatz verbinden sich zwei Risiken: eine Bagatellisierung kann die Eltern frustrierten. Zudem könnten sie wiederum eine mögliche Ursache für Klaus' Verhaltensauffälligkeiten übersehen.

Abb. 3: Exemplarisches Feedback zur Aufgabe aus Abb. 2 (lila gerahmt)

3 Individualisiertes Lehren und Lernen mit Digitalen Differenzierungsmatrizen

Die DiffM stellt eine binnendifferenzierte Lernumgebung dar, mit der eine bessere Passung von Lernangebot und individuellen Lernvoraussetzungen der Studierenden angestrebt wird. Die DiffM ermöglicht ein selbstständiges Bearbeiten, sodass sie aus den Präsenzsitzungen ausgelagert und z. B. mit einem „Flipped Classroom"-Konzept kombiniert werden kann. Die Studierenden entscheiden selbst, wann und wo sie die Aufgaben bearbeiten, ob, wann und wie oft sie unterbrechen (Flexibilität der Arbeitszeit und des Arbeitsortes). Zudem entscheiden sie selbst, wie intensiv, in welchem Umfang und in welchem Tempo sie die Aufgaben lösen (Flexibilität von Arbeitsintensität, Anzahl bearbeiteter Aufgaben sowie Arbeitstempo). Die DiffM kann zusätzliches Arbeitsmaterial, weiterführende Literatur etc. enthalten, welches Studierende zur Intensivierung ihres Lernens nutzen können. Dieses individualisierte Bearbeitungsverhalten wird ebenso wie die erreichte Punktzahl für die eingereichten Antworten aufgezeichnet (vgl. Abb. 3) und kann von Dozierenden als diagnostische Information für die lerngruppenorientierte Adaption ihrer Lehre genutzt werden (REY, 2009).

Grundsätzlich ist der Einsatz einer DiffM in verschiedenen Lehrveranstaltungsformaten möglich. Am Lehrstuhl für Pädagogische Psychologie der Friedrich-Schiller-Universität Jena wird die DiffM derzeit zum einen als lernbegleitendes Tool in Vorlesungen eingesetzt, die sich an Studierende im 1. Studienjahr richten. Zum anderen wird sie Lehramtsstudierenden des 5./6. Fachsemesters angeboten, die sich im Praxissemester befinden. Schließlich soll die DiffM als Grundlage für die Vorbereitung auf die Abschlussprüfungen dienen, in denen die Anwendung und die theoretisch fundierte Reflexion des erworbenen Wissens sowie die Verknüpfung von verschiedenen Themenbereichen gefordert sind. Im Folgenden wird skizziert, wie die DiffM in zwei verschiedenen Einsatzszenarien – Vorlesung und Seminar – eingebunden werden kann. Weitere Anwendungsbeispiele sind auf einer Webseite zur Digitalen DiffM verfügbar (www.diffmatrix.uni-jena.de).

3.1 Vorlesung

Die einführende Vorlesung wird als wöchentlich strukturierte Präsenzlehre in einem Hörsaal mit mehreren hundert Studierenden durchgeführt. Nach der Auseinandersetzung mit jedem Themengebiet wird die thematisch passende DiffM im LMS Moodle zur Verfügung gestellt. Die Felder dieser DiffM enthalten Selbstlerntests, die die Studierenden zur Klausurvorbereitung nutzen können. Die Tests der weniger komplexen Felder (AFB 1, 2a bzw. X1 und X2) enthalten mehrere kleinteilige Aufgaben. Die Tests der komplexen Felder (insbes. AFB 3 und X3) umfassen Aufgaben, die vorwiegend an Fallvignetten geknüpft sind und somit einen Anwendungsbezug herstellen. Die Studierenden können die Lerntests direkt nach der Präsenzveranstaltung oder bis Semesterende bearbeiten und beliebig oft wiederholen. Sie erhalten in überwiegend geschlossenen Aufgaben ein automatisiertes, personalisiertes Feedback zu ihrer Leistung im jeweiligen Test und können so Veränderungen in ihrem Leistungsstand explizit dokumentieren.

Im Vergleich zu klassischen Einführungsvorlesungen werden durch den Einsatz der DiffM eine stärkere kognitive Aktivierung sowie individualisiertes und nachhaltigeres Lernen angestrebt. Für die Lehrenden ergibt sich mit der Konstruktion geschlossener Aufgaben, die für ein personalisiertes Feedback erforderlich sind, insbesondere für AFB 3 und X3 eine Herausforderung.

3.2 Seminar

Das Seminar Pädagogische Psychologie findet als Begleitung für Lehramtsstudierende im Praxissemester statt. Mit Fallanalysen aus der Schul- und Unterrichtspraxis wird die Anwendung theoretischer Konzepte und Modelle angestrebt. Um die Präsenzphasen weniger mit der Wiederholung theoretischer Inhalte als mit dem Transfer und den Fallbesprechungen nutzen zu können, wurde über das LMS Moodle eine DiffM mit den Themenbereichen Kognition, Motivation, Emotion und Sozialverhalten bereitgestellt. Sie soll die Studierenden dazu anregen, in der mehrwöchigen Phase zwischen Einführungsveranstaltung und Beginn des Semesters ihr Vorwissen aus der einführenden Vorlesung zu (re-)aktivieren. Durch direktes

Feedback kann der eigene Lernstand überprüft werden, um individuell über eine weitere Auseinandersetzung mit den Inhalten zu entscheiden. Im weiteren Verlauf des Semesters ist die DiffM ein Angebot, sich weitere Modelle und Theorien der Pädagogischen Psychologie im Sinne des „Flipped-Classroom"-Ansatzes zu erarbeiten, um die geforderte theoretische Fundierung in ihren Fallanalysen zu verdichten. Für die Bearbeitung der Aufgabenfelder können die Studierenden Zusatzpunkte für die Prüfungsleistung erwerben. Den angehenden Lehrkräften liefert die DiffM als „pädagogischer Doppeldecker" (WAHL, 2006) Impulse dafür, wie sie zukünftig in ihrem eigenen Unterricht mit der Heterogenität der Lernenden umgehen können.

4   Fazit und Ausblick

Im vorliegenden Beitrag wurde die DiffM, eine digitale Lernumgebung, präsentiert, die flexibles, selbstreguliertes und individualisiertes Lernen ermöglicht. Die DiffM stellt ein konkretes Konzept für den Umgang mit den heterogenen Lernvoraussetzungen der Studierenden dar: Zum einen soll die DiffM eine bessere Passung von den individuellen Lernvoraussetzungen der Studierenden und den Anforderungsniveaus der Aufgaben schaffen. Zum anderen soll die DiffM mit Hilfe der Transparenz der inhaltlichen Systematik die Studierenden anregen, im Laufe des Studiums nicht auf der Stufe des deklarativen Wissenserwerbs stehen zu bleiben, sondern erworbenes Wissen anzuwenden und zu reflektieren..

Es wurden zwei Einsatzszenarien aus der Pädagogischen Psychologie vorgestellt, wobei die DiffM auf verschiedene Fachbereiche und Disziplinen übertragen sowie in verschiedenen Lehr-Lern-Settings eingesetzt werden kann.

Ein Vorteil der DiffM besteht darin, dass sie flexibel modifiziert und an die Voraussetzungen sowie Bedürfnisse der jeweiligen Lerngruppe angepasst werden kann. Dafür können die digital gesammelten Informationen über Lernstand und -entwicklung der Studierenden genutzt oder Ideen, Fragen und Probleme der Lernenden z. B. aus den Präsenzsitzungen aufgegriffen werden.

In der DiffM sollen die Studierenden ein personalisiertes Feedback im Anschluss an die Aufgabenbearbeitung erhalten. Dies ist bei komplexen Aufgaben (z. B. AFB 3, X3) im offenen Format automatisiert kaum möglich, sodass das Feedback hier bislang nicht die individuellen Antworten der Studierenden berücksichtigt. Daher ist zukünftig zu prüfen, ob z. B. Texterkennungstools genutzt werden können, um den Lernenden ein individualisiertes Feedback zu komplexen Freitext-Antworten zu geben.

Da die Aufgaben- und Materialerstellung einer DiffM zunächst sehr aufwendig ist, sollten Lehrende dies im Team bewältigen. Empfehlenswert ist zudem, die DiffM Stück für Stück in einer Lehrveranstaltung zu implementieren und sie zunächst nur bei einzelnen Themen einzusetzen, die in nachfolgenden Durchläufen der Lehrveranstaltung erweitert werden.

Damit das individualisierte Lernen mit einer DiffM den Wissenserwerb effektiv fördern kann, sollten die Selbstregulationskompetenzen der Studierenden angesprochen werden (DUMONT, 2018; RAAIJMAKERS et al., 2017). Beispielsweise setzt eine effektive selbstgesteuerte Aufgabenauswahl voraus, dass die Studierenden die Struktur der DiffM einschließlich der Beschriftung der Achsen verstehen. Im Hinblick auf den verstärkten Einsatz von digitalisierten Lernangeboten wird zu diskutieren sein, wie Studierende motiviert werden können – auch ohne zusätzliche Anreize wie Prüfungsleistungspunkte – stärker von derartigen Lernangeboten Gebrauch zu machen.

Dass durch den hohen Individualisierungsgrad der DiffM die psychologischen Grundbedürfnisse der Studierenden stärker adressiert werden, konnte bereits anhand von Evaluationsdaten aus der Studierendenperspektive gezeigt werden (GREINER & KRACKE, 2018). Derzeit findet eine umfangreiche Evaluation der DiffM mit Kontrollgruppendesign statt, in der neben motivational-emotionalen auch kognitive Lernprozesse beim Lernen mit der DiffM erfasst werden.

5   Literaturverzeichnis

Adesope, O. O., Trevisan, D. A., & Sundararajan, N. (2017). Rethinking the use of tests: a meta-analysis of practice testing. *Rev. Educ. Res., 87*, 659-701.

Anderson, L. W., Krathwohl, D. R., Airasian, P. W., Cruikshank, K. A., Mayer, R. E., Pintrich, P. R., Raths, J. & Wittrock, M. C. (2013). *A Taxonomy for Learning, Teaching, and Assessing: Pearson New International Edition: A Revision of Bloom's Taxonomy of Educational Objectives*, Abridged Edition. London: Pearson.

Dumont, H. (2019). Neuer Schlauch für alten Wein? Eine konzeptuelle Betrachtung von individueller Förderung im Unterricht. *Zeitschrift für Erziehungswissenschaft, 22*(2), 249-277.

Eckert, C., Seifried, E. & Spinath, B. (2015). Heterogenität in der Hochschule aus psychologischer Sicht: Die Rolle der studentischen Eingangsvoraussetzungen für adaptives Lehren. In K. Rheinländer (Hrsg.), *Ungleichheitssensible Hochschullehre* (S. 255-273). Wiesbaden: Springer.

Greiner, F. & Kracke, B. (2018). Heterogenitätssensible Hochschullehre – Einsatz einer Differenzierungsmatrix. *Zeitschrift für Hochschulentwicklung, 13*(1), 69-83.

Holmes, W., Anastopoulou, S., Schaumburg, H., & Mavrikis, M. (2018). *Personalisiertes Lernen mit digitalen Medien. Ein roter Faden.* Stuttgart: Robert Bosch Stiftung. https://www.bosch-stiftung.de/sites/default/files/publications/pdf/2018-06/Studie_Personalisiertes_Lernen.pdf

Körndle, H., Narciss, S. & Proske, A. (2004). Konstruktion interaktiver Lernaufgaben für die universitäre Lehre. In D. Carstensen & B. Barrios (Hrsg.), *Campus 2004. Kommen die digitalen Medien an den Hochschulen in die Jahre?* (S. 57-67). Münster: Waxmann.

Li, K. C. & Wong, B. Y. Y. (2018). Revisiting the Definitions and Implementation of Flexible Learning. In K. C. Li, K. S. Yuen & B. T. M. Wong (Hrsg.), *Innovations in Open and Flexible Education* (S. 3-13). Singapore: Springer Singapore.

Linnenbrink-Garcia, L., Patall, E. A. & Pekrun, R. (2016). Adaptive motivation and emotion in education: Research and principles for instructional design. *Policy Insights from the Behavioral and Brain Sciences, 3*(2), 228-236.

Lipowsky, F. & Lotz, M. (2015). Ist Individualisierung der Königsweg zum Lernen? Eine Auseinandersetzung mit Theorien, Konzepten und empirischen Befunden. In G. Mehlhorn, K. Schöppe & F. Schulz (Hrsg.), *Begabungen entwickeln & Kreativität fördern* (S. 155-219). München: kopaed.

Renkl, A. (1996). Träges Wissen: wenn Erlerntes nicht genutzt wird. Psychologische Rundschau, *47*(2), 78-92.

Rey, G. D. (2009). E-*Learning. Theorien, Gestaltungsempfehlungen und Forschung.* Bern: Huber.

Ryan, R. M. & Deci, E. L. (2000). Self-determination theory and the facilitation of intrinsic motivation, social development, and well-being. *American Psychologist, 55,* 68-78.

Van Merriënboer, J. & Sweller, J. (2005). Cognitive load theory and complex learning: recent developments and future directions. *Educational Psychology Review, 17,* 147-177.

Wahl, D. (2006). *Lernumgebungen erfolgreich gestalten. Vom trägen Wissen zum kompetenten Handeln* (2. Aufl. mit Methodensammlung). Bad Heilbrunn: Julius Klinkhardt.

ZFHE Jg. 14 / Nr. 3 (November 2019) S. 287-302

Autorinnen

Franziska GREINER || Friedrich-Schiller-Universität Jena, Institut für Erziehungswissenschaft || Am Planetarium 4, D-07743 Jena

franziska.greiner@uni-jena.de

Dr. Nicole KÄMPFE || Friedrich-Schiller-Universität Jena, Institut für Erziehungswissenschaft || Am Planetarium 4, D-07743 Jena

nicole.kaempfe@uni-jena.de

Dorit WEBER-LIEL || Friedrich-Schiller-Universität Jena, Institut für Erziehungswissenschaft || Fürstengraben 11, D-07743 Jena

dorit.weber-liel@uni-jena.de

Prof. Dr. Bärbel KRACKE || Friedrich-Schiller-Universität Jena, Institut für Erziehungswissenschaft || Am Planetarium 4, D-07743 Jena

baerbel.kracke@uni-jena.de

Dr. Julia DIETRICH ‖ Friedrich-Schiller-Universität Jena, Institut für Erziehungswissenschaft ‖ Am Planetarium 4, D-07743 Jena

julia.dietrich@uni-jena.de

IMKE BUß[1] (Ludwigshafen)

The relevance of study programme structures for flexible learning: an empirical analysis

Abstract

Flexible learning is usually related to e-learning in order to create flexibility in the pace, place and content of study programmes. However, this is not the only study programme structure that can provide flexibility to learners. This article shows that other options, such as a high percentage of elective courses, a small amount of teaching hours, or a regular distribution of exams, improve the fit between the needs of a diverse student body and study structures. In order to test this correlation, a structural equation model is conducted using survey data from two German Universities of Applied Sciences.

Keywords

Flexible learning, study programme structures, study conditions, diversity, e-learning

---

[1] E-Mail: imke.buss@hwg-lu.de

Scientific Contribution · DOI: 10.3217/zfhe-14-03/18

1 Introduction

Multiple political strategies have addressed flexible learning in Germany during recent years (HOCHSCHULREKTORENKONFERENZ, 2014; WOLTER, BANSCHERUS & KAMM, 2016). Several state-funded projects focused on widening participation, part-time studies, and the development of distance education or blended-learning courses within traditional face-to-face study programmes (e.g. Aufstieg durch Bildung, Digitale Hochschulbildung). The aim of flexible learning is to create an environment in which students can adapt aspects such as the pace, place and content of their study programme to meet their own needs. Most research focusses on flexible learning through distance education and e-learning (ANDRADE & ALDEN-RIVERS, 2019; GORDON, 2014; GUEST, 2005). This is not surprising given that e-learning provides several advantages: it allows high flexibility in time, place and content distribution. However, e-learning is not the only study programme structure that can provide flexibility to learners (LI, YUEN & WONG, 2018). Other options, including *elective courses, the timing of courses*, or *the amount of teaching hours in relation to self-learning time* are often easier to implement, as a substantial share of professors prefer classroom teaching over e-learning (BUSS & KELLER, 2019; KREIDL, 2011; MACKEOGH & FOX, 2009). Particularly in higher education systems where professors have high autonomy, external incentives or top-down policies do not foster higher acceptance of e-learning. Therefore, other study programme structures should be considered in order to gain flexibility (BUSS & KELLER, 2019; VAN ACKEREN et al., 2018).

But what do we know about the effects of other study programme structures? Do they really enhance flexibility? In comparison to e-learning, there is little empirical evidence regarding structural elements such as hours of weekly classroom teaching, the percentage of elective courses, or the distribution of assessments and deadlines over the semesters; nevertheless, these structures are generally accepted as important factors affecting programme quality. As the theoretical background, I use a concept from the German scientific community, named *Studierbarkeit*, and relate it to the person-environment-fit theory.

To sum up, this article questions whether the study programme structures mentioned above increase the students' perceived flexibility, and thereby their satisfaction with their study programme. To test this hypothesis, I conduct a Structural Equation Model using student survey data for two Universities of Applied Sciences in Germany.

The results show that several study programme structures other than e-learning allow working students, students with care responsibilities or disabled students to study at their own speed, attend the courses they want, and to devote enough time to self-learning.

2 Theoretical background

Flexible learning is a broad concept, aiming to increase the flexibility of (1) time and pace, (2) content, (3) entry requirements, (4) content delivery, (5) instructional approach, (6) assessment, (7) resources and support, (8) orientation and goals, and (9) location of learning (BOER & COLLIS, 2005; LI et al., 2018). Its focus lies on the instructor's choices of how to design his or her course. The framework for flexible learning in higher education broadens this perspective, and defines the institutional systems and structures as important factors in implementing flexible learning systematically (HEA, 2015). According to this perspective, I argue that institutional structures should not only include systems that support professors in their individual flexible teaching; rather, real flexibilization of learning in higher education also has to be secured by a flexible study programme structure and organization.

In order to analyse if and how the structure of study programmes enhances flexibility for the students, two theoretical perspectives are of interest. First, the concept of structural *Studierbarkeit* argues that structural and organizational elements of a study programme influence students' learning behaviour. Second, the person-environment-fit theory argues that a good fit between students' needs and study programme structures facilitates high satisfaction.

2.1 The concept of "structural *Studierbarkeit*"

Studierbarkeit is an important concept in German higher education and in quality assurance, as it is one aspect of the accreditation processes. *Studierbarkeit* describes whether a study programme creates good study conditions, which allow a diverse student body to finish their studies in an adequate period of study, and with adequate learning outcomes. There are only few concrete definitions of *Studierbarkeit*. In general, authors distinguish between factors that can be influenced by the university on the one hand, and individual factors on the other. The factors that can be influenced by the universities are aspects of counselling and support, interaction with teachers and students, the structure of study programmes, the number of exams, overlap of courses, and technical equipment (KREMPKOW & BISCHOF, 2010; KUHLEE, VAN BUER, KLINKE & SIGBERT, 2009; STEINHARDT, 2011). Individual factors include employment and parenthood, entry requirement and migration backgrounds. In the sense of the person-environment-fit theory (see Chapter 2.2), however, I assume that the individual aspects do not represent aspects of *Studierbarkeit* itself. I rather ask: for which groups of students (e.g. those in states of employment or parenthood) can a study programme be studied effectively, and provide a good fit between needs and structures?

As the definitions of *Studierbarkeit* are quite broad, and therefore cannot be tested empirically, I suggest a new definition of *Studierbarkeit* based on the work of BURCK & GRENDEL (2011), focussing on structural elements that influence students' behaviour. This definition can help to understand which study programme structures, in addition to the teaching itself, can enhance flexibility by influencing students' learning.

> *Strukturelle (structural) Studierbarkeit can be defined as institutionally anchored study programme structures that influence the behaviour of students – in particular attendance of courses, self-learning time and taking examinations. The study structures take into account the time restrictions of students (employment, care responsibilities, disability) and, through ap-*

propriate flexibility, enable students to study successfully within their time resources. (BUSS, 2019, S. 12)

I describe *structural Studierbarkeit* consisting of the following five aspects:

1. Place and time of the courses (e-learning, elective courses, timetable)
2. Hours of classroom teaching, and distribution of workload or exams over the semesters
3. The possibility of taking a break from studying, and duration of studies
4. Flexibility in the study programme (e.g. part-time studies, distance education)
5. Counselling and support which takes into account the diversity of the students and supports their orientation within the educational system

Study structures influence the actions of students, as actions arise in interaction with structures (SCHIMANK, 2010). Study structures are regulations and obligations that represent institutionalized norms for students.

2.2 Flexible learning and person-environment fit

The person-environment-fit theory claims that students' satisfaction is high when study conditions are in line with the students' abilities and requirements (CAPLAN, 1987; EDWARDS, CAPLAN & HARRISON, 1998). First, satisfaction arises from the comparison between the professors' demands (teaching) and the students' abilities. Second, it concerns the fit between students' needs and offers. A high level of satisfaction is to be expected if (1) the offers (e.g. study structures, timetable) meet students' needs and (2) the offers are better than anticipated by the students (APPLETON-KNAPP & KRENTLER, 2006). Figure 1 demonstrates the described relationships.

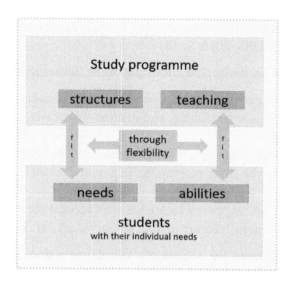

Figure 1: Person-environment-fit theory adapted to teaching and learning

When applying this theory to structural *Studierbarkeit,* flexible study structures should allow students to adapt the studies to their personal needs. These needs can result e. g. from from employment, parenthood, care responsibilities or disabilities. If students report a high person-environment fit because the structure meets their needs, this can be observed by their study behaviour – especially attending lectures, devoting time to self-learning, postponing exams, and an improvement of the work-life-learn balance.

Hypothesis 1: The higher the flexibility of study structures, the higher the fit between students' needs and the study programme. The higher this fit is, the fewer problems students have in their study behaviour.

Satisfaction is one outcome of structural *Studierbarkeit* (BUSS, 2019). Therefore, flexible study structures should provide a good fit for the needs of a diverse student body.

Hypothesis 2: The higher the fit between students' needs and study programme structures, the higher the students'satisfation.

3 Literature on study programme structures for flexible learning

As mentioned earlier, we know little about the effects of study programme structures on student behaviour, duration of study, dropout rate or perceived flexibility. In order to provide empirical evidence, only structures that vary between study programmes will be analysed in this article. In terms of analysing the five aspects of structural *Studierbarkeit*, only the first (place and time of courses, e-learning, elective courses, timetable), the second (hours of classroom teaching, distribution of workload and exams) and the fourth aspect (part-time studies, distance education) differ on the programme level. In order to specify the implementation of these aspects in study programmes, I focus on the *percentage of elective courses*, the *teaching hours per week*, the *regular or irregular distribution of exams* and the *percentage of online-learning courses*.

This section gives a short overview of relevant research concerning these aspects (overview see table 1). A broad body of literature exists on individual and didactical factors influencing course attendance (for an overview, see SCHULMEISTER, 2015). Some of these studies also take into account the teaching hours per week (*Semesterwochenstunden,* SWS) or the workload. They show three different effects. First, a larger amount of classroom teaching time is related to a reduction of self-learning time, especially when teaching is organized in 2-hour intervals (SCHULMEISTER & METZGER, 2011). When many courses introduce mandatory attendance, this reduces the time spent on the other classes (CHEN & OKEDIJI, 2014). Second, VAN DEN BERG & HOFMAN (2005) show that a higher proportion of small courses reduces study speed, and students postpone their exams. The reason for this longer study time can also be found in the available self-learning time. Due to a high number of face-to-face lessons or parallel courses, students focus less on the different course contents and have little time for self-learning. Third, the work-life-learn balance is affected by a high quantity of teaching time. In particular, working students or students with children cannot attend as regularly as they wish (BUSS, ERBSLAND, RAHN, MÜLLER & HUSEMANN, 2018; BUSS, 2019; NATIONAL UNION OF STUDENTS UK, 2009).

Table 1: Overview of relevant research

Structural element	Is related to…
Teaching hours per week and their distribution	Self-learning time Work-life-learn balance Duration of study
Percentage of elective courses per study programme	Dropout Work-life-learn balance Attending classes
Irregular distribution of exams, accumulation of exams	Stress Postponing exams
Percentage of e-learning courses in face-to-face study programmes	Work-life-learn balance

Concerning the amount of *elective courses*, there is almost no empirical evidence to be found. Only BLÜTHMANN, THIEL & WOLFGRAM (2011) see a very low percentage of electives as one of the reasons for dropout. Furthermore, a flexible timetable that allows students to choose between different subjects or different times for the same subject (e.g. weekly or blocked) is helpful for students with time restrictions. Lacking choices between different classes can deteriorate the work-life-learn balance and make it more difficult to attend all classes (HUSEMANN & MÜLLER, 2018).

Regarding the distribution of exams within one semester, there is some evidence from workload studies. SCHULMEISTER & METZGER (2011) and KÖNIG & WANNEMACHER (2017) show that the accumulation of exams at the end of the semester leads to high stress amongst students. Furthermore, students` absence from courses increases when they have to learn for exams or tests in other courses (WESTRICK, HELMS, MCDONOUGH & BRELAND, 2009). As it is typical for the study programmes in this sample to place the examination period at the end of the semester (which therefore does not produce variance), I focus on the distribution of exams throughout the whole programme. I assume that a high variation in the number of exams per semester enhances stress, and leads students to postpone some of the exams.

There is a broad body of literature on the effects of e-learning on flexibility (for an overview, see TAMIM, BERNHARD, BOROKHOVSKI, ABRIMI & SCHMID, 2011). E- or blended learning is seen as an important structural element to enhance flexibility with regard to time, place and even content (KÖNIG & WANNEMA-CHER, 2017). This is especially the case for students with time restrictions, whose work-life-learn balance should improve when introducing well-supported online learning in traditional face-to-face study programmes (ALLAN, 2007; HALL, 2010; KUNADT, SCHELLING, BRODESSER & SAMJESKE, 2014). More critical aspects, such as high dropout rates, mainly concern distance education (MOR-GAN & TAM, 1999).

4   Data and Methodology

The sample includes students from the Ludwigshafen University of Business and Society (N = 980, response rate 68%) and the University of Applied Sciences Worms (N = 272, response rate 10%), who completed a questionnaire on their personal situation and study conditions in the months of November and December 2015. The students from Ludwigshafen completed the questionnaire during face-to-face lessons, whereas students from the city of Worms completed it online. The composition of the sample largely corresponds to the demographic characteristics of the student bodies and other nationwide surveys. Out of all participants, 687 students answered that they worked, 49 had children, 51 had care responsibilities and 71 were disabled. For a detailed description of the sample, see BUSS (2019, 115 f.). Students in part-time and MBA-Programmes were not part of the sample.

Beside the survey data, a document analysis (BUSS, MÜLLER & HUSEMANN, 2015) provided information about the structure of study programmes. Study programmes were analysed if more than 12 students answered the questionnaire (N = 29).

Only those study structures were included in the document analysis which could be identified at the programme level. Four selected structural variables influence the flexibility of study programmes, as follows. The first variable is the *average number of teaching hours per week* (0 = up to 20 teaching hours, 1 = 21 teaching hours and more), as a small number of teaching hours per week allows high flexibility to students with time restrictions. In addition, a high number of teaching hours reduces the time available for self-study. Second, *elective courses* give students the flexibility to choose between several courses in terms of time and content, and could therefore reduce the difficulties in attending courses (0 = more than 10%, 1 = 10% or less electives). Third, a *regular distribution of exams throughout the semesters* can support continuous learning processes and reduce peaks of stress, during which students have to decide between the preparation for exams and attending courses (0 = same number of exams per semester, 1 = more than two exams variance). Another aspect examined was the extent to which *classroom teaching is replaced by e-learning*. However, as the study programmes showed hardly any variance, e-learning could not be included in the analysis. In order to ensure objectivity, two members of the project called *Open Study Model Ludwigshafen* carried out the categorization independently. If there were deviations in the assessments, these were checked by a third person.

The data were analysed by conducting Structural Equation Modelling (SEM) using STATA 14. The model replicates the relevant part of the model *structural Studierbarkeit*. The variables describing students' obligations and their situation are dummy variables (0 = no, 1 = yes), except *employment_kat* (employment during term in categories of 5-hour periods). The latent variable *Fit_structure* is measured by three observed variables, describing (1) problems in spending self-learning time or (2) in attending courses regularly because of private obligations, and (3) an overlap between courses and obligations in general. The latent variable *Satisfaction* is based on a scale by WESTERMANN (2010) for studying conditions (e.g. better study conditions, little focus on students' needs, frustrating circumstances). All these observed variables (including *postpone_exams*) are measured on a 5-point Likert scale. As the residuals of the variable *postpone_exams* do not show a normal distribution, the estimation uses the robust maximum-likelihood method and displays standardized coefficients. Only statistically significant correlations (<0.05) are shown in figure 2.

5   Results

The Structural Equation Model has a good model fit (CRMR = 0.038).[2] The SEM shown in graph 2 shows that having problems in study behaviour (in attending classes, self-learning, work-life-learn balance) loads strongly on the latent construct of *Fit between students' needs and study programme structures*. Higher employment hours, care responsibilities and disabilities are related to this fit.

---

[2] When conducting the same model as a usual ML estimation, coefficients and significance change only slightly. Fit statistics then are: RMSEA: 0.048, CFI: 0.937.

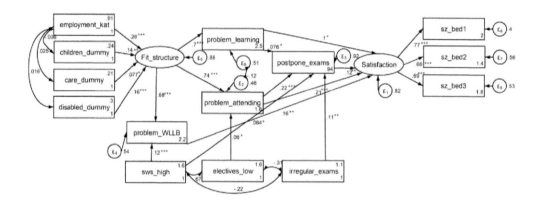

Figure 2: SEM-Model using robust maximum likelihood estimation,
modelfit CRMR = 0,038, CD = 0,167. N = 798. Confidence level: 0.95.

Having problems attending classes and finding time for self-learning are significantly related to postponing exams, and therefore to studying longer.

Concerning Hypothesis 1, the fit between students' needs and universities' offers is
better, if study programme structures are more flexible. The results show small but
significant correlations between high teaching hours per week and low perceived
work-life-learn balance. Furthermore, teaching hours and the duration of studies (as
measured by postponed exams) are positively correlated. As the missing arrow in
figure 2 shows, there is no significant correlation between teaching hours and self-
learning time.[3] These and the following results are summarized in table 2.

A *low percentage of elective courses* correlates with students' problems in attending courses. The literature assumes a relationship between the amount of elective
courses and work-life-learn balance; however, this cannot be confirmed by the
results. The same can be said about the correlation between low flexibility through

---

[3] A table with all variables, coefficients and significances can be found here:
https://www.zfhe.at/index.php/zfhe/article/view/1229/867

lack of electives and dropout; this relationship was tested using the variable *I seriously consider ending my studies*. As the correlation coefficient was small and not significant, it is not shown in the graph.

As for the last structural variable, the SEM tests the correlation between an irregular distribution of exams and the behaviour of students to postpone exams. This variable is used as a proxy for the duration of study. The correlation is significant, and shows that a regular distribution of workload is important.

Table 2: Test of Hypothesis

Structural element	Is related to...	Test of hypothesis
Teaching hours per week	Self-learning time	No evidence
	Work-life-learn balance	Evidence
	Duration of 0study	Evidence (postponing exams)
Percentage of elective courses per study programme	Attending classes	Evidence
	Dropout	No evidence
	Work-life-learn balance	No evidence
Irregular distribution of exams	Stress	Not included in the analysis
	Postpone exams	Evidence

Concerning Hypothesis 2, the correlation is tested between student satisfaction and the fit they expressed by describing their problems with their study behaviour. The scientific literature suggests that high satisfaction is a result of an excellent person-environment fit. The SEM shows a link between student behaviour – connected to study structure and individual characteristics of students – and *satisfaction with the studying conditions*. Students with difficulties in attending classes, in finding time for self-learning, or who postpone their exams, are significantly less satisfied with the conditions in their study programme. Therefore, the flexibility in the observed study programmes does not yet satisfy the needs of a diverse student body.

6 Conclusions

This article shows the relevance of flexible study structures when universities are aiming to secure a high structural *Studierbarkeit* for their programmes. Study programme structures such as adequate teaching hours per week, many elective courses, or an even distribution of exams, allow working students, students with care responsibilities, or disabled students, to study at their own speed, attend the courses they want, and devote enough time to self-learning. Flexibility gives them the possibility of studying as much as they can, and of choosing the time and place of studying according to their own needs. The question poses itself, if different groups within the student body need different forms of flexibility. In order to answer this question I compare the four student groups integrated in the SEM using an index of the three variables building the latent contruct *fit_structures*.[4] The results show, that especially care responsibilities, children, disabilities and working more that 20 hours per week lead to difficulties in study behavior and make changes of programme structures especially urgent. How these differences affect students' preferences concerning the design of study programmes is analized in BUß (2019, p. 153 ff.).

Overall, designing flexible study programmes is an important strategy in creating a high structural *Studierbarkeit* for a diverse student body. But by doing so, the students need *self-learning competences* to cope with this flexibility (RÖBKEN, 2012; WICHELHAUS, SCHÜLER, RAMM & MORISSE, 2008). Universities should take this into account when designing their study programme structures, and provide counselling and good orientation.

There are, however, some limitations to this study. First, the data represents two Universities of Applied Sciences in Germany, with a focus on Business Administration, Computer Science, Social Work and Nursing Science. To create more

---

[4] Coefficients and significances can be found here:
https://www.zfhe.at/index.php/zfhe/article/view/1229/867

variance between study conditions and structures, it would be interesting to extend data collection to universities with other disciplines in a wider geographical area. Second, due to missing variance, it was not possible to compare the analysed effects to the effects of e-learning. Therefore, further research should address this comparison, in order to understand how e-learning can contribute to more flexible study programmes.

7 References

Allan, B. (2007). Time to Learn? E-learners Experiences of Time in Virtual Learning Communities. *Management Learning, 38*(5), 557-572. https://doi.org/10.1177/1350507607083207

Andrade, M. S., & Alden-Rivers, B. (2019). Developing a framework for sustainable growth of flexible learning opportunities. *Higher Education Pedagogies, 4*(1), 1-16. https://doi.org/10.1080/23752696.2018.1564879

Appleton-Knapp, S. L., & Krentler, K. A. (2006). Measuring Student Expectations and Their Effects on Satisfaction. The Importance of Managing Student Expectations. *Journal of Marketing Education, 28*(3), 254-264. https://doi.org/10.1177/0273475306293359

Blüthmann, I., Thiel, F., & Wolfgram, C. (2011). Abbruchtendenzen in den Bachelorstudiengängen. Individuelle Schwierigkeiten oder mangelhafte Studienbedingungen? *Die Hochschule, 20*(1), 110-116.

Boer, W. d., & Collis, B. (2005). Becoming more systematic about flexible learning: beyond time and distance. *ALT-J, 13*(1), 33-48. https://doi.org/10.1080/0968776042000339781

Burck, K., & Grendel, T. (2011). Studierbarkeit – ein institutionelles Arrangement? *Zeitschrift für Hochschulentwicklung, 6*(1), 99-105.

Buß, I. (2019). *Flexibel studieren – Vereinbarkeit ermöglichen. Studienstrukturen für eine diverse Studierendenschaft.* Wiesbaden: Springer VS.

Buß, I., Erbsland, M., Rahn, P., Müller, R., & Husemann, B. (2018). Studierende mit Kind: Vereinbarkeit und Flexiblität als Studienerfolgsfaktoren. In I. Buß, M. Erbsland, P. Rahn, & P. Pohlenz (Eds.), *Öffnung von Hochschulen: Impulse zur Weiterentwicklung von Studienangeboten* (pp. 107-132). Wiesbaden: Springer VS.

Buß, I. & Keller, A. (2019). Medienkompetenz von Fachhochschullehrenden. *MedienPädagogik*.

Buß, I., Müller, R., & Husemann, B. (2015). *Kriterien struktureller Studierbarkeit für berufstätige Studierende und Studierende mit Kind.* Ludwigshafen. https://www.hwg-lu.de/arbeitspapiere

Caplan, R. D. (1987). Person-Environment Fit Theory and Organizations: Commensurate Dimensions, Time Perspectives and Mechanisms. *Journal of Vocational Behavior, 31,* 248-267.

Chen, Q., & Okediji, T. O. (2014). What is behind class attendance in college economics courses? *Applied Economics Letters, 21*(6), 433-437. https://doi.org/10.1080/13504851.2013.864028

Edwards, J. R., Caplan, R. D., & Harrison, R. v. (1998). Person-environment fit theory: Conceptual foundations, empirical evidence and directions for future research. In C. L. Cooper (Ed.), *Theories of organizational stress* (pp. 28-67). Oxford: Oxford University Press.

Gordon, N. (2014). *Flexible Pegagogies: technology-enhanced learning.* Hull.

Guest, R. (2005). Will Flexible Learning Raise Student Achievement? *Education Economics, 13*(3), 287–297, https://doi.org/10.1080/09645290500073761

Hall, R. (2010). The work–study relationship: experiences of full-time university students undertaking part-time employment. *Journal of Education and Work, 23*(5), 439-449. https://doi.org/10.1080/13639080.2010.515969

HEA (2015). *Framework for flexible learning in higher education.* Heslington https://www.heacademy.ac.uk/knowledge-hub/framework-flexible-learning-higher-education

Hochschulrektorenkonferenz (2014). *Studieren in Teilzeit. Individualisierte Studienwege durch flexible Studienmodelle.* Bonn, Berlin. http://www.hrk-

nexus.de/fileadmin/redaktion/hrk-nexus/07-Downloads/07-02-
Publikationen/HRK_Ausgabe_7_Internet.pdf

Husemann, B., & Müller, R. (2018). Vereinbarkeit von Studium, Beruf und
Familie: Implikationen für die Gestaltung von Studienstrukturen. In I. Buß,
M. Erbsland, P. Rahn, & P. Pohlenz (Eds.), *Öffnung von Hochschulen: Impulse zur
Weiterentwicklung von Studienangeboten* (pp. 258-278). Wiesbaden: Springer VS.

König, K., & Wannemacher, K. (2017). Studierbarkeit und eLearning: Potentiale,
Nutzungsformen und Erwartungen. In K. König (Ed.), *Gut studieren? Heute!
Spurensuche nach Bedingungen und Möglichkeiten eines gelingenden Studiums in
Bologna-Strukturen* (pp. 135-154).

Kreidl, C. (2011). *Akzeptanz und Nutzung von E-Learning-Elementen an
Hochschulen. Gründe für die Einführung und Kriterien der Anwendung von E-
Learning.* Münster: Waxmann.

Krempkow, R., & Bischof, L. (2010). Studierbarkeit: Der Beitrag von
Absolventenstudien zur Analyse der Studienorganisation und Studienbedingungen.
In P. Pohlenz, & A. Oppermann (Eds.), *Lehre und Studium professionell evaluieren*
(pp. 123-137). Bielefeld: UniversitätsVerlagWebler.

Kuhlee, D., van Buer, J., Klinke, & Sigbert (2009). Strukturelle Studierbarkeit und
Wirksamkeit der Lehrerbildung. *Schriftenreihe zum Qualitätsmanagement an
Hochschulen,* (1).

Kunadt, S., Schelling, A., Brodesser, D., & Samjeske, K. (2014).
Familienfreundlichkeit in der Praxis. Ergebnisse aus dem Projekt „Effektiv! - Für
mehr Familienfreundlichkeit an deutschen Hochschulen". *GESIS Center of
Excellence – Women and Science, 18.*

Li, K. C., Yuen, K. S., & Wong, B. T. M. (2018). Revisiting the Definitions and
Implementation of Flexible Learning. In K. C. Li, K. S. Yuen, & B. T. M. Wong
(Eds.), *Innovations in open and flexible education* (pp. 3-13). Singapore: Springer.

MacKeogh, K., & Fox, S. (2009). Strategies for Embedding e-Learning in
Traditional Universities: Drivers and Barriers. *Electronic Journal of e-Learning, 2,*
147-154. http://www.ejel.org

Morgan, C. K., & Tam, M. (1999). Unravelling the complexities of distance education student attrition. *Distance Education, 20*(1), 96-108. https://doi.org/10.1080/0158791990200108

National Union of students UK (2009). *Meet the parents. The experience of students with children in further and higher education.* London. https://www.nus.org.uk/global/nus_sp_report_web.pdf

Röbken, H. (2012). Flexibilität im Studium: eine kritische Analyse. In M. Kerres, A. Hanft, U. Wilkesmann, & K. Wolff-Bendik (Eds.), *Studium 2020. Positionen und Perspektiven zum lebenslangen Lernen an Hochschulen* (pp. 241-248). Münster: Waxmann.

Schimank, U. (2010). *Handeln und Strukturen. Einführung in die akteurstheoretische Soziologie.* Weinheim: Juventa.

Schulmeister, R. (2015). *Abwesenheit von Lehrveranstaltungen. Ein nur scheinbar triviales Problem.* Hamburg.

Schulmeister, R., & Metzger, C. (2011). Die Workload im Bachelor: ein empirisches Forschungsprojekt. In R. Schulmeister, & C. Metzger (Eds.), *Die Workload im Bachelor. Zeitbudget und Studierverhalten. Eine empirische Studie* (pp. 13-128). Münster: Waxmann.

Steinhardt, I. (2011). Studierbarkeit: eine erweiterte Begriffsbestimmung, oder wie Studierbarkeit im weiteren Sinne ein Qualitätsmerkmal sein kann. In I. Steinhardt (Ed.), *Studierbarkeit nach Bologna* (pp. 15-34). Mainz.

Tamim, R. M., Bernhard, R. M., Borokhovski, E., Abrimi, P. C., & Schmid, R. F. (2011). What Forty Years of Research Says About the Impact of Technology on Learning. *Review of Educational Research, 81*(1), 4-28.

van Ackeren, I., Bilo, A., Blotevogel, U., Gollan, H., Heinrich, S., Hintze, P., Liebscher, J., & Petschenka, A. (2018). Vom Strategiekonzept zur Entwicklung der Lehr-/Lernkultur? Ein Überblick über bisherige Rahmenbedingungen und Maßnahmen der E-Learning Strategie. In I. van Ackeren, M. Kerres, & S. Heinrich (Eds.), *Flexibles Lernen mit digitalen Medien ermöglichen. Strategische Verankerung und Erprobungsfelder guter Praxis an der Universität Duisburg-Essen* (pp. 35-56). Münster: Waxmann.

van den Berg, R., & Hofman, A. (2005). Student success in university education: A multi-measurement study of the impact of student and faculty factors on study progress. *Higher Education, 50,* 413-446.

Westermann, R. (2010). Studienzufriedenheit. In D. H. Rost (Ed.), *Handwörterbuch pädagogische Psychologie* (pp. 829-836). Weinheim: Beltz.

Westrick, S. C., Helms, K. L., McDonough, S. K., & Breland, M. L. (2009). Factors Influencing Pharmacy Students' Attendance Decisions in Large Lectures. *American Journal of Pharmaceutical Education, 73*(5), 1-9.

Wichelhaus, S., Schüler, T., Ramm, M., & Morisse, K. (2008). Medienkompetenz und selbstorganisiertes Lernen – Ergebnisse einer Evaluation. In S. Zauchner (Ed.), *Offener Bildungsraum Hochschule. Freiheiten und Notwendigkeiten. 13. Europäische Jahrestagung der Gesellschaft für Medien in der Wissenschaft (GMW08).* Münster: Waxmann.

Wolter, A., Banscherus, U., & Kamm, C. (Eds.) (2016). *Zielgruppen Lebenslangen Lernens an Hochschulen. Ergebnisse der wissenschaftlichen Begleitung des Bund-Länder-Wettbewerbs Aufstieg durch Bildung: offene Hochschulen.* Münster: Waxmann.

Author

Dr. Imke BUß ‖ Ludwigshafen University of Business and Society – University of Applied Sciences ‖ Ernst-Boehe-Straße 4, D-67059 Ludwigshafen

http://imkebuss.de

imke.buss@hwg-lu.de

Anke HANFT[1], Stefanie KRETSCHMER & Valerie HUG
(Oldenburg, Wilhelmshaven)

Hochschullehre aus der Studierenden-Perspektive denken: individuelle Lernpfade im Inverted Classroom

Zusammenfassung

Eine der zentralen Herausforderungen der Hochschullehre ist die zunehmende Heterogenität der Studierenden. Didaktische Designs unter Einbindung digitaler Technologien können die Umsetzung eines studierendenzentrierten und an den individuellen Voraussetzungen und Bedürfnissen orientierten flexiblen Lernens ermöglichen. An der Universität Oldenburg wurde in zwei Semestern die Lehre in einem Modul des Studiengangs Erziehungs- und Bildungswissenschaften nach den Prinzipien des Inverted Classroom Models (ICM) umgestellt und unter Zugrundelegung des Konzepts der individuellen Lernpfade weiterentwickelt. Die Ergebnisse aus der praktischen Umsetzung verweisen auf Gelingensbedingungen auf der Ebene der Lernenden, der Lehrenden sowie auf der gesamtorganisatorischen Ebene.

Schlüsselwörter

Heterogenität, Inverted Classroom, individuelle Lernpfade, Portfolio, Lernendenzentrierung

---

[1] E-Mail: anke.hanft@uni-oldenburg.de

Wissenschaftlicher Beitrag · DOI: 10.3217/zfhe-14-03/19

323

Rethinking higher education teaching from the student perspective: Individual learning pathways in an inverted classroom

Abstract

One of the key challenges in higher education teaching is the growing heterogeneity of student bodies. Teaching approaches that incorporate digital technologies can enable the implementation of student-centred, flexible learning that is focussed on individual requirements and needs. As such, the teaching approach within a pedagogy and education module at the University of Oldenburg was modified in accordance with the principles of the Inverted Classroom Model (ICM) and based on the concept of individual learning pathways. This paper discusses the success factors of the ICM implementation at the student, teacher and organisational levels.

Keywords

heterogeneity, inverted classroom, individual learning pathways, portfolio, learner-centred teaching

1 Einleitung

Die wachsende Heterogenität der Studierenden dient häufig als Argument für vielfältige Studienreformvorhaben, die vor allem in der Studieneingangsphase ansetzen und darauf abzielen, Studierende erfolgreich in das Hochschulsystem zu integrieren, um so Abbruchquoten zu senken. Viele der vor allem im Kontext des Qualitätspakts Lehre entwickelten Maßnahmen verfolgen das Ziel, über verschiedene Angebote in der Studieneingangsphase eine möglichst homogene Lernendengruppe zu erreichen. Im Kern geht es darum, die heterogenen Voraussetzungen der Lernenden möglichst zu nivellieren und Leistungsunterschiede auszugleichen (KERRES, SCHMIDT & WOLFF-BENDIK, 2012, S. 36f). Neben einer erhofften Senkung der Abbruchquote hat dies für Hochschulen den positiven Effekt, dass sie ihre Angebotsstrukturen weiterhin homogen gestalten können und keine Rücksicht auf heterogene Zielgruppen nehmen müssen (KERRES, HANFT & WILKESMANN, 2012, S. 286).

Der Ansatz, heterogene Studierende in homogene Studienstrukturen zu integrieren, wurde in der Hochschuldidaktik bereits in den achtziger Jahren des letzten Jahrhunderts kritisiert (z. B. SCHULMEISTER, 1985; WILDT, 1985), ohne dass dies nennenswerte Veränderungen in der Studienorganisation hatte. Inzwischen gewinnt allerdings die Frage, wie die Vielfalt der Studierenden als Faktum akzeptiert und mit einer Individualisierung der Studienstrukturen angemessen darauf reagiert werden kann, stark an Gewicht. Dies mag damit zu erklären sein, dass die Heterogenität der Studierenden in den vergangenen Jahren weiter gestiegen ist. Befördert wird diese Diskussion aber sicherlich auch durch die zunehmende Verbreitung digitaler Lernmethoden, die neue Möglichkeiten eröffnen, den Ansprüchen heterogener Studierender gerecht zu werden. Viele der in der Hochschuldidaktik diskutierten Ansätze sind bislang allerdings eher programmatisch ausgerichtet und empirisch wenig erprobt (KERRES, SCHMIDT & WOLFF-BENDIK, 2012, S. 38).

Eine Möglichkeit, in der Gestaltung der Hochschullehre auf unterschiedliche Lernvoraussetzungen und -interessen, Lebenslagen und berufliche Hintergründe zu reagieren, besteht in der Umsetzung und Ermöglichung eines an den individuellen Bedarfen der Studierenden ausgerichteten Studiums. Ausgehend von den Aktivitäten der Lernenden im Sinne eines „shift from teaching to learning" (vgl. u. a. BARR & TAGG, 1995) geht es um die Förderung eines selbstgesteuerten, studierendenzentrierten Lernens, das durch digitale Medien unterstützt wird. Mit den Konzepten des Inverted Classroom und der individuellen Lernpfade liegen konzeptionelle Ansätze vor, die von unterschiedlichen Lerninteressen und Lernvoraussetzungen ausgehen und diese in der Gestaltung von Lernumgebungen berücksichtigen.

Am Beispiel eines Moduls der Bildungs- und Erziehungswissenschaften wollen wir nachfolgend darstellen, wie dieses zunächst nach den Prinzipien des Inverted Classroom Models (ICM) umgestaltet und dann durch die Ermöglichung individueller Lernpfade weiterentwickelt wurde. Den Studierenden soll ermöglicht werden, ihre Lernwege entsprechend ihrer Leistungsvoraussetzungen und Lerninteressen eigenverantwortlich zu organisieren.

Mit den nun in zwei Semestern gemachten Erfahrungen können wir aufzeigen, wie an heterogene Studierende ausgerichtetes Lernen in Lehrveranstaltungen realisiert werden kann, welche Chancen, aber auch Herausforderungen sich für die Lernenden, die Lehrenden und für die Gesamtorganisation Hochschule ergeben.

2　Das Inverted Classroom Model (ICM)

Unter dem Ansatz des Inverted Classroom, auch Flipped Classroom, Classroom Flip, Pre-Vodcasting, Reverse Classroom Method oder – zu deutsch – umgedrehter Unterricht (SCHÄFER, 2012, S. 5) genannt, wird ein Vertauschen von Lernaktivitäten, Lernräumen und Lernzeiten verstanden.

ICM – Aufbau und Ablauf

Im ,traditionellen' Modell der Lehre werden die Inhalte in der Lehrveranstaltung präsentiert, klassisch zum Beispiel im Rahmen einer Vorlesung. In der Präsenzzeit bleibt damit wenig Zeit, um Fragen zu stellen, die Inhalte zu diskutieren und/oder im besten Fall auf Beispiele anzuwenden und zu reflektieren. Aufgaben, Fragestellungen, Literatur etc., die den Studierenden zur Vertiefung empfohlen werden, sind fakultativ und bleiben erfahrungsgemäß oftmals unbearbeitet. Im Inverted Classroom findet in der Präsenzphase keine Inhaltsvermittlung statt, da vorausgesetzt wird, dass die Studierenden sich das benötigte Wissen eigenverantwortlich erworben haben. Die Präsenzphase hat dann einen entscheidenden Mehrwert gegenüber dem traditionellen Modell, da das Lernen interaktionsbezogen mit dem Fokus auf Anwendung und Transfer stattfindet, Inhalte vertieft und reflektiert werden und damit modernen handlungstheoretischen Ansätzen eher entspricht.

Lehren und Lernen mit dem ICM

Der Inverted Classroom beinhaltet viele Vorteile, aber auch eindeutige Herausforderungen für Lehrende, Lernende und für die Organisation Hochschule. SCHÄFER (2012) sieht in der Ermöglichung eines aktiven Lernens, in der Individualisierung von Lerntempo und Lernweg sowie in der Lernendenzentrierung und der Themenabdeckung die sich für die Studierenden ergebenden Vorteile (ebd., S. 9 f.). Zugleich ist zu konstatieren, dass das ICM hohe Anforderungen an die Selbstorganisation, an das persönliche Zeitmanagement, an die Selbststeuerung der Lernenden und an deren Selbstverantwortung (vgl. KOBER, 2017) im Lernprozess stellt, Aspekte, die durchaus auch kritisch gesehen werden können (vgl. RÖBKEN, 2012). Vorauszusetzen sind die Fähigkeit und die Bereitschaft zur Bearbeitung der Inhalte in der Phase der Inhaltsvermittlung und – je nach Setting – die Durchführung von Tests/Fragen zur Wissensüberprüfung. Studierende sind im Rahmen des ICM keine passiven Wissenskonsumentinnen und -konsumenten, sondern eigenaktiv und eigenverantwortlich Lernende. Sie „werden von Wissenskonsumenten zu Lernakteuren" (KOBER, 2017, S. 131).

Die Rolle des Lehrenden verändert sich zu der eines „Lernbegleiters" (HANDKE & WEBER, 2018, S. 138). So heben KENNER & JAHN (2016) hervor, dass der Lehrende „verantwortlich [ist] für das gezielte und stimmige Herbeiführen und Begleiten von Lernenden" (ebd., S. 8). Der Lehrer werde „zum Lernbegleiter, die Lehre zum vernetzten Lernen und der Hörsaal zu einem Lernort des Austausches und der Kooperation" (HANDKE, 2017, S. 12). Die damit verbundenen Herausforderungen für die Lehrenden liegen auf der Hand, von ihnen werden erwartet:

- die Bereitschaft und die Fähigkeit zum Umgang mit digitalen Formaten der Wissensvermittlung,
- die Bereitschaft und die Ressourcen zur Erstellung zielgruppen- und themenspezifischer (digitaler) Materialien für die Phase der Inhaltserschließung,
- die Durchführung, Auswertung und im besten Fall Rückkopplung der Ergebnisse formativer Assessments zur Wissensüberprüfung,

- die Fähigkeit und Bereitschaft, die Präsenzphase zielgruppenbezogen, kompetenzorientiert (vgl. HANDKE, 2017, S. 13) und mittels dialogorientierter Methoden (vgl. SPANNAGEL & FREISLEBEN-TEUTSCHER, 2016, S. 59) zu gestalten.

ICM – organisationale Rahmenbedingungen

Die sich für die Hochschule durch die Einführung des ICM ergebenden studienorganisatorischen Vorteile sieht HANDKE (2012) zum einen darin, dass die Phase der Inhaltsvermittlung verlässlich immer stattfindet, d. h. nicht von Ausfällen wie Krankheit der Lehrenden, Feiertage etc. betroffen ist, und die Präsenzphase zur Vertiefung der Inhalte genutzt werden kann, was in der Regel dazu führe, dass mit dem ICM mehr Inhalte behandelt werden können (ebd., S. 141). Zudem bestünde die Möglichkeit, auch auf die Präsenzphasen zu verzichten und die freiwerdenden Lehrkapazitäten anderweitig einzusetzen. HANDKE (2012) führt hier exemplarisch die Modelle der explorativen Online-Lehrveranstaltung und video-basierte Online-Lehrveranstaltungen auf (ebd.), die allerdings „sehr umsichtig" (ebd., S. 144) einzusetzen seien. Zudem ergebe sich mit dem ICM laut HANDKE die Möglichkeit, Lehrveranstaltungen zielgruppengerecht zu konzipieren und im Rahmen des „‚2-in-1' Konzeptes" (ebd.) beispielsweise bei entsprechender Ausrichtung/Konzeption der vorgeschalteten Online-Phase der Inhaltsvermittlung Präsenzveranstaltungen für Studierendengruppen verschiedener Studiengänge bei gleichbleibendem Lehrdeputat miteinander zu verzahnen (ebd., S. 144ff.). Grundsätzlich müssten dafür aber hochschulseitig einige Voraussetzungen und Rahmenbedingungen vorliegen, darunter das Vorhandensein von (finanziellen und fachlichen/personellen) Ressourcen, adäquate Unterstützungs- und Supportstrukturen, eine Verankerung in der hochschulweiten (Digitalisierungs-)Strategie und insbesondere auch eine Akzeptanz auf der Ebene der handelnden Akteurinnen/Akteure. Wir werden diese Punkte im Rahmen der abschließenden Diskussion (vgl. Kap. 5) wieder aufgreifen.

3 Individuelle Lernpfade gestalten

ROTH (2015) definiert einen Lernpfad als „eine internetbasierte Lernumgebung, die mit einer Sequenz von aufeinander abgestimmten Arbeitsaufträgen strukturierte Pfade durch interaktive Materialien (z. B. Applets) anbietet, auf denen Lernende handlungsorientiert, selbsttätig und eigenverantwortlich auf ein Ziel hin arbeiten" (ebd., S. 8). EMBACHER (2004b) differenziert zwischen einem technischen und einem inhaltlichen Aspekt: „In technischer Hinsicht handelt es sich bei einem Lernpfad lediglich um eine Abfolge von ‚Lernschritten', wobei ein Lernschritt aus einem Titel, ggf. einer Web-Adresse, einem Beschreibungs- oder Aufgabentext und einigen zusätzlichen Kennzeichnungen besteht. Inhaltlich gesehen, ist ein Lernpfad die Integration einzelner Lernhilfen zu einem Ganzen. Er hilft, Lernprozesse zu organisieren, insbesondere, wenn sie über längere Zeiträume erfolgen" (ebd., S. 2). EMBACHER (2004b, S. 2) führt exemplarisch folgende Gründe an, die für den Einsatz von Lernpfaden sprechen:

- Erleichterung eines selbstgesteuerten Lernens und der Umsetzung projektartigen Unterrichts,
- Verfügbarkeit von Lerninhalten,
- größere Übersichtlichkeit durch die Integration der Lernpfade in eine mediale Umgebung,
- Unterstützung des Erwerbs fachlicher und fachübergreifender Kompetenzen,
- Unterstützung von distance learning,
- Transparenz im Hinblick auf Lernstoff, Lernziele, Schwierigkeitsgrad und Spielregeln,
- Förderung der Kommunikation zwischen den Lernenden.

Die Lernpfade können von Studierenden demnach zum einen themen-/interessenspezifisch und zum anderen niveauspezifisch durchlaufen bzw. bearbeitet werden. EMBACHER (2004a) hebt hervor, dass es bei dem Einsatz von Lernpfaden nicht einfach nur um ein Abarbeiten von Themen geht und/oder lediglich der Einsatz der digitalen Medien im Vordergrund steht: „Die Hauptsache bei der

Entwicklung eines Lernpfads besteht nur oberflächlich gesehen in der Auswahl und Aneinanderfügung geeigneter Lernmaterialien (wie Visualisierungen und Tools). Bereits nach kurzer Erfahrung mit dem Konzept erwies sich die Gestaltung und innere Logik der *Beschreibungstexte*, die sich auf die einzelnen Materialien beziehen, als der entscheidende Punkt. Erst dadurch bekommt der ‚Pfad' durch den Contentpool einen auf das Lernen bezogenen Sinn, und hierin liegt der Schlüssel zur didaktischen Qualität eines Lernpfads" (ebd., S. 3; Hervorhebung i. Orig.). Der studierendenzentrierte Charakter der Lernpfade wird von ROTH (2015) benannt, in dem er herausstellt, dass sich durch die Verwendung von Lernpfaden „die Möglichkeit einer offenen Herangehensweise [ergibt], die es den Schülerinnen und Schülern erlaubt, in Abhängigkeit von ihren jeweiligen Bedürfnissen und Vorkenntnissen, den vorgespurten Weg auch zu verlassen" (ebd., S. 6f.).

Mit Bezug auf die Hochschullehre besteht die Herausforderung der Umsetzung der hier im Bereich der Mathematikdidaktik dargelegten Überlegungen zur Konstruktion von Lernpfaden in anderen Fächern bzw. Disziplinen. Diese Herausforderung stellt sich zum einen konzeptionell („Wie können Lernpfade gedacht werden?") wie ebenso auf der Ebene der Formate („Welchen Formaten liegt ein Lernpfad zugrunde bzw. mit welchen Formaten können Lernpfade individuell gestaltet werden?"). Hier sind aus unserer Sicht insbesondere qualitätsgesicherte multimediale Angebote notwendig. BREMER, KRÖMKER & VOSS (2010) betonen vor allem die Vorteile des E-Learnings mit Blick auf die Gestaltung individueller Lernpfade.

Wird das Inverted Classroom Model (ICM) in Kombination mit der Gestaltung individueller Lernpfade gedacht, so ergeben sich Gestaltungsoptionen insbesondere für die Phase der (selbsttätigen und eigenverantwortlichen) Inhaltserschließung. So können (verpflichtende?) Online-Assessments zu Beginn der Phase dazu genutzt werden, den Wissenstand und/oder die Interessen der Studierenden zu erfassen, um ihnen davon ausgehend individuelle Lernpfade durch das Material zu eröffnen. Denkbar sind dabei sowohl vordefinierte Pfade wie ebenso ‚frei gewählte' Pfade, d. h. die Lernenden wählen sich selbst Materialien aus, die sie bearbeiten möchten. (Fakultative?) Tests am Ende der Phase der Inhaltserschließung ermöglichen eine individuelle Aussage zum Lernstand, zu dem die Lernenden bestenfalls ein Feedback von den Lehrenden VOR der Präsenzphase erhalten. Mit diesem Anspruch der Realisierung von Lernpfaden ergeben sich Chancen und Herausforderungen für die Gestaltung der Phase der Inhaltserschließung auf Seiten der Lehrenden, da hier über einseitige didaktische Formate (Studienmaterialien, Erklärvideos u. a.) hinausgedacht und eine Vielfalt entsprechend der Bedürfnisse der Zielgruppe der Studierenden konzipiert und umgesetzt werden sollte.

4 Praktische Umsetzung

Der Ansatz des Inverted Classroom wurde im SS 2018 und im WS 2018/2019 im Master-Modul Personal- und Organisationsentwicklung (PE+OE) von uns erprobt, im WS 18/19 ergänzt um individuelle Lernpfade. Hintergrund für die Neuausrichtung des Moduls war folgende Ausgangssituation:

Das Modul bestand zunächst aus zwei Seminaren, die von den Studierenden zur Erlangung der sechs Kreditpunkte beide zu belegen waren. Die Erfahrungen zeigten, dass die Studierenden in der Regel nur eines der beiden Seminare besuchten, nämlich das, in dem sie den Leistungsnachweis erbringen wollten. Selbst in dem von ihnen besuchten Seminar war die Teilnahme eher unregelmäßig, obwohl zu Semesterbeginn ausdrücklich auf die Notwendigkeit der regelmäßigen Teilnahme hingewiesen worden war. Im Schnitt war weniger als die Hälfte der für das Seminar angemeldeten Studierenden anwesend. Auch die Phasen zwischen den Veranstaltungsterminen wurden von den Studierenden nur unregelmäßig zum Selbststudium genutzt. Das eigens für die Veranstaltung vorbereitete Studienmaterial wurde nicht systematisch bearbeitet, obwohl die Präsenztermine darauf aufbauten. Der für das Modul geplante Workload konnte somit von den Studierenden kaum erreicht werden. Auf Nachfrage begründeten die Studierenden ihre mangelnde Teilnahme und Aktivität damit, dass sie aufgrund von Berufstätigkeit, familiären Verpflichtungen oder Krankheit am regelmäßigen Lernen gehindert seien.

Bei der Überarbeitung des Moduls kam es uns im SS 2018 zunächst darauf an, die Lernintensität und Teilnahmequote zu erhöhen. Folgende Schritte wurden eingeleitet:

- Im Rahmen der jeweils ersten Präsenzsitzung erhielten die für das Modul eingetragenen 28 Studierenden einen Überblick über den Ablauf und die Organisation des Moduls. Ihnen wurde verdeutlicht, dass sie zur Erreichung des Workloads die Teilnahme an beiden Seminaren und etwa mit gleichem Zeitaufwand versehene Selbstlernphasen einzuplanen hatten. Der Veranstaltungsverlauf und alle zu erbringenden Übungsaufgaben wurden mit einem Zeitplan versehen vorgestellt. Als Prüfungsform wurde ein semesterbegleitend zu erstellendes Portfolio vorgeschlagen.

- Die im ICM vorgesehene Phase der Inhaltserschließung umfasste in beiden Seminaren die Auseinandersetzung mit einem grundlegenden und einem vertiefenden Studienmaterial. Die Bearbeitung des Grundlagenmaterials war obligatorisch und wurde kapitelweise mit Übungsaufgaben versehen, die in Vorbereitung auf die Präsenztermine online zu bearbeiten und einzureichen waren. Die Bearbeitung des Vertiefungsmaterials war hingegen fakultativ. Beide Materialien wurden zu Beginn des Semesters in die Lernumgebung des universitätseigenen Campusmanagement-Systems eingestellt. Das Grundlagenmaterial umfasste 80 Seiten und beinhaltete die Darlegung von Methoden und Instrumenten der Organisationsentwicklung und -beratung. Das fakultative Vertiefungsmaterial mit etwas über 60 Seiten konzentrierte sich auf die theoriebezogene Darstellung der strukturellen, systemischen und strategischen Merkmale von Bildungs- und Wissenschaftseinrichtungen.

- Die Studierenden erhielten auf die eingereichten Aufgaben jeweils ein individuelles und zeitnahes mentorielles Feedback durch zwei wissenschaftliche Mitarbeiterinnen, die an der inhaltlich-konzeptionellen Planung und an der Erstellung der Materialien beteiligt waren. Die Ergebnisse der Aufgaben und ggf. weiterführende Fragestellungen aus der Bearbeitung wurden in die Präsenztermine integriert. Ein allgemeines Feedback zu den On-line-Aufgaben erfolgte durch die Mentorinnen unmittelbar im Anschluss an die Online-Phase.

• In den wöchentlichen Präsenzterminen wurden die erlernten Inhalte in Übungen und Anwendungsbeispielen erprobt und vertieft. Dies erfolgte in kleinen Lerngruppen, in denen die Aufgaben während der Präsenzveranstaltungen erarbeitet und die Ergebnisse präsentiert wurden.

• Die auf diese Weise generierten Lernergebnisse wurden als Prüfungsbestandteile in die von den Studierenden zu erstellenden reflexiven Portfolios aufgenommen. Auf die theoretischen Inhalte des vertiefenden Studienmaterials wurde situations- und bedarfsbezogen Bezug genommen.

Folgende Erfahrungen wurden mit dem modifizierten Modul-Durchlauf im SS 2018 gemacht:

• Der deutliche Hinweis an die Studierenden in der ersten Präsenzsitzung, dass von ihnen aktive Mitarbeit erwartet wird und sie sich darauf einstellen müssen, den vorgesehenen Workload auch tatsächlich zu leisten, führte dazu, dass etwa ein Drittel der Studierenden sich vom Modul abmeldeten. Die verbliebenen Studierenden zeichneten sich durch eine regelmäßige Teilnahme und aktive Beteiligung aus.

• Das fakultativ vorgesehene Vertiefungsmaterial wurde nur von wenigen Studierenden bearbeitet.

• Große Unsicherheiten bestanden hinsichtlich der Prüfungsform „Portfolio".

• In der Evaluation wurde das Modul von den Studierenden als zwar arbeitsintensiv bewertet, allerdings hätten sie gegenüber anderen Modulen sehr viel gelernt. Insbesondere die lerneraktivierend gestalteten Präsenztermine wurden geschätzt. Die mentorielle Begleitung im Zuge der Bearbeitung der Online-Aufgaben wurde als hilfreich, lernprozessfördernd und auch als Anreiz zur Teilnahme wahrgenommen. Positiv hervorgehoben wurden zudem die Verzahnung und inhaltliche Verbindung der beiden Seminare und die klare Struktur und Organisation des Moduls.

Im Wintersemester 2018/2019 wurde das Modulkonzept weiterentwickelt, indem die Ergebnisse der Evaluation und der Ansatz der Lernpfade aufgenommen wurden.

- Um auch zeitlich weniger flexiblen Studierenden eine Teilnahme zu ermöglichen, war nur noch eine von den Studierenden vorzunehmende Auswahl von Lernergebnissen in das Portfolio aufzunehmen.

- Der Vertiefungstext des Studienmaterials wurde durch Lernbausteine „Wissenschaft kompakt" ersetzt, die mit dem theoretischen Input im Rahmen der Präsenzveranstaltungen systematisch verknüpft wurden. Bei dieser Art der Lernbausteine handelt es sich um theoretische Fundierungen, die ein vertieftes Verständnis von Inhalten und/oder Methoden ermöglichen und themenbezogen auch in anderen Veranstaltungen eingesetzt werden können.

- Die Übungen und Praxisbeispiele der Präsenzphasen wurden durch „Methodenkarten" unterstützt. Methodenkarten stellen Arbeitshilfen zur konkreten Umsetzung einzelner Methoden (z. B. Stakeholderanalyse, SWOT-Analyse u. Ä.) dar. Diese ermöglichten den Studierenden auch eine eigenständige Bearbeitung ohne regelmäßige Präsenzteilnahme. Mehrere Präsenztermine wurden vorab als fakultativ angeboten.

- Für die Erstellung des Portfolios wurde eine methodische Anleitung (Methodenkarte) bereitgestellt. Die Studierenden sollten ihre wichtigsten Lernergebnisse fortlaufend dokumentieren. Am Ende des Semesters sollten die erstellten Lernergebnisse (z. B. Poster, Handouts, Präsentationen, Materialien und Dokumente) zusammengeführt und mit einleitenden und abschließenden Bemerkungen versehen werden. Die Reflektion der Lernergebnisse sollte sich auf den Outcome für das Umfeld (z. B. wissenschaftliche Einordnung, Bewertung des praktischen Nutzens) und auf die persönliche

Kompetenzerweiterung beziehen: Was habe ich auf der fachlichen, methodischen, sozialen, personalen Ebene gelernt? Wo kann ich mich noch verbessern?

- Weitere kleinschrittige Wissensbausteine (learning nuggets) wurden erstellt, die je nach individuellen Voraussetzungen und Interessen zur Erläuterung, Vertiefung und Weiterführung der Modulinhalte von den Studierenden genutzt werden konnten.

Die Evaluation fiel ähnlich positiv aus wie im ersten Durchlauf des Moduls. Die Erstellung des Portfolios war für die Studierenden nun kein Problem mehr. Auch die angebotenen Möglichkeiten zum Tiefer- und Weiterlernen wurden von den besonders interessierten Studierenden genutzt und spiegelten sich in den von ihnen erstellten reflexiven Portfolios wider. Geschätzt wurde zudem die Möglichkeit, nicht an jeder Präsenzveranstaltung teilnehmen zu müssen. Mehr als die Hälfte der Teilnehmenden nutzte aber die Möglichkeit, in den als fakultativ angebotenen und durch die Lehrenden unterstützten Präsenzterminen in Arbeitsgruppen zusammenzuarbeiten.

5 Diskussion und Fazit

Die Erfahrungen mit der Umsetzung des ICM in Lehrveranstaltungen sind insgesamt betrachtet überaus positiv. In einer Gesamtbewertung sind allerdings Gelingensbedingungen sowie ermöglichende und einschränkende Rahmenbedingungen zu diskutieren.

Vor dem Hintergrund des Anspruchs, Lernwege entsprechend der Leistungsvoraussetzungen und Lerninteressen der Studierenden individuell zu gestalten, muss hingenommen werden, dass die Lernintensität der Studierenden unterschiedlich ist. Die besonders interessierten Studierenden nutzen auch die fakultativ angebotenen Lernmaterialien und Lernbausteine und machen ihre intensivere Befassung mit den Inhalten auch im Portfolio sichtbar. Ihre Lernleistungen spiegeln sich i. d. R. auch in der Bewertung der Portfolios wider. Eines der zentralen Gelingenskriterien für eine erfolgreiche Umsetzung ist sicherlich eine durch die Lehrenden auf der Basis der Lernziele des Moduls zu leistende Vorbereitung und Begleitung der Studierenden im Umgang mit den Lernmaterialien und der mit ihnen verknüpften Lernbausteine.

Das Portfolio erweist sich als überaus geeignete Prüfungsform für den ICM-Ansatz, bietet es doch die Möglichkeit, die im Verlauf des Semesters erstellten Lernergebnisse zusammenzuführen und zu reflektieren. Von den Studierenden wird immer wieder betont, dass sie über diese Prüfungsform zu einer intensiven Befassung mit den Inhalten angehalten werden, was ihre Lernleistungen verbessert.

Ein zentraler ermöglichender wie auch restringierender Faktor sind die verfügbaren Ressourcen. Die Einführung von Inverted Classroom-Ansätzen ist ressourcenintensiv, eine zusätzliche Komplexität/Anforderung entsteht dann, wenn zusätzlich individuelle Lernpfade ermöglicht werden sollen. Allerdings kann durchaus mit wenigen Mitteln in einzelnen Lehrveranstaltungen begonnen werden. Die Umsetzung des ICM kann Schritt für Schritt erfolgen, indem die Entwicklung themen- und zielgruppenbezogener Materialien zur Inhaltserschließung sowie die Erstellung von Übungen und Praxisbeispielen nach und nach erfolgen. Hier ist zu überlegen, wie diese teilweise sehr aufwändig erstellten Materialien ggf. als Open Educational Resources über einzelne Module hinaus auch anderen Fachvertreterinnen/-vertretern verfügbar gemacht und von ihnen genutzt werden können.

Unserer Erfahrung nach entscheidet sich die Frage, ob und wie mit digital unterstützten Lehr-/Lernsettings gearbeitet wird, ganz wesentlich auf der Ebene der handelnden Akteurinnen/Akteure. Eine hochschulweite Digitalisierungsstrategie wird weitgehend wirkungslos bleiben, wenn sie sich nicht auf einer kulturellen Ebene in den (fach-/disziplinbezogenen) Werten/Normen, Einstellungen und Handlungsmuster der Akteurinnen/Akteure widerspiegelt. Der Einsatz des ICM ist also sehr stark vom Engagement, dem Wissen, den Erfahrungen und nicht zuletzt den Überzeugungen einzelner Lehrender abhängig. Für eine Dissemination und über einzelne Module hinausgehende Verbreitung sind entsprechende Unterstützungsstrukturen zu schaffen.

Professionelle Beratungs- und Supportstrukturen sowohl für die Lehrenden als auch für die Lernenden befördern den Implementierungsprozess. Auf Seiten der Lehrenden können Unterstützungsleistungen in Bezug auf den Umgang mit Lernumgebungen, der Erstellung von Online-Materialien und/oder Lehrvideos, aber auch mit Blick auf die Gestaltung zielgruppenorientierter Text- und Übungsmaterialien und ggf. Wissenstests notwendig sein, die möglichst der gesamten Fachgruppe zur Verfügung gestellt werden sollten. Für die Lernenden impliziert das ICM die in diesem Beitrag genannten Vorteile und Chancen, setzt aber auch hohe Anforderungen an deren Selbstverantwortung und Fähigkeit zur Selbststeuerung. Nicht für jeden Lerntyp ist das ICM geeignet.

6 Literaturverzeichnis

Barr, R. B. & Tagg, J. (1995). From Teaching to Learning – A New Paradigm for Undergraduate Education. *Change, 27(6)*.
http://www.maine.edu/pdf/BarrandTagg.pdf, Stand vom 20. Mai 2019.

Bremer, C., Krömker, D. & Voss, S. (2010). Wirtschaftlichkeits- und Wirksamkeitsanalysen sowie Vorgehensmodelle zur Einführung und Umsetzung von eLearning an Hochschulen. In R. Holten & D. Nittel (Hrsg.), *E-Learning in der Hochschule und Weiterbildung. Einsatzchancen und Erfahrungen* (S. 61-80). Bielefeld: Bertelsmann.
http://www.bremer.cx/paper47/Artikel_Wirtschaftlichkeit_Bremer_Kroemker_Voss.pdf, Stand vom 16. Mai 2019.

Embacher, F. (2004a). *Das Konzept der Lernpfade in der Mathematik-Ausbildung.* Vortrag am Institut für Wissenschaft und Kunst Wien am 7. Juni 2004.
https://www.mathe-online.at/literatur/iwk7.6.2004/, Stand vom 16. Mai 2019.

Embacher, F. (2004b). *Lernpfade – Wege zu selbstgesteuertem Lernen.* Vortrag auf der 9. Internationalen Tagung über Schulmathematik an der Technischen Universität Wien am 26. Februar 2004. https://www.mathe-online.at/literatur.html, Stand vom 16. Mai 2019.

Handke, J. (2012). ICM-Effekte in der Hochschullehre. In J. Handke & A. Sperl (Hrsg.), *Das Inverted Classroom Model. Begleitband zur ersten deutschen ICM-Konferenz* (S. 139-148). München: Oldenbourg.

Handke, J. & Weber, K. (2018). Lernerverhalten im Inverted Classroom. Eine Lehrveranstaltung auf dem Prüfstand. In J. Buchner, C.F. Freisleben-Teutscher, J. Haag & E. Rauscher (Hrsg.), *Inverted Classroom.Vielfältiges Lernen. Begleitband zur 7. Konferenz Inverted Classroom and Beyond 2018. FH St. Pölten, 20. & 21. Februar 2018* (S. 131-139). Fachhochschule St. Pölten GmbH und Pädagogische Hochschule Niederösterreich.

Kenner, A. & Jahn, D. (2016). Flipped Classroom – Hochschullehre und Tutorien umgedreht gedacht. In A. Eßer, H. Kröpke, H. Wittau (Hrsg.), *Tutorienarbeit im Diskurs III – Qualifizierung für die Zukunft* (S. 35-58). Münster: WTM Verlag für wissenschaftliche Texte und Medien 2016.

Kerres, M., Schmidt, A. & Wolff-Bendik, K. (2012). Didaktische Konzeption und Instruktionsdesign – der Vielfalt gerecht werden. In M. Kerres, A. Hanft, U. Wilkesmann, K. Wolff-Bendik (Hrsg.), *Studium 2020. Positionen und Perspektiven zum lebenslangen Lernen an Hochschulen* (S. 36-43). Münster u. a.: Waxmann.

Kerres, M., Hanft, A. & Wilkesmann, U. (2012). Implikationen einer konsequenten Öffnung der Hochschule für lebenslanges Lernen – eine Schlussbetrachtung. In M. Kerres, A. Hanft, U. Wilkesmann & K. Wolff-Bendik (Hrsg.), *Studium 2020. Positionen und Perspektiven zum lebenslangen Lernen an Hochschulen* (S. 285-290). Münster u. a.: Waxmann.

Kober, S. (2017). Berufsbegleitend studieren mit Inverted Classroom – Was gilt es zu beachten? In S. Zeaiter & J. Handke (Hrsg.), *Inverted Classroom – The Next Stage. Lehren und Lernen im 21. Jahrhundert* (S. 125-132). Baden-Baden: Tectum Verlag.

Röbken, H. (2012). Flexibilität im Studium – eine kritische Analyse. In M. Kerres, A. Hanft, U. Wilkesmann, K. Wolff-Bendik (Hrsg.), *Studium 2020. Positionen und Perspektiven zum lebenslangen Lernen an Hochschulen* (S. 241-248). Münster u. a.: Waxmann.

Roth, J. (2015). Lernpfade – Definition, Gestaltungskriterien und Unterrichtseinsatz. In J. Roth, E. Süss-Stepancik & H. Wiesner (Hrsg.), *Medienvielfalt im Mathematikunterricht. Lernpfade als Weg zum Ziel* (S. 3-25). Wiesbaden: Springer.

Schäfer, A. M. (2012). Das *Inverted Classroom Model*. In J. Handke & A. Sperl (Hrsg.), *Das Inverted Classroom Model. Begleitband zur ersten deutschen ICM-Konferenz* (S. 4-11). München: Oldenbourg.

Schulmeister, R. (1985). Kognitive Heterogenität von Studierenden. In A. Welzel (Hrsg.), *Heterogenität oder Elite. Hochschuldidaktische Perspektiven für den Übergang Schule – Hochschule* (S. 74-90). Weinheim und Basel: Beltz.

Spannagel, C. & Freisleben-Teutscher, C. F. (2016). Inverted classroom meets Kompetenzorientierung. In J. Haag, J. Weißenböck, W. Gruber & C. F. Freisleben-Teutscher (Hrsg.), *Kompetenzorientiert Lehren und Prüfen. Basics – Modelle – Best-Practices. Tagungsband zum 5. Tag der Lehre an der FH St. Pölten am 20.10.2016* (S. 57-67). St. Pölten: Fachhochschule St. Pölten. http://skill.fhstp.ac.at/wp-content/uploads/2016/11/Tagungsband2016.pdf, Stand vom 5. Juni 2019.

Wildt, J. (1985). Zum Umgang mit Heterogenität: Didaktische Modelle für den Studienanfang. In A. Welzel (Hrsg.), *Heterogenität oder Elite. Hochschuldidaktische Perspektiven für den Übergang Schule – Hochschule* (S. 91-115). Weinheim und Basel: Beltz.

Autorinnen

Prof. Dr. Anke HANFT || Arbeitsbereich Weiterbildung und Bildungsmanagement, Carl von Ossietzky Universität Oldenburg || Ammerländer Heerstr. 114-118, D-26129 Oldenburg

https://uol.de/paedagogik/web/

anke.hanft@uni-oldenburg.de

Dr. Stefanie KRETSCHMER || Berufsakademie Wilhelmshaven || Albrechtstraße 1, D-26388 Wilhelmshaven

www.berufsakademie-wilhelmshaven.de

stefanie.kretschmer@ba-whv.de

Valerie HUG || Arbeitsbereich Weiterbildung und Bildungsmanagement, Carl von Ossietzky Universität Oldenburg || Ammerländer Heerstr. 114-118, D-26129 Oldenburg

https://uol.de/paedagogik/web/

valerie.hug@uni-oldenburg.de

Claudia MERTENS[1], Fabian SCHUMACHER,
Oliver BÖHM-KASPER & Melanie BASTEN (Bielefeld)[2]

Flexibilisierung studentischen Lernens durch Inverted Classroom

Zusammenfassung

Die zunehmende Diversität von Studierenden und ihren Bildungsbiographien nimmt Hochschulen in die Verantwortung, flexibel und individuell auf Lernbedarfe und -gewohnheiten zu reagieren. An der Universität Bielefeld wurde daher zum WS 2018/2019 die Vorlesung „Einführung in die quantitativen Forschungsmethoden" erstmalig als „Inverted Classroom"-Vorlesung durchgeführt. In einer qualitativen Befragung (teilstandardisiertes Interview) wurden sechs Studierende dazu befragt, wie sie mit den digital aufbereiteten Materialien gearbeitet haben.

Schlüsselwörter

Inverted Classroom, Flexibles Lernen, Blended Learning, E-Learning

---

[1] E-Mail: claudia.mertens@uni-bielefeld.de

[2] Das diesem Artikel zugrunde liegende Vorhaben Bi[professional] wird im Rahmen der gemeinsamen Qualitätsoffensive Lehrerbildung von Bund und Ländern aus Mitteln des Bundesministeriums für Bildung und Forschung gefördert (Förderkennzeichen 01JA1608). Die Verantwortung für den Inhalt dieser Veröffentlichung liegt bei den Autorinnen/Autoren.

Claudia Mertens, Fabian Schumacher, Oliver Böhm-Kasper & Melanie Basten

Flexible learning in higher education via the inverted classroom

Abstract

The rising diversity of students and their backgrounds is increasing the need for universities to offer flexible and individualized learning arrangements and to respect diverse learning habits. Therefore, at Bielefeld University the lecture "Introduction to quantitative research methods" was organized in an inverted classroom format. Using a qualitative empirical research approach, six students were interviewed regarding how they worked with the IC material.

Keywords

inverted classroom, flexible learning, blended learning, e-learning

1 Forschungsfrage

Die Flexibilisierung von Lernprozessen stellt Hochschulen vor mannigfaltige Herausforderungen: Eine ist formaler Natur und betrifft Anerkennung und Integration non-formal und informell erworbener Wissensbestände (vgl. JOST, 2018; NESS, 2016, OBERBECK, 2018; SPIEL, SCHOBER & FINSTERWALD, 2016). Eine andere betrifft die Hochschuldidaktik, da sich ändernde Lerngewohnheiten zu berücksichtigen sind (vgl. LI & WONG, 2018). Die vorliegende, qualitativ ausgerichtete empirische Studie setzt am zweiten Punkt an und untersucht, 1) wie Studierende der Bildungswissenschaften mit Inverted Classroom (IC) arbeiten und 2) wie sie es im Hinblick auf Selbstregulation und Verantwortung für den eigenen Lernprozess einschätzen.

2 Theoretischer Rahmen

„*Singularisierung*" ist ein gesamtgesellschaftliches Phänomen (RECKWITZ, 2017), aber wirkt sich als „Individualiserung von Lernen" besonders auf das tertiäre Bildungssystem aus. Die Diversität schulischer Bildung führt zu wachsender Heterogenität studentischer Eingangsvoraussetzungen. Digitalisierung[3] sowie die „Vollversorgung" mit mobilen Endgeräten (ALBERT, HURRELMANN, QUENZEL & TNS INFRATEST SOZIALFORSCHUNG, 2015) haben hochschuldidaktische Konsequenzen. Individualisierung von Bildung setzt sich zunehmend als Desiderat im Hochschulsektor durch. Lehrende sind angehalten, modularisierte Angebote zu erstellen, die ein Überspringen oder Wiederholen von Lernstoff ermöglichen. Vice versa liegt wachsende Verantwortung bei Lernenden, Lernangebote zu wählen, die im Sinne der *zone of proximal development* (VYGOTSKY, 1987) bzw. im Sinne des *scaffolding* (WOOD, BRUNER & ROSS, 1976) optimal an Vorwissen anknüpfen.

An der Universität Bielefeld wurde daher ein Inverted-Classroom-Konzept erstellt, bei dem die Vermittlung kognitiver Wissensbestände über Forschungsmethoden ins Selbststudium vorverlagert wird, um die Präsenzzeit qualitativ höherwertig für Fragen, Anwendung und Transfer zu nutzen (vgl. auch SCHUMACHER et al., 2019). Da es keine einheitliche Definition von IC gibt, soll unser Begriffsverständnis vorgestellt werden.

2.1 Begriffsklärung

Durch LAGE, PLATT & TRENGLIA (2000) wurde der Begriff „IC" wie folgt eingeführt: „Inverting the classroom means that events that have traditionally taken place inside the classroom now take place outside the classroom and vice versa" (S. 32). Allerdings wäre es ein Missverständnis, allein von „re-ordering of classroom and at-home activities" (vgl. BISHOP & VERLEGER, 2013) auszugehen. Ziel ist vielmehr eine „Expansion des Curriculums" (BISHOP & VERLEGER, 2013). IC bietet einen Mehrwert, wenn durch inhaltliche Vorbereitung im Selbststudium eine

---

[3] Im vorliegenden Paper verstehen wir „Digitalisierung" als: „Transformation von Gesellschaft und Arbeitswelt resultierend aus informations- und kommunikationstechnischem Fortschritt" (KREULICH et al. 2016, S. 6).

höhere kognitive Aktivierung in der Präsenzzeit ermöglicht wird und höhere Stufen der Bloomschen Lernzieltaxonomie erreicht werden:

> „Die Schwerpunktverschiebung der Rezeption von *remember* zu *understand* begünstigt die Erreichung von diesen komplexeren Lernzielen in der Präsenzphase (*apply, analyze, evaluate, create*)."
> (WEIDLICH & SPANNAGEL, 2014, S. 239)

2.2 Ableitung der untersuchten Kategorien

Die kodierten Kategorien leiten sich für die Frage „Wie arbeiten Studierende mit IC?" aus den acht Dimensionen Flexiblen Lernens von LI & WONG (2018) ab – soweit sie in der Veranstaltung Berücksichtigung finden. Diese sind: **Zeit** (time) [time and date to start or finish the course/module, pace of learning in a course] (vgl. 4.1.1), **Bereitstellung** (delivery) [channels for course information, place for learning] (vgl. 4.1.2), **Didaktische Gestaltung** [instructional approach) amount of learning activities, instructional language, social organization of learning (group or individual), type of learning activity] (vgl. 4.1.3) sowie **Lernressourcen und Support** (vgl. 4.1.4). LI & WONG (2018) sprechen noch weitere Dimensionen an – wie z. B. Inhalt (content), Zugangsvoraussetzungen (entry requirement), Beurteilung und Bewertung (assessment) sowie Orientierung und Ziele (orientation and goal) – die aber nicht kodiert wurden, da es hierzu keine flexiblen Optionen gab.

PÖPEL & MORISSE (2019) gehen davon aus, dass IC Studierende vor hohe bzw. zu hohe Anforderungen hinsichtlich ihrer Selbstregulationskompetenz (SRK) stellt (vgl. FOERST, KLUG, JÖSTL, SPIEL & SCHOBER, 2017; SUN, LU & XI, 2016). Sie beschreiben den Lernzyklus in einer IC-Lernumgebung gemäß eines Prozessmodells für selbstreguliertes Lernen (OTTO, PERELS & SCHMITZ, 2011; SCHMITZ, 2001; vgl. SITZMAN & ELY, 2011) als selbstgesteuerte Lerneraktivitäten in einer präaktionalen (Zielsetzung, Planung), aktionalen (Anwendung der geplanten kognitiven Lernstrategien) Phase, Anwendung volitionaler Strategien (Anstrengung, Durchhaltevermögen), Überwachung und Adaption des Lernprozesses (Self-monitoring) und postaktionalen Phase (Reflexion des Lernprozesses, Soll-

Ist-Abgleich). Ihrer Studie nach verschlechterten Studierende mit geringer SRK ihre Leistungen, wohingegen sich diejenigen mit hoher SRK verbesserten. Dies gilt für leistungsstarke und -schwache Studierende gleichermaßen. PÖPEL & MORISSE (2019) berichten, dass es einen positiven Zusammenhang zwischen Gewissenhaftigkeit und Lernleistungen gibt.

Daher wurden Studierende befragt, wie sie mit IC arbeiten (vgl. 4.1.), und zusätzlich wurden die Interviews in Bezug auf **Selbstregulation** ausgewertet (vgl. 4.2.).

3 Didaktisches Konzept & Forschungsdesign

Die Studie bezieht sich auf die Vorlesung „Einführung in die quantitativen Forschungsmethoden". Die Lehrveranstaltung basiert auf dem weiteren IC-Verständnis, bei dem die Vorbereitung nicht zwingend über Lernvideos geschieht, sondern auch über vorbereitende Lektüre und Aufgaben erfolgen kann (vgl. AKÇAYIR & AKÇAYIR, 2018). Es wird von asynchronem Wissenserwerb im Selbststudium ausgegangen, gefolgt von interaktiven Lernprozessen in der Vorlesung. Für das Selbststudium wurden im Lernraum Plus (=Online-Lernplattform der Universität Bielefeld) Texte des vom Dozenten mitverfassten Lehrbuchs (BÖHM-KASPER et al., 2009) und einige inhaltlich passende Open-Access–Lernvideos bereitgestellt.

3.1 Didaktisches Konzept der Lehrveranstaltung

Pre-class-activity: Die Präsenzphase baut auf vorbereitender Lektüre auf, die durch Fragen an das durchzuarbeitende Material (Lehrbuchtexte, Erklärvideos, Internetlinks im LernraumPlus) strukturiert wird. Hierfür sind keine spezifischen Vorkenntnisse nötig. Die Lernenden entscheiden ggf. selbstverantwortlich, ob sie das entsprechende Kapitel überspringen. Die Entscheidung hierüber – im Sinne des flexiblen und selbstregulierten Lernens – wird den Studierenden durch einen grau hinterlegten „Selbstcheck"-Abschnitt hinter jedem Kapitel erleichtert. Außerdem gibt es zusammenfassende Schlagworte am Textrand, so dass Querlesen befördert wird.

Für manche Inhalte werden sowohl ein Lernvideo als auch ein vorbereitender Text zur Auswahl gestellt, so dass die Studierenden das Medium selbstbestimmt wählen können. Ihren Lernfortschritt können sie zudem über die fünf im Semester verteilt stattfindenden Tests einschätzen und eventuell Stoff wiederholen. In der Phase des Selbststudiums gibt es ein Chatangebot für Fragen.

In-class-activity: Zu Beginn der Präsenzphase wird auf Fragen eingegangen (= Verständnissicherung, nicht nur Wiederholung). Im Anschluss wird anhand der Fragen aus dem LernraumPlus eine Vertiefung der Inhalte durch einen Wechsel von Vortragstätigkeit und gemeinsamer Bearbeitung der Übungsaufgaben vorgenommen. Die Verzahnung zwischen Vorbereitung und Vorlesung erfolgt also dadurch, dass die lektürebegleitenden Fragen auch die Vortragstätigkeit leiten und in den Übungsaufgaben praktisch umgesetzt werden. Mit diesem Vorgehen wird der durch Lesen erworbene Wissensbestand angereichert und auf weitere Lebensbereiche transferiert.

Die Vorbereitung der Materialien gilt als Voraussetzung, so dass die instruierenden Phasen in der Vorlesung gekürzt und zugunsten eines konstruktivistisch orientierten Lernsettings weiterentwickelt werden können. Der Anteil von vertiefender Vortragstätigkeit und gemeinsamer Bearbeitung von Übungsaufgaben liegt etwa im Verhältnis 60:40.

3.2 Forschungsdesign

An der Vorlesung „Einführung in die quantitativen Forschungsmethoden" haben 480 Studierende teilgenommen. Von ihnen haben 50 die Abschlussklausur geschrieben und 244 haben Leistungsnachweise über fünf in der Vorlesung zu bearbeitende Aufgabenzettel erworben. Die Klausur ist im Durchschnitt genauso wie im Vorjahr ausgefallen.

Alle sechs interviewten Studierenden (drei weiblich, drei männlich) haben sich gegen eine geringe Aufwandsentschädigung freiwillig für das ca. einstündige Interview gemeldet, welches zur Vermeidung von Rollenkonfusion nicht von dem Dozierenden durchgeführt wurde. Die Interviews fanden nach der Klausur in der vorlesungsfreien Zeit statt – aber noch vor der Bekanntgabe der Ergebnisse, so dass die im Interview geäußerte Haltung zu IC unabhängig von der Prüfungsleistung ist. Das Vorwissen kann als sehr heterogen angenommen werden, da Studierende aus verschiedenen Semesteranzahlen und unterschiedlichen Fächerkombinationen teilnehmen. Eine diesbezügliche Testung wurde nicht vorgenommen, aber in einem Vortest wurde die selbst eingeschätzte Kompetenz erhoben.

Die Transkription erfolgte nach den Transkriptionsregeln von KUCKARTZ (2016).

Da über das Format bereits theoretische Grundlagen existieren, wurde ein leitfadengestütztes teilstandardisiertes Interview gewählt, so dass die Vergleichbarkeit der Aussagen gewährleistet ist. Beispiele für die Leitfragen sind: „Wie haben Sie mit den Materialien im Lernraum gearbeitet?", „Wie haben Sie das IC-Format im Vergleich zu klassischen Formaten erlebt?"

Die Interviewdaten wurden mithilfe der qualitativen Inhaltsanalyse nach MAYRING (2016) ausgewertet. Es handelte sich um eine Analyse mit deduktiven Kategorien zu den Dimensionen Flexiblen Lernens von LI & WONG (2018) sowie zur Selbstregulationskompetenz bei IC nach PÖPEL & MORISSE (2019). Die deduktiven Kategorien wurden durch induktive Subkategorien ergänzt. Die kleinste Kodiereinheit ist ein Halbsatz, die größte besteht aus drei *turns*. Insgesamt wurden 400 Einheiten kodiert. Es wurden fünf Ober- und acht Subkategorien aus dem Datenmaterial extrahiert. Ein zweiter Beurteiler ordnete einen Teil der Kodiereinheiten mithilfe des Kodierleitfadens den Kategorien zu. Die Übereinstimmung erreichte (nach zwei Durchgängen) einen Wert von Kappa = 0,821, was als sehr gute Übereinstimmung zu werten ist (WIRTZ & CASPAR, 2002).

4 Ergebnisse

4.1 „Dimensionen Flexiblen Lernens" (nach LI & WONG, 2018)

Viele der Befragten gehen auf von LI & WONG (2018) genannten Flexibilitätskategorien ein. Ein Studierender beantwortet die Frage nach dem „Erleben der Veranstaltung" nicht mit einer Beschreibung des Klimas oder des Schwierigkeitsniveaus, sondern humorvoll in Bezug auf zeitliche Flexibilisierung:

> C: Wie haben Sie denn diese Veranstaltung so erlebt?
> X: ((lacht)) (#0,7) unregelmäßig
> C: (lacht))
> X: Ehm::: ich bin wirklich im im wahrsten Sinne des Wortes, ehm ich bin in der ersten Vorlesung da gewesen (#0,7) und ehm (.) dann wieder ab Januar ((lacht)) (#1,2) ehm (#0,4) ich eh (#1) wollte gern den freitags frei- eh (#0,4) freitags frei haben und eh von daher bin ich dann selten hingegangen

4.1.1 Anwesenheit in Präsenzsitzungen: „Zeit (time)" (nach LI & WONG, 2018)

Es kristallisiert sich heraus, dass die Studierenden die Präsenzzeit in sehr unterschiedlichem Maß annehmen. Einerseits gibt es diejenigen, die trotz des Selbststudienangebots möglichst alle Vorlesungen wahrnehmen und gründliche Vor- und Nachbereitung anstreben:

> ja ich war immer in den Vorlesungen (3: 39 - 39).

Andererseits wird von Studierenden berichtet, die den Vorlesungen fernbleiben und den Leistungsnachweis mit minimalem Einsatz anstreben, was von den Mitstudierenden als wenig wertschätzend bis unhöflich erlebt wird:

> ich glaube schon, dass es genug Studenten gibt, die sich da halt so Strategien suchen, ne? Die (.) ich sag mal den Weg des geringsten Widerstands gehen ((lacht)), ne? (2: 151 - 151)

oder:

((lacht)) dann guckt man, wo man gerade noch mit Einsatz das Beste (#1) bewirken kann (1: 10 - 10)

Die regelmäßig Anwesende kritisiert die selektive Wahrnehmung von Lernangeboten, scheint sie implizit aber auch zu bewundern:

> so faule Leute, weiß ich nicht ((lacht)), die halt wirklich nur kommen, um diese Studienleistung da abzulegen und sich sonst (#0,7) ich sag mal einen chilligen machen, (#0,5) (6: 65 - 65).

Ferner scheint es Studierende zu geben, die hoch strategisch agieren, pragmatisch Prioritäten für ihr späteres berufliches Vorankommen setzen und sich als sehr effizient im Zeitmanagement beschreiben:

> ich arbeite auch noch nebenbei und (.) bin da auch sehr eingespannt, (#0,5) ehm (.) ich strukturiere meinen Tag halt wirklich, (.) wann ich was wie mache und ich (#0,8) bin dann auch so weit, dass ich gucke, okay, jeder (.) für diese Dinge zur Uni, für die ich auch wirklich hin muss, zur Uni. ja. Da versuch ich (.) sehr effizient zu sein (1: 68 - 68).

Zusammenfassend: Die Studierenden nutzen die Möglichkeit, in ihrem Lerntempo zu arbeiten, intensiv. Dabei schätzen sie insbesondere die Wiederholmöglichkeit. Die Präsenzzeit wird unterschiedlich angenommen und das Tempo derselben divers eingeschätzt.

4.1.2 „Bereitstellung (delivery): channels for course information, place for learning" (nach LI & WONG, 2018)

Lernerpräferenzen variieren offensichtlich erheblich im Hinblick auf Medienvorlieben. Während ein Studierender betont, dass Lernvideos die Inhalte sehr gut illustrieren und er diese genutzt habe,

> Die Videos veranschaulichen das bildlich, (#0,8) und akustisch. (.) Also wenn man n Text liest, dann::: (#1,3) liest man den in Gedanken und hat das vor sich liegen, (.) aber ich finde durch n Video bleibt nochmal mehr hängen. (.,,,) Das ist ehm (#1) sind komplexe Dinge nochmal leichter zugänglich. (#0,7) Deswegen fand ich das sehr gut, weil die sind beidseitigen Hypothesentest hätt ich nie auf Anhieb verstanden, wenn ich mir das Video nicht angeguckt hätte. (1: 58 - 58)

berichtet ein anderer, er benötigte einen Text, um optimal lernen zu können:

> deswegen mag ich auch immer ganz gerne so (.) Bücher und nicht unbedingt ehm
> ne wenn das so als pdf oder so das, (.) eh kann man gar nicht anfassen, und ich hab
> das schon immer so dass ich eh (#0,8) auch noch weiß, war das jetzt auf der linken
> oder auf der rechten Seite, war das mehr oben oder war das mehr unten, ich versu-
> che mir das sozusagen im Kopf so ungefähr, ne? (.) aufzurufen wo ich das finde
> (2: 83 - 83)

Resümee: Die Studierenden nutzen die verschiedenen Möglichkeiten der Bereitstellung intensiv. Der präferierte mediale Kanal variiert jedoch stark. Als Konsequenz schlagen die Studierenden multimediale Zugänge zum Lernstoff vor, was
den Vorbereitungsaufwand für Lehrende allerdings erheblich erhöhen würde.

4.1.3 „Didaktische Gestaltung (instructional approach): amount of learning activities, instructional language, social organization of learning [group or individual], type of learning activity" (nach LI & WONG, 2018)

Exemplarisch soll zunächst die Subkategorie „social organization of learning" vorgestellt werden, weil die Aussagen hier besonders heterogen sind. Die Einschätzung variiert von Ablehnung interaktiver Phasen:

> man ist halt nicht so offen, hat vielleicht gar keinen Lust mehr mit seinem Nach-
> barn irgendwie was zusammen zu machen, kennt den auch überhaupt nicht, (.)
> vielleicht stimmt die Chemie auch nicht (2: 105 - 105)

bis hin zu Wertschätzung von Partnerarbeitsphasen:

> ich habe da halt auch neue Leute kennengelernt, (#0,8) wo wir diese Präsenzzeiten
> dann auch manchmal gemeinsam (#0,5) ehm (#0,5) gehabt haben, also (.) ich ehm
> (#0,9) bin dann mit einer Freundin das, eh also diesen Stoff dann durchgegangen,
> (#0,8) und das hat mir dann auch geholfen (3: 5 - 5).

Die soziale Organisation des Lernprozesses („social organization of learning")
wird sehr unterschiedlich erlebt. Die Spanne reicht von der Wahrnehmung als will-
kommene Auflockerung bis hin zu Ablehnung. Ihre Lernaktivitäten („type of learning activity") beschreiben die Studierenden mehrheitlich so, dass sie vorbereitend

das entsprechende Buchkapitel gelesen und markiert hätten sowie eventuell das Video angeschaut und die Aufgaben bearbeitet hätten. Zur Klausurvorbereitung wurden verstärkt der herunterzuladende Foliensatz und die Übungsaufgaben genutzt. Zur „instructional language" äußern sich die Studierenden kaum. Ein Befragter merkt jedoch an, dass es hilfreich gewesen sei, dass die Formulierungen auf den Folien identisch mit denen im Buch gewesen seien. Der Lernaufwand („amount of learning activities") wird zusammenfassend als etwa gleich hoch wie bei klassischen Formaten bewertet. Wollte man den gleichen Lernstand ohne IC erreichen, wäre der zeitliche Aufwand insgesamt vermutlich höher gewesen, so der Tenor.

4.1.4 „Lernressourcen und Support (resource and support)" (nach LI & WONG, 2018)

Zum Thema „Lernressourcen und Support" über die Chatfunktion ist das Stimmungsbild eher konsensual: Die Studierenden genieren sich, öffentlich Fragen zu stellen und bedauern die fehlende Anonymität:

> ich hatte da auch einmal eh::: (.) sogar direkt vor der Klausur nochmal irgendwas zum Signifikanzniveau gefragt, (.) und hab dann auch hinterher (ge-) was für eine peinliche Frage, (#2) obwohl es ja eigentlich egal sein sollte, aber eh- dadurch dass niemand reingeschrieben hat, ehm war die (.) Hemmschwelle da recht groß, da was zu fragen (5: 86 - 86)

Insgesamt wurde die Chatfunktion kaum bis gar nicht genutzt, so dass für künftige Durchläufe die Nutzung des Forums überdacht werden sollte.

4.2 „Selbstregulation" (nach PÖPEL & MORISSE, 2019)

In den Interviews wird deutlich, dass die Studierenden „Flexibles Lernen" als didaktische Organisationsform der Zukunft sehen:

> dass man für sich selber verantwortlich ist, das:: s::ieht man auch im Politischen, das s::ieht man dann im Beruf mittlerweile, (#0,7) ehm (.) ich glaube dass:: (.) das auch einfach (.) in der Bildung (.) sich durchsetzen wird, und deswegen (#0,8) glaube ich, muss man als Uni auch (.) diesen Weg gehen (1: 136)

Mehrheitlich geben sie an, IC klassischen Formaten vorzuziehen und die hieraus entstehende Freiheit zu genießen. Die Zufriedenheit darüber, selbstverantwortlich entscheiden zu können, wird immer wieder betont:

> ich hätte (.) oder würd mir wahrscheinlich dann auch noch mehr Videos angucken, denn (#1) w- wie ich schon gesagt habe ich hab halt noch zwei Kinder und ich arbeite auch noch so n bisschen und deswegen (#1,1) selektiere ich da schon manchmal so n bisschen, ne? (2: 27 - 27)

Über die Vorablektüre der jeweiligen Ziele des Buchkapitels wird die Planung der Lernaktivitäten in Anknüpfung an das in Kapitel 2.2. erwähnte Prozessmodell selbstregulierten Lernens ermöglicht. Dennoch sind sich die Studierenden – zumindest einige – der Risiken studentischer Freiheiten bewusst. Sie gestehen sich selbstreflexiv ein, ihre Lernziele nicht konsequent genug verfolgt zu haben:

> ist natürlich die Versuchung groß für- dass viele sagen, ja eh (.) dann mach ich einfach nichts, und setz mich einfach in die Klausur und versuch die irgendwie zu bestehen wie auch immer (1: 138 - 138)

oder:

> als-o als Student ehm (.) überlegt man halt zweimal ob man sich das wirklich (.) antut (.) im (.) Verlauf der Vorlesung, (#1) ehm (.) ich weiß nicht, ob jeder dann so diszipliniert ist und das durchzieht (1: 10 - 10)

Unter der Prämisse, dass Studierende über das erforderliche Maß an SRK verfügen, vermögen sie, Rückstande aufzuarbeiten:

> am Anfang (.) der Vorlesung, lag ich so zwei drei eh (#1) Sitzungen zurück, es hieß ja kommen Sie bitte und haben die ersten vier Kapitel gelesen, das hatte ich nicht, ich hab dann- hab zu Hause noch was anderes gelesen, und (#0,7) bin das so locker angegangen (5: 168 - 168)

Ein Zurückfallen gegenüber dem Zeitplan birgt als immanentes Risiko, „abgehängt" zu werden, wenn die eigenständige Aufarbeitung des Lernstoffs verbleibt und bei wachsendem Delta das Anknüpfen an Vorwissen nicht mehr möglich ist (fehlendes *scaffolding*). Jedoch scheint dieses unabhängig von IC zu sein, denn eine befragte Person beschreibt den umgekehrten Fall. Nachbereitung des Stoffs erfordere ebenfalls SRK und werde noch eher vernachlässigt:

> weil ich mich oft dabei erwische, dass ich nach einer Vorlesung (#0,9) nicht nochmal die Präsentation der Sitzung angucke, um wirklich Sachen zu wiederholen, die unklar waren, also da erwische ich mich wirklich leider ganz ganz oft (6: 131)

Die Aussagen legen nahe, dass die Fähigkeit zur Selbstdisziplin in der Tat von hoher Bedeutung für Studienerfolg ist. Insgesamt schätzen die Befragten die Vorteile Flexiblen Lernens aber so sehr wert, dass sie sich SRK abverlangen.

5 Diskussion

Die Befragten nutzen zeitliche und räumliche Flexibilisierung intensiv. Es gibt eine Spanne zwischen nahezu vollständiger Anwesenheit bei Durcharbeiten aller Materialien auf der einen Seite bis hin zu Abwesenheit und sporadischem Vorlesungsbesuch auf der anderen Seite.

Als Limitation der Studie ist kritisch anzumerken, dass es sich notwendigerweise um eine einseitige Bewertung handelt, da nur die Studierendenperspektive erhoben wird. Es ist uns bewusst, dass Selbsteinschätzung nichts über tatsächliche Performanz aussagt. Eine Studie mit sechs Befragten bietet kaum Verallgemeinerungspotenzial, hilft jedoch, Chancen und Grenzen der Digitalisierung von Bildungsprozessen aufzuzeigen.

Sowohl die Leitfragen als auch das Kodierschema und die Kodierungen selbst wurden von mehreren Personen gegengeprüft. Trotz des Bemühens um reflektierte Subjektivität und Intersubjektivität etc. sind wir uns der Grenzen von Kodierprozessen bewusst.

Durch die gemeinsame Bearbeitung von anspruchsvollen Übungsaufgaben (die dem Aufgabenniveau der späteren Klausur entsprechen) wurde der didaktische Versuch unternommen, von der bloßen Rezeption des Wissens zu Anwendung und

Reflexion anzuleiten. Inwieweit jedoch tatsächlich höhere Taxonomiestufen erreicht werden, kann nur durch ein empirisches Vorgehen (z. B. durch ein quasiexperimentelles Design) überprüft werden, denn das Großveranstaltungsformat „Vorlesung" bietet für die Dozentin/den Dozenten prinzipiell wenige Rückmeldeoptionen.

Zusammengefasst: IC wird aufgrund der zeitlichen und räumlichen Flexibilität – trotz minimaler Nutzung der interaktiven Chatfunktion – klar favorisiert. Es besteht jedoch Uneinigkeit über den präferierten Informationskanal und es wird kontrovers beantwortet, ob Interaktivität in den Präsenzphasen gewünscht ist. Das Risiko von Flexibilität – die Notwendigkeit hoher SRK – wird zwar als Herausforderung gesehen, vermag aber nicht die herausgestellten Vorteile zu schmälern.

Dennoch: Selbst wenn die Studierenden die zeitliche Straffung als Mehrwert herausstellen, darf dies nicht einseitig positiv gewertet werden: Der Effizienz stehen bewährte Modi wie etwa zielloses Forschen und die Befähigung zu selbstständigem Denken gegenüber. Diese Herangehensweisen, so bedauert WEIS (2019), würden allerdings aufgrund ihres hohen Zeitbedarfs zunehmend infrage gestellt.

Ziel eines jeden Konzepts sollte sein, „student engagement" – als wichtige Voraussetzung für Lernen – zu steigern. Wenn dies über IC erreicht werden könnte, läge hierin ein Mehrwert (vgl. O'FLAHERTY & PHILLIPS, 2015, S. 85). Dies ist allerdings, wie von PÖPEL & MORISSE (2019) herausgestellt, nur bei hoher SRK zu erwarten. Diese Fähigkeit, so wurde in den Interviews deutlich, ist sehr unterschiedlich ausgeprägt, so dass es auch IC „Gewinner/innen" und „Verlierer/innen" gibt und die Methode nicht pauschal bewertet werden kann (vgl. PÖPEL & MORISSE, 2019).

Kritisches Denken anzuregen bleibt primäres Ziel – unabhängig vom medialen Konzept: „Digitalisierung in der Hochschullehre ist weit mehr als medientechnisch gestützte Didaktik" (KREULICH, DELLMANN, SCHUTZ, HARTH & ZWINGMANN, 2016, S. 4). Erforderlich ist die Heranführung an Bildung – im Humboldt'schen Sinne. Analog wird im Blog des HOCHSCHULFORUM DIGITALISIERUNG (2019) die Frage aufgeworfen:

Was ist der Wert von Bildung, wenn Informationen jederzeit aus einem digitalen Wissensspeicher abgerufen werden können? Wodurch zeichnet sich Hochschulbildung aus, wenn zunehmend am konkreten wirtschaftlichen Bedarf orientierte digitale Weiterbildungsangebote auf den Markt treten?

Flexibles Lernen ist nicht nur aus „Nutzerperspektive" zu beleuchten – in dem Sinne, dass es den Bedarfen der Studierenden entgegenkommt –, sondern insbesondere auch aus institutioneller und pädagogisch-didaktischer Sicht unter Berücksichtigung der Chancen für inklusionssensible Bildung bei gleichzeitiger Abwägung des didaktischen Risikos der unkritischen Übernahme medial dargebotener Informationen. Außerdem impliziert der Einsatz von IC, dass „Selbstregulationskompetenz" als Schlüsselkompetenz gefördert werden sollte.

6 Literaturverzeichnis

Akçayir, G. & Akçayir, M. (2018). The flipped classroom: A review of its advantages and challenges. *Computers & Education, 126*, 334-345.

Albert, M., Hurrelmann, K., Quenzel, G. & TNS Infratest, Sozialforschung (2015). *Jugend 2015. 17. Shell Jugendstudie*. Frankfurt: Fischer Taschenbuch Verlag.

Bishop, J. & Verleger, M. A. (2013). *The Flipped Classroom: A Survey of the Research*. Vortrag gehalten auf der 2013 ASEE Annual Conference & Exposition, Atlanta, Georgia. https://peer.asee.org/22585, Stand vom 14. Juni 2019.

Foerst, N. M., Klug, J., Jöstl, G., Spiel, C. & Schober, B. (2017). Knowledge vs. action: Discrepancies in university students' knowledge about and self-reported use of self-regulated learning strategies. *Frontiers in Psychology, 8*:1288. https://doi.org/10.3389/fpsyg.2017.01288

Hochschulforum Digitalisierung (2019). *Zwischen digitaler Innovation und wissenschaftlicher Tradition – Was verstehen wir unter Hochschulbildung im 21. Jahrhundert?* https://hochschulforumdigitalisierung.de/de/comment/reply/2251, Stand vom 14. Juni 2019.

Jost, C. (2018). *Anerkennung und Anrechnung an Hochschulen: Bedeutung und Konzepte, Strategie und Umsetzung.* Vortrag gehalten auf der HRK-Nexus-Tagung, Darmstadt. https://www.hrk-nexus.de/aktuelles/tagungsdokumentation/anerkennung-und-anrechnung-an-hochschulen/, Stand vom 14. Juni 2019.

Kreulich, K. , Dellmann, F., Schutz, T., Harth, T. & Zwingmann, K. (2016) *Digitalisierung – Strategische Entwicklung einer kompetenzorientierten Lehre für die digitale Gesellschaft und Arbeitswelt.* Die Position der UAS7-Hochschulen für angewandte Wissenschaften. Berlin: UAS7 e. V.

Kuckartz, U. (2016). *Qualitative Inhaltsanalyse: Methoden, Praxis, Computerunterstützung* (3. Aufl.). Weinheim und Basel: Beltz Juventa.

Lage, M. J., Platt, G. J. & Treglia, M. (2000). Inverting the classroom: A gateway to creating an inclusive learning environment. *The Journal of Economic Education, 31*(1), 30-43. https://doi.org/10.2307/1183338

Li, K. C. & Wong, B. Y. Y. (2018). Revisiting the Definitions and Implementation of Flexible Learning. In K. C. Li, K. S. Yuen & B. T. M. Wong (Hrsg.), *Innovations in Open and Flexible Education* (S. 3-13). Singapore: Springer Singapore.

Mayring, P. (2016). *Einführung in die qualitative Sozialforschung* (6. Aufl.). Weinheim: Beltz.

Neß, H. (2016). Verfahren und Instrumente zur Erfassung informell erworbener Kompetenzen. In M. Rohs (Hrsg.), *Handbuch Informelles Lernen* (S. 609-633). Wiesbaden: Springer.

O'Flaherty, J. & Phillips, C. (2015). The use of flipped classrooms in higher education: A scoping review. *The Internet and Higher Education, 25,* 85-95. https://doi.org/10.1016/j.iheduc.2015.02.002

Oberbeck, N. (2018). *Ziele und Folgen von Anerkennung und Anrechnung.* Vortrag gehalten auf der HRK Nexus Tagung: Kompetenzen im Fokus: Instrumente für gute Anerkennung und Anrechnung, Technische Hochschule Nürnberg Georg Simon Ohm. https://www.hrk-nexus.de/aktuelles/tagungsdokumentation/kompetenzen-im-fokus-instrumente-fuer-gute-anerkennung-und-anrechnung/, Stand vom 14. Juni 2019.

Otto, B., Perels, F. & Schmitz, B. (2011). Selbstreguliertes Lernen. In H. Reinders, H. Ditton, C. Gräsel & B. Gniewosz (Hrsg.), *Lehrbuch Empirische Bildungsforschung* (S. 33-44). Wiesbaden: VS Verlag für Sozialwissenschaft.

Pöpel, N. & Morisse, K. (2019). Inverted Classroom: Wer profitiert – wer verliert? Die Rolle der Selbstregulationskompetenzen beim Lernen im umgedrehten MINT-Klassenraum. *die hochschullehre, 5*, 55-74. http://www.hochschullehre.org/?p=1286, Stand vom 14. Juni 2019.

Reckwitz, A. (2017). *Die Gesellschaft der Singularitäten. Zum Strukturwandel der Moderne.* Berlin: Suhrkamp.

Schumacher, F, Mertens, C. & Basten, M. (2019). Flip the Seminar – Digitale Vorbereitung auf Praxisphasen im Lehramt. *ZFHE, 14*(2), 123-136. https://doi.org/10.3217/zfhe-14-02/07

Schmitz, B. (2001). Self-Monitoring zur Unterstützung des Transfers einer Schulung in Selbstregulation für Studierende. Eine prozessanalytische Untersuchung. *Zeitschrift für Pädagogische Psychologie, 15*, 181-197. https://doi.org/10.1024//1010-0652.15.34.181

Sitzmann, T. & Ely, K. (2011). A meta-analysis of self-regulated learning in work-related training and educational attainment: What we know and where we need to go. *Psychological Bulletin, 137*(3), 421-442. https://doi.org/10.1037/a0022777

Spiel, C., Schober, B. & Finsterwald, M. (2016). Anerkennung informeller Lernerfahrungen – bildungspolitische und wissenschaftliche Ansätze. In M. Harring, M. D. Witte & T. Burger (Hrsg.), *Handbuch informelles Lernen* (S. 788-802). Weinheim: Beltz Juventa.

Statistisches Bundesamt (2019). *Studienabschlüsse: Anzahl der bestandenen Prüfungen an Hochschulen in Deutschland in den Prüfungsjahren von 1993 bis 2017.* https://de.statista.com/statistik/daten/studie/39312/umfrage/studienabschluesse-in-deutschland-seit-1993/, Stand vom 14. Juni 2019.

Sun, Z., Lu, L. & Xie, K. (2016). The effects of self-regulated learning on students' performance trajectory in the flipped math classroom. In C.-K. Looi, J. Polman, U. Cress & P. Reimann (Hrsg.), *Transforming Learning, Empowering Learners:*

Conference Proceedings (S. 66-73). Singapore: International Society of the Learning Sciences.

Vygotsky, L. S. (1987). *Mind in Society: Development of Higher Psychological Processes* (14. Aufl.). Harvard University Press.

Weidlich, J. & Spannagel, C. (2014). Die Vorbereitungsphase im Flipped Classroom. Vorlesungsvideos versus Aufgaben. In K. Rummler (Hrsg.), *Lernräume gestalten – Bildungskontexte vielfältig denken* (S. 237-248). Münster u. a.: Waxmann.

Weis, R. (2019). *Zielloses Forschen ist wichtig.* Vortrag gehalten auf dem Blog Hochschulforum Digitalisierung. https://hochschulforumdigitalisierung.de/de/comment/reply/2251, Stand vom 14. Juni 2019.

Wirtz, M. & Caspar, F. (2002). *Beurteilerübereinstimmung und Beurteilerreliabilität. Methoden zur Bestimmung und Verbesserung der Zuverlässigkeit von Einschätzungen mittels Kategoriensystemen und Ratingskalen.* Göttingen: Hogrefe.

Wood, D., Bruner, J. S. & Ross, G. (1976). The role of tutoring and problem solving. *Child Psychology & Psychiatry & Allied Disciplines, 17*(2), 89-100.

www.zfhe.at

ZFHE Jg. 14 / Nr. 3 (November 2019) S. 341-359

Autorinnen/Autoren

Dr. Claudia MERTENS ‖ Universität Bielefeld, Fakultät für Erziehungswissenschaft ‖ Universitätsstraße 25, D-33615 Bielefeld ‖ jetzt: Technische Hochschule Ostwestfalen-Lippe

www.bised.uni-bielefeld.de/digital

claudia.mertens@uni-bielefeld.de

Fabian SCHUMACHER ‖ Universität Bielefeld, Fakultät für Biologie ‖ Universitätsstraße 25, D-33615 Bielefeld

https://ekvv.uni-bielefeld.de/pers_publ/publ/
PersonDetail.jsp?personId=84654613

fschumacher@uni-bielefeld.de

Prof. Dr. Oliver BÖHM-KASPER ‖ Universität Bielefeld, Fakultät für Erziehungswissenschaft ‖ Universitätsstraße 25, D-33615 Bielefeld

www.uni-bielefeld.de/erziehungswissenschaft/ag9/

oliver.boehm-kasper@uni-bielefeld.de

Dr. Melanie BASTEN ‖ Universität Bielefeld, Fakultät für Biologie – Sachunterrichtsdidaktik ‖ Universitätsstraße 25, D-33615 Bielefeld

https://ekvv.uni-bielefeld.de/pers_publ/publ/
PersonDetail.jsp?personId=11411346

melanie.basten@uni-bielefeld.de

Bernadette DILGER[1], Luci GOMMERS, Christian RAPP,
Marco TRIPPEL, Andreas BUTZ, Simon HUFF, Rainer MUELLER
& Ralf SCHIMKAT (St. Gallen, Winterthur, Konstanz)

Seamless Learning als Ansatz zum Umgang mit flexiblem Lehren und Lernen – Erfahrungsbericht aus dem Seamless Learning Lab

Zusammenfassung

Seamless Learning richtet den Blick auf eine Herausforderung flexiblen Lernens – den Umstand, dass Lernen in verschiedenen Kontexten stattfinden kann. Lernen über Kontexte hinweg bietet Chancen (z. B. die Verknüpfung von formalem Wissen mit der Alltagserfahrung), bringt aber auch Risiken (Fragmentierung der Lernerfahrung) mit sich. In einem laufenden EU-geförderten Projekt werden mittels eines „Design Based Research"-Ansatzes sieben „Seamless Learning"-Konzepte entwickelt, implementiert und erforscht. Diese Konzeption ist sehr beratungsintensiv. Für die langfristige Sicherung der Ergebnisse und eine mögliche Skalierung wird ein frei zugängliches Beratungskonzept inklusive IT-Unterstützung (Beratungs-Framework) entwickelt. In diesem Artikel wird das Projekt kurz präsentiert und theoretisch eingeordnet; die Erfahrungen und Erkenntnisse aus der Entwicklung der „Seamless Learning"-Konzepte vorgestellt, woraus anschließend die Grundlagen für das Beratungskonzept und -tool abgeleitet werden.

Schlüsselwörter

Seamless Learning, Design Based Research, wirksame Lehr-/Lernkonzepte, flexibles Lernen

---

[1] E-Mail: bernadette.dilger@unisg.ch

Werkstattbericht · DOI: 10.3217/zfhe-14-03/21

B. Dilger, L. Gommers, Ch. Rapp, M. Trippel, A. Butz, S. Huff, R. Mueller & R. Schimkat

Seamless Learning as an approach to foster flexible learning in higher education

Abstract

Seamless learning focuses on a challenge characteristic of flexible learning, whereby learning occurs in different contexts. Learning across contexts affords certain opportunities (e.g., connecting abstract principles learned within a formal context with life experience), but also comes with a certain level of risk (e.g., fragmentation of learning experiences). Within an ongoing EU-funded research project, seven seamless learning conceptions are being developed, implemented and investigated using a design-based research approach. However, this process necessitates a considerable amount of consultancy. To ensure long-term sustainability and scalability, an open and accessible consultancy concept was developed that included ICT support. This paper briefly introduces the project and places it within its theoretical context, as well as discussing the experiences and findings gained during the development of the lighthouses (which serve as the basis of the consultancy concept) and the tool developed.

Keywords

seamless learning, design-based research, high impact pedagogies, flexible learning

1 Hintergrund und konzeptionelle Basis

Gesellschaftlicher Wandel verändert unser Bildungssystem und unsere Denkweise über Lehren, Lernen und Bildung. Die Relevanz, adäquate Bildungsangebote und -wege zu schaffen, die sich sowohl hinsichtlich Effektivität-, Effizienz- und Chancengleichheitskriterien positiv zu den bestehenden Strukturen weiterentwickeln, wird sehr hoch bewertet (z. B. SKBF, 2018, S. 10). Didaktische Fragestellungen wie etwa, was (Ziele) wo (Lernorte) wann (Lernzeiten) wir lehren und lernen, wie wir es tun (Strategien und Methoden) und was für Ressourcen (Lerninhalte und -medien) genutzt werden, bekommen einen höheren Stellenwert.

Wandel und Weiterentwicklung bieten neues Potenzial, die Gestaltungsoptionen bezüglich Lehre und Lernen zu erweitern, darüber zu flexibilisieren und zu individualisieren. Dies bringt jedoch neue Fragestellungen und teilweise Herausforderungen mit sich: Eine der Gefahren ist, dass durch die Flexibilisierung Lernerfahrungen stärker *fragmentiert* werden. So kann orts- und zeitunabhängiges Lernen dazu führen, dass bestimmte Kompetenzen in unterschiedlichen Kontexten erlernt werden bzw. viele Lernerfahrungen in zunehmend unterschiedlichen Kontexten gemacht werden. Es kann zu unverbundenen Episoden des Lernens kommen: Interaktion in einer Lehrveranstaltung, Austausch im Forum, Informationen in einem Learning-Management-System, ein Lernvideo, eine E-Mail; es wird an und in verschiedenen Situationen gelernt.

Um zu einer ganzheitlichen Kompetenzentwicklung zu kommen, müssen die verschiedenen Lernerfahrungen integriert werden. Dies wird in besonderer Weise durch die Vertreter/innen des erfahrungsbasierten Lernens (exemplarisch dazu KOLB, 2014) beschrieben. SHARPLES (2015, S. 41ff.) betont: "In order to make sense of different fragments of knowledge, one needs to connect them with each other. There are settings where it is hard to do that, because to understand a certain theme, fragments are needed that are spread out in different contexts."

Mit dem Lernen über verschiedene Kontexte im Zeitverlauf hinweg und sich daraus ergebenden Chancen und Risiken befasst sich u. a. die „Seamless Learning"-Community. KUH, der den Begriff des Seamless Learning prägte, fragte (1996) ursprünglich, wie man Lernen über die Grenzen des Klassenzimmers (formelles Lernen) erweitern kann, um das Gelernte mit den Erfahrungen der Alltagswelt (informelles Lernen) in Verbindung zu bringen.

Leistungsfähigere, günstigere mobile Endgeräte mit Internetzugang erhöhten die Flexibilität für Lernende drastisch. Dies führte nach der ursprünglichen Definition von KUH (1996) zu einer aktuellen Definition (WONG, 2015, S. 10): "Seamless learning is when a person experiences a continuity of learning, *and consciously bridges the multifaceted learning efforts*, across a combination of locations, times, technologies or social settings" (Hervorhebung im Original).

Im vorliegenden Artikel werden die konzeptionellen und praktischen Erfahrungen bei der Gestaltung von „Seamless Learning"-Konzeptionen vorgestellt. In einem internationalen Projektverbund werden verschiedene „Seamless Learning"-Konzeptionen entwickelt, erprobt und evaluiert. Diese Erfahrungen werden systematisch ausgewertet und fließen in die Weiterentwicklung der Konzeptionen ein. In der Entwicklung eines „Seamless Learning"-Beratungsansatzes und zugehöriger Werkzeuge werden diese Erfahrungen für weitere Praxispartner/innen zugänglich gemacht. Im ersten Schritt wird dazu der Projektkontext kurz skizziert, um den Anwendungs- und Erfahrungshintergrund darzustellen. In einem zweiten Schritt werden die im Projekt genutzten Prozessphasen und Aufgabenschritte erläutert. Danach wird die Grundkonzeption des Beratungsansatzes offengelegt und die Erfahrungen damit aufgezeigt. Ziel des Beitrags ist neben dem systematischen Erfahrungsbericht, dass das Beratungskonzept zur Diskussion bei möglichen weiteren Anwenderinnen/Anwendern gebracht wird.

2 Das Seamless Learning Lab als Projektkontext

Das Projekt wird im Rahmen des IBH-Labs „Seamless Learning" gefördert. Die IBH-Labs sind auf Initiative der Internationalen Bodensee-Hochschule (IBH) und der Internationalen Bodenseekonferenz (IBK) entstanden und werden aus Mitteln des Interreg V-Programms „Alpenrhein-Bodensee-Hochrhein" gefördert. Im Lab arbeiten verschiedene Hochschulen und Praxispartner/innen (insbesondere Unternehmen aus der Region) zusammen, um Brüche in den Lehr-/Lernprozessen in der Laufbahn von Lernenden zu überwinden.

2.1 Das Seamless Learning Lab

Im Verständnis des Seamless Learning Labs (https://seamless-learning.eu) ist ein bewusster Umgang mit den Brüchen in Lehr- und Lernprozessen sowohl aus Sicht der Dozierenden an den Hochschulen als auch der Studierenden ein Weg, um Lernprozesse in ihrer Effektivität und Effizienz weiterzuentwickeln. Das interdisziplinäre Lab (Abbildung 1) schafft ein Netzwerk für die Entwicklung, Erprobung und Evaluation von „Seamless Learning"-Konzeptionen und für die empirische und konzeptionelle Weiterentwicklung von Seamless Learning.

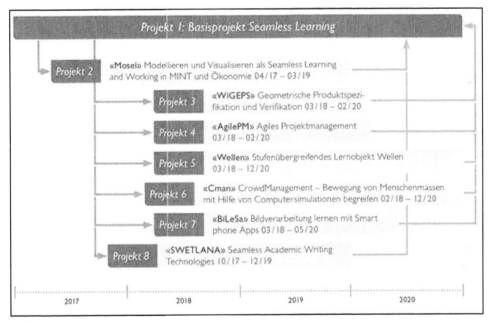

Abb. 1: Projektübersicht Seamless Learning

Im Lab wird ein Design Based Research (DBR) Ansatz genutzt (BROWN, 1992; EULER, 2014). Das Basisprojekt begleitet die Einzelprojekte bei der Konzeption, Implementation und Evaluation ihrer Seamless-Learning-Konzeptionen (siehe Abbildung 2).

Werkstattbericht

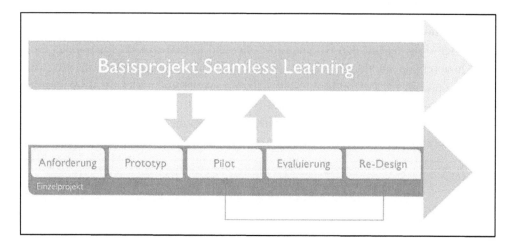

Abb. 2: Kernprozesse im Seamless Learning Lab

2.2 Kernprozesse im Seamless Learning Lab

Die Entwicklungsprojekte werden in verschiedene Phasen aufgegliedert:

- Anforderungen für die Entwicklung einer „Seamless Learning"-Konzeption: In dieser Phase werden die zentralen Brüche (Seams) und der Entwicklungsbedarf definiert.
- Entwicklung eines Prototyps: Auf der Basis der Anforderungen wird eine möglichst breite Ideensammlung vorgenommen und eine kreative Umsetzung von didaktischen Gestaltungsprinzipien aufgenommen.
- Pilotierung der Konzeption: In der ersten Pilotierung wird die Konzeption in der Lehre eingesetzt und die damit gewonnenen Erfahrungen werden gesammelt.
- Evaluierung der ersten Umsetzung.
- Überarbeitung und Veränderung des Designs aufgrund der Evaluationsergebnisse (Re-Design).

- Zweite Erprobung: In der zweiten Erprobungsphase wird das überarbeitete Konzept implementiert und die Erfahrungen wiederum systematisch aufgenommen.
- Evaluierung der zweiten Umsetzung: Analog zur ersten Evaluierung.
- Reflexion und Analyse: In der finalen Reflexionsphase werden die gemachten Erfahrungen systematisiert und auf grundlegende Gestaltungsprinzipien verdichtet.

Dieser systematisch aufgebaute Prozess hat nicht nur zum Ziel, möglichst wirksame didaktische Einzelkonzeptionen zu entwickeln, sondern darüber hinaus die darin als Gestaltungsprinzipien wirksamen Zusammenhängen zwischen Brüchen – didaktischen Leitprinzipien und eingesetzten Werkzeugen – als Muster darzustellen, die als „Good Practices" dienen können.

3 Erfahrungen aus dem Seamless Learning Lab

3.1 Konzeptionelle Perspektive

Auf Basis der Literatur und Konzeption von Seamless Learning wird in dem Seamless Learning Lab ein Rahmenkonzept entwickelt, dass die Arbeit und die Konzeptionen prägt. In und mit den Dimensionen der Seams, der didaktischen Prinzipien und des Technikeinsatzes werden die drei grundlegenden Handlungsdimensionen im Projekt charakterisiert (Abbildung 3). Dabei wird auch verdeutlicht, dass gerade in der Form der spezifischen Verbindungen zwischen den Seams, den didaktischen Prinzipien und dem Technikeinsatz das jeweilig „spezifische" Muster für die Einzelkonzeption entwickelt und beschrieben werden kann. In der Auseinandersetzung mit den drei Handlungsdimensionen werden dann je Dimension mögliche Ausprägungsformen theoriebasiert abgeleitet und aufgenommen.

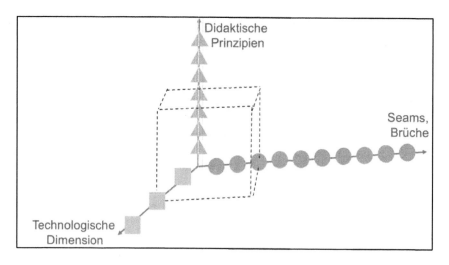

Abb. 3: Handlungsdimensionen als Gestaltungsrahmen

Dimension Seams / Brüche: In einer vertieften konzeptionellen Auseinandersetzung mit den Seams / Brüchen (DILGER, GOMMERS & RAPP, 2019) werden zwei Aspekte in der Weiterentwicklung des „Seamless Learning"-Konzepts im Umgang mit Seams sichtbar:

(1) Differenzierung zwischen den Oberflächenmerkmalen von Seams und den dahinterliegenden Problemen auf der Tiefenstruktur: Hier können sich auf der Oberfläche die Kontexte z. B. physisch unterscheiden, wie etwa im Hörsaal, oder im Labor oder im Betriebspraktikum. Der eigentliche Bruch entsteht jedoch auf der Tiefenebene, da der Lernort auf die Art und Weise, wie Wissen strukturiert wird, Einfluss nimmt (im Vergleich wird Wissen in Hochschulen von Dozierenden ausgewählt, aufbereitet und zielorientiert vermittelt).

(2) Lehren und Lernen ohne Kontextbrüche ist kein „Idealzustand", d. h. also die Kontexte möglichst zu integrieren. Vielmehr ist es erforderlich, einen bewussten Umgang mit den Seams sowohl aus Lehrenden- als auch aus Lernendensicht vorzunehmen.

Dimension „Didaktische Prinzipien": Durch ein vertieftes Verständnis von Seams lässt sich herausarbeiten, welche didaktische Prinzipien angewendet werden können, um „Seamless Learning"-Konzeptionen zu gestalten. Im Seamless Learning Lab wird insbesondere mit den folgenden didaktischen Prinzipien gearbeitet: Experience-based Learning, Enquiry-based Learning, Design-based Learning, Projekt-based Learning, Forschungsbasiertes Lernen, Spielbasiertes Lernen, Selbstreguliertes Lernen, Peer Learning (DILGER, GOMMERS & RAPP, 2019).

Dimension „Technologische Werkzeuge": Bei Seamless Learning werden, wo nötig, technische Mittel / Tools eingesetzt, wenn dies bei der Integration von Lernerfahrungen aus verschiedenen Kontexten hilft. Dabei werden die digitalen Werkzeuge hinsichtlich ihrer grundlegenden Funktion im Lehr-/Lernprozess klassifiziert (z. B. Moodle als Werkzeug für Abstimmung zwischen Studierenden).

3.2 Praktische Perspektive

Im Folgenden werden zentrale Erfahrungen aus dem Seamless Learning Lab in den verschiedenen Phasen des Projekts gemäß den drei Dimensionen (Seams, didaktische Prinzipien und Technologie) dargestellt.

Phase	Perspektive	Erfahrungen
Anforderungen	Brüche/ Seams	Aus der Perspektive der Lernenden werden andere Brüche adressiert als diejenigen, die in der Literatur aufgenommen werden.
	Didaktische Prinzipien	Dozierende formulieren die von ihnen gesehenen Bedarfe und Anforderungen mit den von ihnen implizit vorhandenen subjektiven Überzeugungen von Lehr-/Lernprozessen. Aus diesen Differenzen werden Brüche heraus definiert. Diese orientieren sich an den subjektiven Erfahrungen der Dozierenden v. a. als Lernende.
	Technologie	Durch die Unübersichtlichkeit des Angebotes an digitalen Werkzeugen findet eine Analyse der Anforderungen sehr punktuell und intuitiv statt. Es wird sehr stark über die gegebenen Werkzeuge diskutiert und weniger über die erforderlichen Funktionen, die mit Hilfe von digitalen Werkzeugen unterstützt werden können. Umgekehrt werden digitale Werkzeuge als Lösungen implementiert, ohne die entsprechenden Problemstellungen genauer zu analysieren.
Prototypen	Brüche/ Seams	Für die Entwicklung der Prototypen ist weniger die Auseinandersetzung mit den Brüchen und Anforderungen leitend als implizite Vorstellungen vom Ergebnis.
	Didaktische Prinzipien	In der Entwicklung und Präsentation der Prototypen sind didaktische Prinzipien eingebunden. Diese werden von Dozierenden häufig nicht selbst als Prinzipien erkannt. Über Beratungsgespräche können inhärente Prinzipien sichtbarer gemacht und damit stärker handlungsleitend gemacht werden.
	Technologie	Die Projekte unterscheiden sich stark im Grad des expliziten Einbezugs von digitalen Werkzeugen in die Konzeptionen. Die Bandbreite reicht von stark technikaffinen Dozierenden mit explizitem Einbezug zu eher nicht-affinen Dozierenden, die diese Dimension in der Entwicklung der Prototypen nicht bearbeiten.

Pilotierung/ Umsetzung	Brüche/ Seams	Eine Orientierung an Seams wird in der Umsetzung nicht explizit vorgenommen. Die Relevanz spezifischer didaktischer Entscheidungen wird nicht über die Form der Orientierung an den Seams explizit begründet. Implizit orientieren sich die Konzeptionen an den Seams.
	Didaktische Prinzipien	Die stärkere didaktische Prinzipienorientierung in der Konzeptionsphase wird von den Dozierenden in der Umsetzung als unterstützend und leitend wahrgenommen (z. B. die Orientierung an einem vollständigen Lernzyklus des erfahrungsbasierten Lernens).
	Technologie	Für einzelne Entwicklungsprojekte werden spezifische Analysen und Beratungen hinsichtlich der digitalen Werkzeuge vorgenommen und für den jeweiligen Verwendungszweck bewertet. Darüber hinaus können konkrete Realisierungshinweise aus technologischer Perspektive gegeben werden.
Evaluation	Brüche/ Seams	Für die Evaluation wird aus der Studierendenperspektive eine Pre-Post-Befragung und eine moderierte Gruppendiskussion zu lernförderlichen und lernhinderlichen Faktoren durchgeführt. Aus der Dozierendenperspektive werden über Interviews die Evaluationsdaten erhoben. Die Evaluation wird derzeit durchgeführt und ausgewertet.
	Didaktische Prinzipien	
	Technologie	

Abb. 4: Praktische Erfahrungen im Seamless Learning Lab

Über die einzelnen Entwicklungsprojekte hinweg zeigen die Erfahrungen, dass der gewählte Prozess und systematische Orientierung an Seams und didaktischen Prinzipien zu einer substantiellen Weiterentwicklung und einer Steigerung der wahrgenommenen Lernförderlichkeit von „Seamless Learning"-Konzeptionen führt. Es macht jedoch auch die kontextspezifische intensive Beratungs- und Unterstützungsleistung sichtbar, die für die Weiterentwicklung erforderlich ist.

Werkstattbericht

4 Beratungskonzept und -tool

Um die Projektergebnisse zu verbreiten und verstetigen wird ein frei zugängliches, webbasiertes „Seamless Learning"-Beratungskonzept und -tool entwickelt (Abbildung 5).

Es werden zwei verschiedenen Grundformen in der Beratung für Dozierende unterschieden: Einerseits werden die im Rahmen des Projekts entwickelten „Seamless Learning"-Konzeptionen dort systematisch dokumentiert und sind über verschiedene Filter leicht zugänglich. Ebenso werden über die Dokumentationen die konzeptionellen Grundlagen zu Seamless Learning in Form von Tutorials und Hintergründen strukturiert abgebildet. Weiterhin werden Dozierende bei der Entwicklung neuer „Seamless Learning"-Konzeptionen systematisch unterstützt. Sie können ihre Konzeptionsarbeit über die Nutzung von Tutorials, Arbeitshilfen und Leitfragen methodisch gestützt vornehmen, sich materialgestützt (über ein textbasiertes Vorschlagswesen) und auch personalgestützt Feedback einholen und sich in Foren mit weiteren Dozierenden dazu vernetzen.

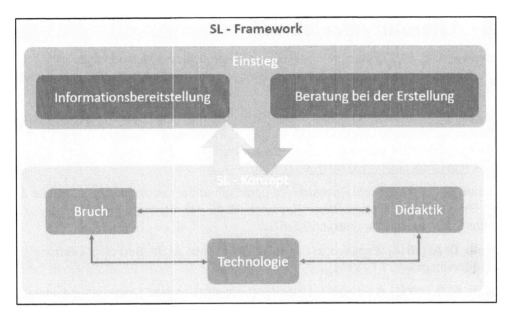

Abb. 5: Seamless Learning (SL)-Beratungskonzept

5   Fazit und Ausblick

Die Akzeptanz und nachhaltige Nutzung des Beratungskonzepts und -tools stellen zentrale Herausforderungen für das Seamless Learning Lab dar. Die Erfahrungen und entwickelten Konzeptionen verweisen auf die Bedeutung der jeweiligen Kontexte und deren Spezifika hin und zeigen den hohen Bedarf an individualisier Beratungsleistung auf. Eine konstruktive Nutzung der Erfahrung für die Weiterentwicklung bzw. Eigenentwicklung von weiteren „Seamless Learning"-Konzeptionen fordert von Dozierenden eine Reflexionsleistung über die eigenen Lehr-/Lernkonzeptionen und eine Orientierungsleistung in den Grundannahmen von Seamless Learning. Das Beratungstool kann Navigation, Orientierung und Anleitung innerhalb der „Seamless Learning"-Dimensionen übernehmen. Es kann und soll jedoch nicht die didaktische Gestaltungkompetenz von Dozierenden ersetzen.

6 Literaturverzeichnis

Brown, A. L. (1992). Design experiments: Theoretical and methodological challenges in creating complex interventions in classroom settings. *The Journal of the Learning Sciences, 2*, 141-178.

Dilger, B., Gommers, L. & Rapp, C. (2019). The Learning Problems Behind the Seams in Seamless Learning. In C.-K. Looi, L.-H. Wong, C. Glahn, & S. Cai (Hrsg.), *Seamless Learning: Perspectives, Challenges and Opportunities* (S. 29-51). https://doi.org/10.1007/978-981-13-3071-1_2

Euler, D. (2014). Design Research – a paradigm under development. In D. Euler & P. Sloane (Hrsg.), *Design-Based Research* (S. 15-44). Stuttgart: Franz Steiner. https://www.alexandria.unisg.ch/232672/

Kolb, D. A. (2014). *Experiential Learning*: Experience as the Source of Learning and Development. FT Press.

Kuh, G. D. (1996). Guiding Principles for Creating Seamless Learning Environment for Undergraduates. *Journal of College Student Development, 37*(2), 135-148.

Schweizerische Koordinationsstelle für Bildungsforschung (SKBF) (2018). *Bildungsbericht Schweiz 2018*. https://www.skbf-csre.ch

Sharples, M. (2015). Seamless Learning Despite Context. In L.-H. Wong, M. Milrad, & M. Specht (Hrsg.), *Seamless Learning in the Age of Mobile Connectivity* (S. 41-55). Singapore: Springer. https://doi.org/10.1007/978-981-287-113-8_2

Wong, L.-H. (2015). A Brief History of Mobile Seamless Learning. In L.-H. Wong, M. Milrad, & M. Specht (Hrsg.), *Seamless Learning in the Age of Mobile Connectivity* (S. 3-40). Singapore: Springer. https://doi.org/10.1007/978-981-287-113-8_1

ZFHE Jg. 14 / Nr. 3 (November 2019) S. 361-376

Autorinnen/Autoren

Prof. Dr. Bernadette DILGER ‖ Universität St. Gallen, Institut für Wirtschaftspädagogik ‖ Dufourstrasse 40a, CH-9000 St. Gallen

https://iwp-shsbb.unisg.ch

bernadette.dilger@unisg.ch

Luci GOMMERS ‖ Universität St. Gallen, Institut für Wirtschaftspädagogik ‖ Dufourstrasse 40a, CH-9000 St. Gallen

https://iwp-shsbb.unisg.ch

luci.gommers@unisg.ch

Dr. Christian RAPP ‖ ZHAW, School of Management and Law (SML), Zentrum für Innovative Didaktik ‖ St. Georgen-Platz 2, CH-8400 Winterthur

www.zhaw.ch/de/sml/institute-zentren/zid/

rapp@zhaw.ch

Marco TRIPPEL ‖ HTWG Konstanz, Fakultät Informatik ‖ Alfred-Wachtel-Str. 8, D-78462 Konstanz

https://kp2.in.htwg-konstanz.de

m.trippel@htwg-konstanz.de

Werkstattbericht

Dr. Andreas BUTZ ‖ ZHAW, School of Management and Law (SML), Zentrum für Innovative Didaktik ‖ St. Georgen-Platz 2, CH-8400 Winterthur

https://www.zhaw.ch/de/sml/institute-zentren/zid/

andreas.butz@zhaw.ch

Simon HUFF ‖ HTWG Konstanz, Fakultät Informatik ‖ Alfred-Wachtel-Str. 8, D-78462 Konstanz

https://kp2.in.htwg-konstanz.de

s.huff@htwg-konstanz.de

Prof. Dr. Rainer MUELLER ‖ HTWG Konstanz, Fakultät Informatik ‖ Alfred-Wachtel-Str. 8, D-78462 Konstanz

https://kp2.in.htwg-konstanz.de

rainer.mueller@htwg-konstanz.de

Prof. Dr. Ralf SCHIMKAT ‖ HTWG Konstanz, Fakultät Informatik ‖ Alfred-Wachtel-Str. 8, D-78462 Konstanz

http://www.schimkat.org

ralf.schimkat@htwg-konstanz.de

Stefan KORUNA[1], Michael ZBINDEN & Roger SEILER
(Winterthur)

Flexibilisierung der Hochschulbildung durch MOOCs: Disruption oder Integration?

Zusammenfassung

Mit dem Erscheinen von MOOCs und privatwirtschaftlichen MOOC-Anbietern entstand die Erwartung, dass die traditionelle Hochschulbildung „uberisiert" wird wie das Taxigewerbe. Die Voraussetzungen für die Teilnahme an Hochschulbildung reduzierten sich auf die Existenz eines Internetanschlusses. Bald aber stellten die MOOC-Anbieter fest, dass Flexibilisierung und tiefe Kosten nicht genügten, um Hochschulbildung zu konkurrenzieren. Daher rich(te)ten sich MOOC-Anbieter neu aus – auf Weiterbildung und damit Personen mit abgeschlossener Hochschulbildung. Auch deshalb sind MOOCs bisher, gemessen am Ziel der Disruption traditioneller Hochschulbildung, als Misserfolg zu werten.

Schlüsselwörter

MOOCs, Disruption, Substitution, strategische Neuausrichtung

---

[1] E-Mail: stefan.koruna@zhaw.ch

Wissenschaftlicher Beitrag · DOI: 10.3217/zfhe-14-03/22

Making higher education more flexible through MOOCs: Disruption or integration?

Abstract

The emergence of MOOCs and private-sector MOOC providers has led to the emergence of an expectation that traditional higher education would be disrupted, similar to the taxi industry. The prerequisites for participation in higher education have been reduced to the existence of an Internet connection. However, MOOC providers soon realized that flexibility and low costs were not enough to compete with higher education. Therefore, to date, MOOCs must be considered a failure, especially when measured against the goal of disrupting traditional higher education. This is why MOOC providers are reorienting themselves towards continuing education and thus towards people with university diplomas.

Keywords

MOOCs, disruption, substitution, strategic reorientation

1 Einführung

Bereits 1997 sagte der Management-Vordenker Peter Drucker den Hochschulen ihr Ende voraus: „Thirty years from now the big university campuses will be relics. ... Already we are beginning to deliver more lectures and classes off campus via satellite or two-way video at a fraction of the cost. The college won't survive..." (LENZNER & JOHNSON, 1997). ENCARNAÇÃO, LEIDHOLD & REUTER (2000) sehen die traditionellen Universitäten zunehmend konkurrenziert von Anbietern virtueller Bildungsprodukte, so dass OELKERS (2017, S. 2) fragt: „Warum sollte den Schulen das Schicksal der Musikindustrie, der Hotelbranche oder der Taxiunternehmen erspart bleiben?"

Entgegen dieser Erwartungen hat sich die Hochschullandschaft in den letzten zwanzig Jahren *nicht signifikant* verändert; die Prognosen bezüglich Ende der

Hochschulen blieben unerfüllt. Der vorliegende Beitrag zeigt, warum es *bisher* nicht zur Substitution traditioneller Hochschulbildung gekommen ist.

1.1 Flexibilisierung der Hochschulbildung

Im Zentrum der flexiblen Hochschulbildung stehen die Studierenden mit ihrem Bedürfnis, selbst zu bestimmen, *wo, wie und wann* sie *was* lernen wollen (HEA, 2015). Im Gespräch mit ihnen zeigt sich, dass für sie diesbezüglich das *Wo* und das *Wann* entscheidend sind. Auf diese beiden Dimensionen von Flexibilität bezieht sich das „Any Time, Any Place"-Modell (Abb. 1) der Universität Plymouth (WHEELER & VRANCH, 2001) und zeigt, welche Technologien den Studierenden mehr Flexibilität beim Lernen ermöglichen.

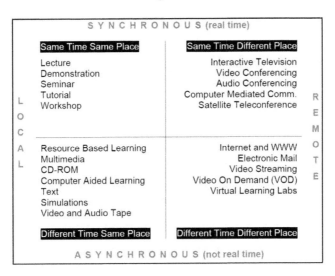

Abb. 1: Lehr-/Lern-Modell der Uni Plymouth (WHEELER & VRANCH, 2001, S. 146)

Bei der Flexibilisierung der Hochschulbildung ging und geht es hauptsächlich um Lernen der Art „different time – different place". Ihren Ursprung hat diese Flexibilisierung im frühen 20. Jahrhundert in der *Correspondence Education* (Lernen aus der Ferne; HOLMBERG, 1989): Hierbei wurden die Kursmaterialien über den Postweg verschickt; die Interaktion zwischen Lernenden und Lehrenden war beschränkt, unregelmäßig sowie von geringer Bedeutung (Southern Association of Colleges and Schools Commission on Colleges, 2012).

Mit dem Aufkommen der elektronischen Medien in der zweiten Hälfte des 20. Jahrhunderts entwickelte sich die *Distance Education* (DE; HOLMBERG, 1989). Sie lässt sich als technologiebasierte Interaktion beschreiben, um Informationen der Lehrenden an die physisch von ihnen getrennten Lernenden zu vermitteln (Accrediting Commission for Community and Junior Colleges [ACCJC], 2012). Die Interaktion wurde regelmäßiger, wichtiger und erfolgte synchron/asynchron (ACCJC, 2012).

Distance Learning (DL) beschreibt die Möglichkeit des Lernens über größere Distanzen (KING, YOUNG, DRIVERE-RICHMOND & SCHRADER, 2001). Beim *Fernstudium* als Form von DL ist das Lernen auf akademische Inhalte ausgerichtet. Auch hier sind die Lehrenden und Lernenden zeitlich/räumlich voneinander getrennt; die Interaktion zwischen beiden Parteien erfolgt mittels (Bildungs-)Medien (KIDD & SONG, 2007), welche die Funktion der Lehrperson(en) übernehmen (LEHMANN, 2012).

Wesentlich beim Fernstudium ist die *fehlende soziale Kontrolle* (LEHMANN, 2012), d. h. die Lernenden müssen sich selbst motivieren und über eine *hohe Selbstdisziplin* bezüglich Lernen verfügen (FOGOLIN, 2012): Sie sind für die Bearbeitung des Lernstoffs selbst verantwortlich und unterliegen somit der Gefahr, bei Verlust der Lernmotivation die Bildungsmaßnahme einzustellen (FOGOLIN, 2012).

1.2 MOOCs als Konsequenz der Kombination von Internet und Fernstudium

Mit dem Ziel, Bildungsinhalte weltweit kostenlos über das Internet zur Verfügung zu stellen (MIT OpenCourseWare, 2011), verkündete der MIT-Präsident Charles M. Vest am 4. April 2001 das MIT-OpenCourseWare-Projekt. Dieses Projekt war ein wichtiger Schritt in der Entwicklung von Massive Open Online Courses (MOOCs) und auch die Geburtsstunde (Abb. 2) von *Open Education*(al Resources). MOOCs wären aber auch nicht möglich geworden ohne die in den 1990er Jahren entwickelten Konzepte und Formen des E-Learning sowie die rasche Diffusion des Internets (SCHULTZ, 2014). Auch die Idee, dass Wissen frei zugänglich und weder aus demografischen, ökonomischen noch geografischen Gründen beschränkt sein soll, geht auf diese Zeit zurück (UVALIĆ-TRUMBIĆ & DANIEL, 2013).

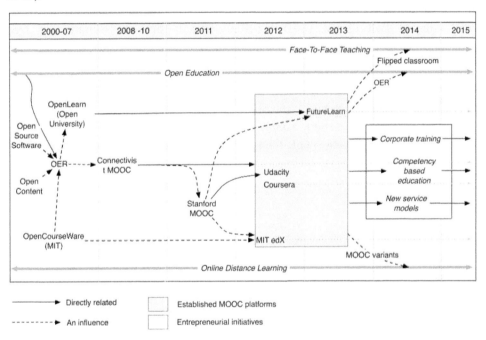

Abb. 2: Zeitlinie und Trends bei MOOCs (YUAN & POWELL, 2015, S. 2)

1.3 MOOCs als disruptives Phänomen in den USA

Wurde der erste MOOC 2008 noch in Kanada durchgeführt, übernahmen in der Folge die USA bei der Weiterentwicklung der MOOC-Konzepte die führende Rolle.

In den USA ist Hochschulbildung teilweise mit sehr hohen Kosten verbunden: Abb. 3 zeigt den dortigen starken Anstieg der Studiengebühren für die verschiedenen Hochschultypen (THE COLLEGE BOARD, 2018). Als Folge davon können sich in den USA immer weniger Bildungswillige ein Studium leisten (DRÄGER, 2013). Gemäß BEUTELSBACHER (2019) beläuft sich die Summe der US-Studienkredite inzwischen auf fast zwei Billionen US-Dollar (2012 lag die Summe noch bei einer Billion US-Dollar; RIPLEY, 2012).

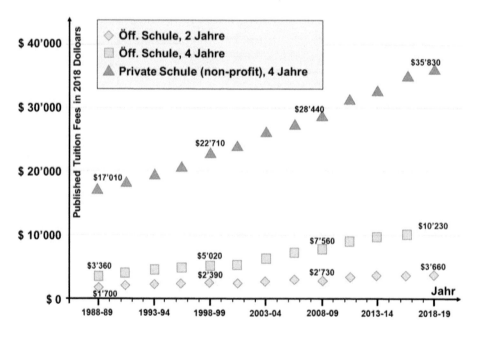

Abb. 3: Inflationsbereinigter Anstieg der Studienkosten in den USA
        (THE COLLEGE BOARD, 2018, S. 12)

Aufgrund ihrer Eigenschaften gelten MOOCs als disruptive Innovation (SCHULTZ, 2014). Gemäß BOWER & CHRISTENSEN (1995) weisen diese Innovationen eine *very different value proposition* und im Vergleich zur bestehenden Technologie anfangs *tiefere Kosten* und *eine deutlich geringere Leistungsfähigkeit* auf. Damit entsprechen sie oft nicht den Anforderungen der bisherigen Kundinnen/Kunden. Abbildung 4 zeigt den Vergleich klassischer (privater) Hochschulbildung (USA) mit MOOCs.

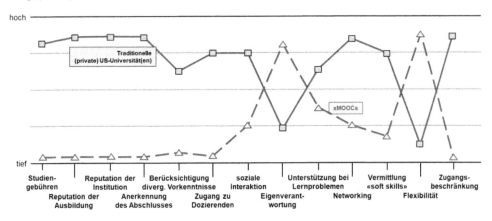

Abb. 4: Vergleich traditionelle Hochschulausbildung (USA) und xMOOCs

2   MOOCs: von der Vision zur Realität

Die Vision von MOOCs lässt sich mit „Hochschulbildung für alle – und das auch noch kostenlos" (PALETTA, 2012) umschreiben.

Abb. 5 zeigt, wie das MOOCs-Angebot in den letzten sieben Jahren fortlaufend ausgebaut wurde. Trotzdem ist die prognostizierte Bildungsrevolution (FRIEDMAN, 2013) bisher ausgeblieben. Warum? Erste Antworten auf diese Frage liefert dieses Kapitel.

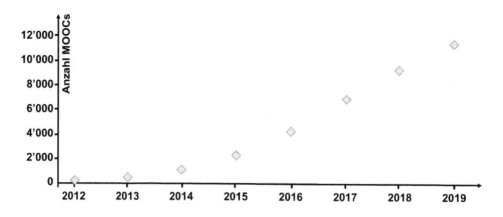

Abb. 5: Verlauf der Anzahl angebotener MOOCs pro Jahr (SHAH, 2018)

2.1 Merkmale und Arten von MOOCs

MOOCs sind offene, leicht zugängliche Lernumgebungen, die ausschließlich über das Internet angeboten werden und eine große Teilnehmerzahl aufweisen (BENDEL, 2015). Die Teilnehmenden bestimmen, wie, wann, wie oft und wie viel sie sich einbringen wollen. Von den Anbietern werden i. d. R. Kurzvorlesungen im Videoformat erstellt und auf Lernplattformen abgelegt; die Videosequenzen werden durch Tests unterbrochen (SCHULTZ, 2014) und teilweise ergänzt durch Betreuungs- und Kommunikationsangebote (z. B. Foren).

KLEINHANS, DECKER & SCHUMANN (2015) grenzen MOOCs von anderen Lernformaten wie folgt ab (Tab. 1): *Massiv* bedeutet, dass sich MOOCs an eine große Anzahl von Teilnehmenden richten (BENDEL, 2015). *Open* steht für das Fehlen jeglicher Zugangsvoraussetzungen zu den Kursen sowie dafür, dass Kurse und Bildungsinhalte frei und kostenlos zugänglich sind. *Online* weist auf die Art der Kursdurchführung hin und *Courses* bedeutet, dass MOOCs als Kurse mit vordefiniertem Start- und Endtermin organisiert sind (KLEINHANS et al., 2015)

Tab. 1: Merkmale von MOOCs (KLEINHANS et al., 2015, S. 10)

Abkürzung	Merkmale
M(assiv)	• hohe (theoretisch unbegrenzte) Teilnehmerzahlen • keine Teilnehmerbeschränkung
O(pen)	• frei (und kostenlos) zugänglich • keine Zugangsvoraussetzungen • orts- und zeitunabhängig • Offenheit der Lernziele, Themenwahl und Form der Beteiligung
O(nline)	• Lehre erfolgt nur online (im Web) • räumliche und zeitliche Flexibilität für die Lernenden
C(ourse)	• kursförmige Organisation • abgrenzbarer Lerninhalt • in unterschiedliche Themeneinheiten strukturiert • definierter Start- und Endtermin • ein oder mehrere Lernende • zusätzliche Betreuungsangebote und Kommunikationsmöglichkeiten

Zu Beginn wurden MOOCs strikt in cMOOCs[2] mit *offener Didaktik* und xMOOCs mit einer möglichst großen Anzahl von Lernenden unterschieden (BENDEL, 2015). Letztere lösten eine Bildungseuphorie aus und führten nach RIPLEY (2012) zur Gründung zahlreicher MOOC-Anbieter (z. B. Coursera, Udacity).

Aktuell wird die Unterscheidung zwischen x- und cMOOC-Angeboten schwieriger (PAUSCHENWEIN & LYON, 2018), da sich aus den beiden MOOC-Varianten verschiedene Mischformen entwickelt haben (Tab. 2).

---

[2] Das c bei cMOOCs steht für „connectivism", während das x für „extension", die Kennzeichnung virtueller Kurse an der Harvard University, steht.

Tab. 2: MOOCs und MOOC-Derivate (SCHULTZ, 2014, S. 10)

Kurzform	Langform	Eigenschaften
cMOOC	connectivistic/constructivistic MOOC	seminar- oder kolloquiumsähnlich
xMOOC	extended MOOC	vorlesungsähnlich
bMOOC	blended MOOC	Verbindung Präsenformat mit offenem Kurs
SmOOC	small MOOC	ähnlich wie kleine passgenaue (Weiterbildungs-) Seminare, Kolloquien
SPOC	small private online course	wie oben, aber nicht offen

2.2 MOOCs: Didaktik, Personalisierung und Kosten

PAUSCHENWEIN & LYON (2018) kritisieren die oft konservative Didaktik von xMOOCs, wodurch die Möglichkeiten der Digitalisierung und der Personalisierung von Bildung vergeben werden (DRÄGER, 2013).

Je nach didaktischer Konzeption, Ausmaß der Personalisierung sowie zusätzlicher Unterstützungsleistungen resultiert bei der Entwicklung von MOOCs eine große Kostenbandbreite von 40.000 bis über 300.000 US-Dollars (HOLLANDS & TIRTHALI, 2014).

2.2.1 Didaktische Herausforderungen

Sollen MOOCs Bestandteil von Hochschul-Curricula werden, sind neben anderen Standards insbesondere jene der Didaktik zu berücksichtigen. Zentrale Aufgabe der Didaktik ist es, die Unterstützung der Lernenden und Lehrenden beim Lernen und Lehren sicherzustellen (FORLIN & ENGLER, 2013). An diesem Punkt setzt umfangreiche Kritik bezüglich der Umsetzung von MOOCs an.

Schulmeister (2013) sieht bei manchen xMOOCs signifikante Defizite aufgrund überholter didaktischer Konzepte. Diese Defizite manifestieren sich beispielswiese im bloßen Abfilmen von Vorlesungen (LEHNER, 2018) oder darin, dass lediglich „Lerninhalte als statische Präsentationen in Form von PDFs zum Herunterladen ins Netz" gestellt werden (WEINGARTNER, 2015). In allen diesen Fällen wird die Bedeutung der Mediendidaktik vernachlässigt, obwohl als Folge der räumlichen Trennung von Lehrenden und Lernenden nun Medien die Aufgabe der Wissens-übermittlung übernehmen müssen (DE WITT & CZERWIONKA, 2007). Hierfür nutzen MOOCs Vermittlungsmedien, mediale Lernhilfen sowie Kommunika-tionsmedien (MOSER, 2005):

- *Vermittlungsmedien* (z. B. Videofilme) helfen bei der Konzeption und Verwirklichung medial unterstützender Kurse.
- *Mediale Lernhilfen* (z. B. Lernplattformen) dienen als Unterstützungsfunktion zum Lernen.
- *Kommunikationsmedien* (z. B. Foren) ermöglichen die (synchrone oder asynchrone) Kommunikation zwischen mehreren Lernenden sowie zwischen Lernenden und Lehrenden.

2.2.2 Personalisierung der Hochschullehre/Wissensvermittlung

Bei bis zu 160.000 Teilnehmenden an einem MOOC wird deutlich, dass hier das Motto von Bildung mit „one size fits all" nicht funktionieren kann und die Personalisierung des „Unterrichts" zur *conditio sine qua non* wird (DRÄGER, 2013). Personalisiertes Lernen bedeutet selbstbestimmtes Lernen und damit auch, dass die Lernenden entscheiden, wann, wo, wie und was sie lernen (HEA, 2015). Unterstützt werden sie hierbei idealerweise von Instrumenten der Datenanalyse (ARNOLD, KILIAN, THILLOSEN & ZIMMER, 2018).

Angewendet wird die Datenanalyse bereits an der Austin Peay State University (WEINGARTNER, 2015): Indem eine Software auf der Basis von 500.000 Datensätzen bisher belegte Kurse und Prüfungen von Studierenden mit den Leistungen früherer Studierenden vergleicht, kann die Software individuell geeignete Kurse empfehlen, wobei sowohl die Studienordnung wie auch die beruflichen Tätigkeiten der Studierenden berücksichtigt werden. Vorteil der datengestützten Personalisierung: „Alle kommen ans Ziel, zwar unterschiedlich schnell, aber ohne dauernde Langeweile oder Überforderung" (DRÄGER, 2013).

Bei der Lernprozessanalyse soll also mittels der beim Lernen anfallenden Datenmengen einerseits der Prozess des Lernens durch spezifische Hinweise und Angebote unterstützt werden (ARNOLD et al., 2018). Andererseits soll vorhergesagt werden, „ob und wie erfolgreich der Lernprozess auf welchen Lernpfaden abgeschlossen werden kann" (ARNOLD et al., 2018, S. 349). Zusätzlich zeigt die Analyse, wo die Stärken und Schwächen der Lernenden liegen und welchen Wissensstand sie in einem bestimmten Gebiet zu einem bestimmten Zeitpunkt aufweisen (ADAMS, 2018; HAO, 2019a).

2.2.3 Zugangskosten zu und Kosten der Entwicklung von MOOC-Angeboten

MOOCs sind offen und damit entfallen sowohl Zugangsqualifikationen wie auch Gebühren für den Zugang zu Hochschulbildung (SCHULMEISTER, 2013). Zwischenzeitlich hat SHAH (2016) allerdings festgestellt, dass die MOOC-Anbieter in den USA in den Finanzierungsrunden von Venture-Capital-Unternehmen nicht mehr berücksichtigt werden. Daraus resultiert finanzieller Druck, der sich in einer strategischen Neuausrichtung der Geschäftsmodelle mit Fokus auf „professionelle" Lernende artikuliert (SHAH, 2017).

Diese Fokussierung ist nachvollziehbar, handelt es sich doch bei den typischen Nutzern von MOOC-Angeboten bisher hauptsächlich um Personen mit Hochschulabschluss (COURSERA, 2013; KOLOWICH, 2013), welche MOOCs aufgrund ihrer Flexibilität und tiefe(re)n Kosten zur berufsbezogenen Weiterbildung nutzen.

Anfangs unterschätzten gerade Hochschulen („Abfilmen der Vorlesung") systematisch die Kosten von Erstellung und Durchführung qualitativ hochwertiger MOOCs; HOLLANDS & TIRTHALI (2014) weisen allerdings darauf hin, dass die anfallenden Kosten beträchtlich sein können; diese nicht unerheblichen Kosten haben ihre Ursache darin, dass Inhalte für einen qualitativ hochwertigen MOOC konsequent auf dieses Format ausgerichtet werden müssen (EPELBOIN, 2017).

Die von EPELBOIN (2017; Abb. 6) für Frankreich durchgeführte Kostenanalyse zeigt, dass die Skaleneffekte im Fall der erneuten Durchführung von MOOCs tiefer als erwartet sind; Ursache hierfür sind die jeweils notwendigen Überarbeitungen der Kurse. Immerhin reduziert sich der Aufwand auf einen Drittel des Initialaufwandes (EPELBOIN, 2017).

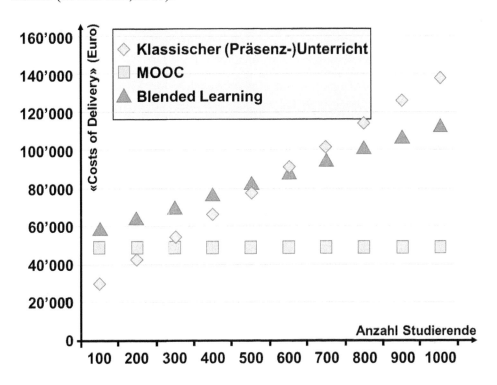

Abb. 6: Kosten der Kursdurchführung nach Unterrichtsart
(EPELBOIN, 2017, S. 247)

2.4 Vor- und Nachteile von MOOCs (aus Sicht der Lernenden)

LEMBKE & LEIPNER (2015, S. 194) verweisen bezüglich der Vorteile von MOOCs exemplarisch auf die Aussagen von iversity: „Top Kurse (MOOCs) von angesehenen Professoren und Hochschulen, die für jeden zugänglich sind. Alles, was du brauchst: einen Internetanschluss!" KLEINHANS et al. (2015) heben die freie und kostenlose Zugänglichkeit sowie die räumliche und zeitliche Flexibilität von MOOCs für die Lernenden hervor, während ARNOLD et al. (2018) auf das Potenzial der Personalisierung von Lerninhalten mittels Datenanalyse verweisen.

Zu Beginn waren die Zugangs- und Nutzungskosten von MOOCs sehr tief oder nicht existent; zwischenzeitlich haben sich hier allerdings Änderungen ergeben (REICH & RUIPÉREZ-VALIENTE, 2019); trotzdem sind die Gebühren für MOOCs immer noch vorteilhaft (JOHNSON, 2018).

Neben der mangelhaften Qualität der Didaktik (LEHNER, 2018) werden als weitere Nachteile von MOOCs genannt (SCHULMEISTER, 2012; LEMBKE & LEIPNER, 2015):

- Für das Erreichen von Lernfortschritten sind die Studierenden oft selbst verantwortlich.
- Es gibt keine aktive Unterstützung bei Lernproblemen oder Verständnisfragen.
- Die Lehrenden sind in Foren nicht selbst aktiv; es gibt keinen direkten Kontakt zwischen Lehrenden und Lernenden.
- Divergierende Vorkenntnisse der Lernenden werden oft nicht berücksichtigt.

Ebenso problematisch erscheint die ungeklärte Frage der Qualität der MOOC-Angebote und -Abschlüsse: Der Qualität von MOOC-Angeboten wurde anfangs kaum Beachtung geschenkt, da MOOCs von namhaften Hochschulen (z. B. Stanford) und Dozierenden angeboten wurden (WEDEKIND, 2013) – die Kurse konnten (angesichts der institutionellen Herkunft) ja nur gut sein! Diese Annahme ist jedoch zu hinterfragen: Die Hochschulen und ihre Lehrenden verdanken ihren Ruf primär ihrer exzellenten Forschung und nicht zwingend ihrer didaktischen Exzellenz (WEDEKIND, 2013).

Für die Lernenden stellt die fehlende/geringe Anerkennung und Anrechenbarkeit von MOOC-Lernleistungen das größere Problem als die Qualität dar (ARNOLD et al., 2018). Inzwischen vergeben MOOC-Anbieter zwar auch zertifizierte Abschlüsse von Hochschulen – doch selbst bei diesen Abschlüssen bleibt die Akzeptanzfrage bestehen (SHAH, 2019). Letztlich, so TICKLE (2014), entscheiden die Arbeitgeber sowohl über die Relevanz von MOOC-Abschlüssen wie auch deren Äquivalenz zu regulären Hochschulabschlüssen. GÜNTERT (2013) führt diese fehlende Akzeptanz bei den Arbeitgebern auch darauf zurück, dass mittels MOOCs kaum arbeitsmarktrelevante Soft Skills erworben werden. Unternehmen (gerade in Europa) sehen MOOCs daher primär/nur als Möglichkeit zur Weiterbildung (HÖFLER & KOPP, 2018).

3 MOOCs: Substitution oder Ko-Existenz?

Dass angesichts der Vielzahl verfügbarer MOOCs (Abb. 4) sehr viele Lernende erreicht wurden und Hochschulbildung somit über traditionelle Grenzen hinaus zugänglich gemacht wurde (PALETTA, 2012), wertet SPECTOR (2017) als Erfolg. Bei Betrachtung der oft mangelnden didaktischen Qualität sowie der geringen Anerkennungsrate der Abschlüsse sind MOOCs weniger als Erfolg zu werten (SPECTOR, 2017). Als veritabler Misserfolg müssen sie allerdings bewertet werden, wenn Sie am Maßstab der erwarteten Disruption der Hochschulbildung gemessen werden (REICH & RUIPÉREZ-VALIENTE, 2019).

Ursächlich für das Scheitern der MOOC-Anbieter in der Hochschulbildung ist – v. a. im deutschsprachigen Europa – die immer noch große Skepsis bezüglich E-Learning. Sie fußt auf der Ansicht, dass Lernen als sozialer Prozess am besten face to face verläuft (LEMBKE & LEIPNER, 2015). Zwar ist das Ansehen von Online-Learning im Vergleich zum Präsenzunterricht gestiegen (ALLEN & SEAMAN, 2014), doch lässt sich bis heute eine grosse Skepsis bezüglich E-Learning beobachten (DITTLER & KREIDL, 2018); diese Skepsis teilen in Befragungen auch die Studierenden an der Institution der Autoren.

Für das Scheitern von MOOCs im traditionellen Hochschulmarkt ausschlaggebend ist aus europäischer Sicht (ohne England) insbesondere, dass das Argument des kostenlosen Angebots von Hochschulbildung verpufft: Der Zugang zur Hochschulbildung in Europa ist mehrheitlich kostenlos oder vergleichsweise kostengünstig, da viele europäische Staaten die Hochschulbildung subventionieren (OECD, 2018).

Dass MOOCs die erwartete Disruption nicht auslösen, zeichnete sich in den USA schon früh ab: Bei Udacity erfolgte ab 2013 die Ausrichtung auf Nano-Degrees und damit die Weiterbildungsbedürfnisse von Mitarbeitenden und Unternehmen (SIMONITE, 2016). Seit 2016 sieht SHAH (2016, 2017) auch bei weiteren MOOC-Anbietern eine solche Neuausrichtung weg von „create value" hin zu „capture value" – mit der Folge, dass *immer mehr MOOC-Angebote hinter eine Paywall verschoben* werden (REICH & RUIPÉREZ-VALIENTE, 2019); das ist (wie gezeigt) verständlich, weil viele MOOC-Nutzer/innen oft bereits mindestens eine Universitätsausbildung abgeschlossen haben (MOULES, 2015). Diese Neu-Ausrichtung validieren REICH & RUIPÉREZ-VALIENTE (2019) mittels Auswertung der Datensätze des MOOC-Anbieters EdX: Mittels dieser Auswertung konnten sie weitere Ursachen für die Strategieänderung der MOOC-Anbieter identifizieren:

- Die immer noch sehr tiefen Abschlussquoten reduzieren die Möglichkeiten der Monetarisierung.
- Lernende von außerhalb entwickelter Nationen sind selten; die Mehrheit der Lernenden kommt aus Industrienationen.

Die Neuausrichtung der MOOC-Anbieter erscheint folgerichtig und überfällig (SHAH, 2017), denn bezüglich Größe sind der Markt für Weiterbildung und der ursprüngliche Zielmarkt von MOOCs durchaus vergleichbar.

4   Fazit

MOOCs haben die erwartete *Bildungsrevolution nicht ausgelöst*: Es sind nicht „die Bildungsarmen mit Laptop und Internetanschluss", die MOOCs nutzen (STAMPFL, 2014), sondern mehrheitlich Personen mit Hochschulabschluss (MOULES, 2015).

Zurückzuführen ist das Scheitern von MOOCs in der Hochschulbildung insbesondere darauf, dass das Argument des kostenlosen Angebots von Hochschulbildung wirkungslos bleibt.

Sodann haben die Hochschulen der Flexibilisierung des Bildungsangebots durch MOOCs eigene *flexible Ausbildungsangebote* gegenübergestellt – z. B. das Programm FLEX, das an der Institution der Autoren eine Mischung von Fern- und Teilzeitstudium darstellt und die Notwendigkeit von Präsenz an der Hochschule signifikant reduziert.

Sodann integrieren viele Hochschulen bereits heute digitale Technologien in den Unterricht und verbinden so die Vorteile von virtueller Lehre und Präsenzunterricht (Blended Learning) – z. B. beim Konzept des Flipped Classroom: Hier werden Lerninhalte nicht mehr mittels Vorlesungen, sondern selbstständig (mit MOOCs) erlernt und anschließend im Präsenzunterricht (z. B. mittels Übungen) vertieft (SCHULTZ, 2014).

MOOCs sind zwar flexibel – aber sie sind (Stand heute) *noch weit entfernt von der notwendigen Personalisierung.* Die Betonung liegt allerdings auf dem Wort noch: Denn neue *Technologien wie Virtual Reality* (HAO, 2019b) oder *künstliche Intelligenz* (HAO, 2019a) zeigen, dass bei Nutzung dieser Technologien in MOOCs der Druck von MOOCs auf die Hochschulbildung in den nächsten Jahren nicht nachlassen, sondern zunehmen wird. Die neuen Technologien ermöglichen individualisierbare MOOCs und Lernmöglichkeiten, welche der klassische Präsenzunterricht nicht zu bieten vermag (HAO, 2019a,b). Die Hochschulen sind hier gefordert, den Anschluss an die technologische Entwicklung nicht zu verpassen.

Die bisherigen (Bachelor-)Bildungsabschlüsse haben nicht an Bedeutung verloren (DRÄGER & MÜLLER-EISELT, 2015) – eher das Gegenteil ist eingetreten: MOOC-Zertifikate sind bedeutungslos geblieben. Deshalb haben die MOOC-Anbieter ihr Angebot neu ausgerichtet und bauen dieses nun entsprechend aus (ADAMS, 2018).

Schon im Jahr 2014 analysierte STAMPFL die Folgen von Digitalisierung und MOOCs auf die Hochschulen durchaus treffend: „Seit dem Entstehen der ersten Universitäten im elften Jahrhundert haben deren grundlegende Strukturen die radikalsten Umwälzungen überlebt, doch nun sind sie gezwungen, die Art und Weise des herkömmlichen Lehrens zu überdenken… MOOCs entfalten ihren grössten Nutzen, wenn sie die Präsenzlehre sinnvoll ergänzen."

Dieser Auffassung schliessen wir uns – gegenwärtig noch – an.

5   Literaturverzeichnis

Accrediting Commission for Community and Junior Colleges (2012). *Guide to evaluating distance education and correspondence education.* Novato, CA: Autor.

Adams, S. (2016, 16. Oktober). This Company Could Be Your Next Teacher. *Forbes.* https://www.forbes.com

Allen, I. E. & Seaman, J. (2013). Changing Course: Ten Years of Tracking Online Education in the United States. https://www.onlinelearningsurvey.com/reports/changingcourse.pdf, Stand vom 31. Mai 2019.

Arnold, P., Kilian, L., Thillosen, A. & Zimmer, G. (2018). *Handbuch E-Learning* (5. Aufl.). Bielefeld: W. Bertelsmann.

Bendel, O. (2015). MOOCs in der Wirtschaftsinformatik. *HMD Praxis der Wirtschaftsinformatik, 52*(1), 58-67.

Beutelsbacher, S. (2019, 15. Juni). College Bubble. *Handelszeitung.* https://www.handelszeitung.ch

Bower, J. L. & Christensen, C. M. (1995). Disruptive Technologies. *Harvard Business Review, 73*(1), 43-53.

Coursera (2013, 23. Oktober). A Triple Milestone! Abgerufen von https://blog.coursera.org/a-triple-milestone-107-partners-532-courses-52/

de Witt, C. & Czerwionka, T. (2007). *Mediendidaktik*. Bielefeld: W. Bertelsmann.

Dittler, U. & Kreidl, C. (2018). Entwicklung des Hochschulwesens und dessen aktuelle Situation in der kritischen Betrachtung. In U. Dittler & C. Kreidl (Hrsg.), *Hochschule der Zukunft*. (S. 15-33). https://doi.org/10.1007/978-3-658-20403-7_2

Dräger, J. (2013, 21. November). Hochschule: Massgeschneiderte Vorlesungen für alle. *Zeit Online*. https://www.zeit.de

Dräger, J. & Müller-Eiselt, R. (2015). *Die Digitale Bildungsrevolution*. München: DVA.

Encarnação, J., Leidhold, W. & Reuter, A. (2000). Szenario: Die Universität im Jahre 2005. *Informatik Spektrum, 23*(4), 264-270.

Epelboin, Y. (2017). MOOCs: A Viable Business Model? In M. Jemni, Kinshuk & M. K. Khribi (Hrsg.), *Open education: from OERs to MOOCs* (S. 241-259). https://doi.org/10.1007/978-3-662-52925-6_13

Fogolin, A. (Hrsg.) (2012). *Bildungsberatung im Kontext von Fernlernen*. Bielefeld: W. Bertelsmann

Forlin, R. & Engler, R. (2013). *Allgemeine Didaktik 1S für die Sekundarstufe I*. Herbstsemester 2013. PH St. Gallen, Gossau.

Friedman, Th. (2013, 26. Januar). Revolution Hits the Universities. *New York Times*. https://www.nytimes.com

Güntert, A. (2013, 30. August). Weiterbildung: YouTube cum laude. *Bilanz*. https://www.bilanz.ch

HEA (2015). *Framework for flexible learning in higher education*. Heslington: Higher Education Academy. https://www.heacademy.ac.uk/system/files/downloads/flexible-learning-in-HE.pdf, Stand vom 31. Mai 2019.

Hao, K. (2019a, 2. August). China Has Started a Grand Experiment in AI Education. *Technology Review.* https://www.technologyreview.com

Hao, K. (2019b, 16. Juli). A New Immersive Classroom Uses AI and VR to Teach Mandarin Chinese. *Technology Review.* https://www.technologyreview.com

Höfler, E. & Kopp, M. (2018). MOOCs und Mobile Learning. In C. de Witt & C. Gloerfeld (Hrsg.), *Handbuch Mobile Learning* (S. 543-564). https://doi.org/10.1007/978-3-658-19123-8_27

Hollands, F. & Tirthali, D. (2014). Resource requirements and costs of developing and delivering MOOCs. *The International Review of Research in Open and Distributed Learning, 15*(5), 113-133.

Holmberg, B. (1989). *Theory and practice of distance education.* London & New York, NY: Routledge.

Jansen, D., Rosewell, J. & Kear, K. (2017). Quality Frameworks for MOOCs. In M. Jemni, Kinshuk & M. K. Khribi (Hrsg.), *Open education: from OERs to MOOCs* (Bd. 16, S. 261-281). https://doi.org/10.1007/978-3-662-52925-6_14

Johnson, S. (2018, 5. März). In Move Towards More Online Degrees, Coursera Introduces Its First Bachelor's. *EdSurge.* https://www.edsurge.com

Kidd, T. T. & Song, H. (2007). A Case Study of the Adult Learner's Perception of Instructional Quality in Web-Based Online Courses. In Y. Inoue (Hrsg.), *Online Education for Lifelong Learning* (S. 271-291). Hershey, PA & London: Information Science.

King, F., Young, M. F., Drivere-Richmond, K. & Schrader, P. G. (2001). Defining distance learning and distance education. *AACE Journal, 9*(1), S. 1-14.

Kleinhans, J., Decker, J. & Schumann, M. (2015). Neue Formen des E-Learnings für die berufsbegleitende Qualifizierung. *Wirtschaftsinformatik & Management, 7*(2), 6-17. https://doi.org/10.1007/s35764-015-0531-z

Kolowich, S. (2013, 9. Dezember). Researchers Push MOOC Conversation Beyond 'Tsunami' Metaphors. *Chronicle of Higher Education.* https://www.chronicle.com

Lehmann, B. (2012). Aus der Ferne Lehren und Lernen. In A. Fogolin (Hrsg.), *Bildungsberatung im Fernlernen* (S. 19-41). Bielefeld: W. Bertelsmann.

Lehner, M. (2018). Lehren und Lernen an der Hochschule der Zukunft. In U. Dittler & C. Kreidl (Hrsg.), *Hochschule der Zukunft. Beiträge zur zukunftsorientierten Gestaltung von Hochschulen* (S. 167-185). https://doi.org/10.1007/978-3-658-20403-7_10

Lembke, G. & Leipner, I. (2015). *Die Lüge der digitalen Bildung.* München: Redline.

Lenzner, R. & Johnson, S. S. (1997, 10. März). Seeing things as they really are. *Forbes.* https://www.forbes.com

MIT OpenCourseWare (2011, 21. Juni). MIT OpenCourseWare Press Conference - April 4, 2001. [Video-Datei]. https://www.youtube.com/watch?v=4XFvqOSRsa8, Stand vom 10. Juni 2019.

Moser, H. (2005). *Wege aus der Technikfalle* (2. Aufl.). Pestalozzianum an der PH Zürich, Zürich.

Moules, J. (2015, 22. September). MOOCs Most Help Those Without a Degree. *Financial Times.* https://www.ft.com

OECD. (2018). *Bildung auf einen Blick 2018. OECD-Indikatoren.* https://doi.org/10.3278/6001821lw

Oelkers, J. (2017, 2. Dezember). *Lehrer oder Lerncoach?* Vortrag gehalten an der Scuola cantonale die commercio, Bellinzona (Schweiz). https://www.ife.uzh.ch/dam/jcr:b7c8f7a2-b573-4f8f-895a-14a0340a8435/Bellinzona.pdf

Paletta, G. (2012, 6. September). Harvard für alle. *Spiegel Online.* https://www.spiegel.de

Pauschenwein, J. & Lyon, G. (2018). Ist die Zukunft der Hochschullehre digital? In U. Dittler & C. Kreidl (Hrsg.), *Hochschule der Zukunft* (S. 145-165). https://doi.org/10.1007/978-3-658-20403-7_9

Reich, J. & Ruipérez-Valiente, J. A. (2019). The MOOC Pivot. *Science, 363*(6423), 130-131.

Wissenschaftlicher Beitrag

Reinmann, G., Ebner, M. & Schön, S. (Hrsg.) (2013). *Hochschuldidaktik im Zeichen von Heterogenität und Vielfalt.* Norderstedt: Books on Demand.

Rensing, C. (2013). MOOCs – Bedeutung von Massive Open Online Coures für die Hochschullehre. *Praxis der Informationsverarbeitung und Kommunikation, 36*(2), 141-145.

Ripley, A. (2012, 18. Oktober). College is Dead. Long Live College! *Time.* https://www.time.com

Schulmeister, R. (2012, 23. November). *As Undercover Students in MOOCs* [Video-Datei]. https://lecture2go.uni-hamburg.de/l2go/-/get/v/14447, Stand vom 10. Juni 2019.

Schulmeister, R. (2013). Der Beginn und das Ende von OPEN. In R. Schulmeister (Hrsg.), *MOOCs – Massive Open Online Courses* (S. 17-59). Münster, München & Berlin: Waxmann.

Schultz, E. (Hrsg.) (2014). *Potenziale und Probleme von MOOCs* (Beiträge zur Hochschulpolitik, 2/2014). Bonn: HRK Hochschulrektorenkonferenz.

Shah, D. (2016, 29. Dezember). Monetization Over Massiveness: Breaking Down MOOCs by the Numbers in 2016. *EdSurge.* https://www.edsurge.com

Shah, D. (2017, 24. Juli). MOOCs Find Their Audience: Professional Learners and Universities. https://www.classcentral.com/report/moocs-find-audience-professional-learners-universities/, Stand vom 31. Mai 2019.

Shah, D. (2018, 11. Dezember). By The Numbers: MOOCs in 2018. https://www.class-central.com/report/mooc-stats-2018/, Stand vom 31. Mai 2019.

Shah, D. (2019). MOOC-based Degrees. https://www.classcentral.com/pricing-charts/mooc-based-degrees, Stand vom 31. Mai 2019.

Simonite, T. (2016, 14. Dezember). Online Education Pioneer Boots Up a Jobs Program for the Tech Industry. *Technology Review.* https://www.technologyreview.com

Spector, J. M. (2017). A Critical Look at MOOCs. In M. Jemni, Kinshuk & M. K. Khribi (Hrsg.), *Open education: from OERs to MOOCs* (Bd. 1, S. 135-147). https://doi.org/10.1007/978-3-662-52925-6_7

Southern Association of Colleges and Schools Commission on Colleges (2012). *Distance and Correspondence Education*. Decatur, GA: Autor.

Stampfl, N. (2014, 24. Dezember). MOOC: Unis können nicht zurück ins analoge Zeitalter. *Zeit Online*. https://www.zeit.de

The College Board (Oktober 2018). *Trends in College Pricing*. https://trends.collegeboard.org/sites/default/files/2018-trends-in-college-pricing.pdf, Stand vom 31. Mai 2019.

Tickle, L. (2014, 12. Juni). Will a degree made up of Moocs ever be worth the paper it's written on? *The Guardian*. https://www.theguardian.com

Uvalić-Trumbić, & Daniel, J. (2013). Making Sense of MOOCs. In D. Hernández-Leo, T. Ley, R. Klamma & A. Harrer (Hrsg.), *Scaling up Learning for Sustained Impact* (S. 1-5). Heidelberg, New York, Dordrecht & London: Springer.

Yuan, L., & Powell, S. (2015). Partnership Model for Entrepreneurial Innovation in Open Online Learning. *eLearning Papers, 41*, 1-9.

Wedekind, J. (2013). MOOCs – eine Herausforderung für die Hochschulen? In G. Reinmann, M. Ebner & S. Schön (Hrsg.), *Hochschuldidaktik im Zeichen von Heterogenität und Vielfalt* (S. 45-62). Norderstedt: Books on Demand.

Weingartner, M. (2015, 10. Dezember). Hochschule 4.0: Die Uni der Zukunft. Frankfurter Allgemeine. https://www.faz.net

Wheeler, S. & Vranch, A. (2001). Building for the Future of Educational Telematics. *The International Journal of Engineering Education, 17*(2), 145-152.

Autoren

Dr. Stefan KORUNA ‖ School of Management and Law, ZHAW
Zürcher Hochschule für Angewandte Wissenschaften ‖
CH-8401 Winterthur

www.sml.zhaw.ch

koru@zhaw.ch

Michael ZBINDEN ‖ AXA ‖ Pionierstrasse 3,
CH-8400 Winterthur

www.axa.ch

michael.zbinden@axa-winterthur.ch

Dr. Roger SEILER ‖ School of Management and Law, ZHAW
Zür-cher Hochschule für Angewandte Wissenschaften ‖
CH-8401 Winterthur

www.sml.zhaw.ch

seir@zhaw.ch

Elske AMMENWERTH[1], Werner O. HACKL & Michael FELDERER
(Hall in Tirol/Innsbruck)

Flexibles Lernen: Erfolgreiche online-gestützte Lernprozesse ermöglichen

Zusammenfassung

Die Digitalisierung im Gesundheitswesen erfordert eine kontinuierliche Weiterqualifikation der betroffenen Berufsgruppen. Die Universität UMIT hat daher 2017 einen online-gestützten, postgraduellen Universitätslehrgang gestartet. Beim didaktischen Design lag ein Schwerpunkt auf der Flexibilität des Lernens, um so den Anforderungen der berufstätigen Teilnehmer/innen besonders zu entsprechen. Dabei wurde neben Flexibilität von Ort und Zeit des Lernens auch Flexibilität z. B. beim Setzen eigener Lernziele und bei Lerninhalten ermöglicht. Wir stellen das gewählte didaktische Design vor und beleuchten auf Basis einer Analyse von Log-Daten, studentischer Evaluationen sowie studentischer Reflexionen die Akzeptanz sowie die Herausforderungen des flexiblen Lernens aus Sicht der Lernenden.

Schlüsselwörter

Online-gestützte Lernprozesse, flexibles Lernen, Selbstregulation, Soziokonstruktivismus

---

[1] E-Mail: elske.ammenwerth@umit.at

Werkstattbericht · DOI: 10.3217/zfhe-14-03/23

Elske Ammenwerth, Werner O. Hackl & Michael Felderer

Flexible learning – Fostering successful online-based learning

Abstract

Digital health care requires new competencies for all health care professional groups. Therefore, the University UMIT started an online-based, post-graduate master's programme in Health Information Management in 2017. In order to meet student requirements, this program is strongly based on flexible learning. In particular, the program combines flexibility in the time and place of learning with flexibility in defining one's own learning objectives and learning content, among other aspects. This paper presents the selected instructional design and then analyses the acceptance and challenges facing flexible learning from the student point of view, based on an analysis of log data and data from student evaluations and student reflections.

Keywords

online-based instructional design, flexible learning, self-regulation, socio-constructivism

1 Einleitung

Lebenslanges Lernen bedeutet die Verbesserung von Wissen, Qualifikationen und Kompetenzen in allen Lebensphasen aufgrund vielfältiger persönlicher, gesellschaftlicher oder beschäftigungsbezogener Motivation (EUROPÄISCHE KOMMISSION, 2001).

Berufstätige Lernende haben dabei besondere Bedürfnisse in Bezug auf das Lernen. Sie möchten selbstgesteuert lernen, sich eigene Ziele setzen und diese anstreben, ihre Erfahrungen in den Lernprozess einbringen, sich mit anderen Lernenden austauschen und das Gelernte in der Praxis umsetzen können (KNOWLES, 1984).

Starre Lernsettings, in denen Lehrziele, Lehrinhalte, Lehrmethoden und Prüfungsmethoden vorgegeben sind, können diese Bedürfnisse weniger erfüllen.

Unter dem Stichwort „flexibles Lernen" werden generell Lernkontexte verstanden, in denen Lernende Wahlmöglichkeiten haben, um verschiedene Aspekte ihres Lernerlebnisses personalisieren und so eigenen Bedürfnissen und Vorlieben folgen zu können (COLLIS & MOONEN, 2012; HIGHER EDUCATION ACADEMY, 2015). Als Dimensionen der Flexibilität können unterschieden werden (COLLIES & MOONEN, 2012; LI, YUEN & WONG, 2018): Lernziele, Lernzeitpunkt, Lernort, Lerninhalte, Lernmaterialien, Kommunikation und Interaktivität sowie Kompetenzüberprüfung.

Flexibles Lernen adressiert die Bedürfnisse berufstätiger Studierender in besonderer Weise, da es die Diversität der Vorkenntnisse und Lebenserfahrungen berücksichtigt und selbstgesteuertes Lernen unterstützt.

Flexibles Lernen kann in unterschiedlichem Ausmaß in allen Lernsettings, von Präsenzlehre bis zur online-gestützter Lehre, umgesetzt werden. Online-gestützte Lernsettings sind allerdings besonders geeignet, da sie z. B. Flexibilität von Zeit und Ort eher erlauben.

Ziel dieses Beitrages ist es zu untersuchen, wie flexibles Lernen in das didaktische Konzept eines rein online-gestützten Universitätslehrgangs integriert wurde. Anschließend werden wir auf Basis einer Analyse vorliegender Daten die Erfahrungen der Lernenden mit der Flexibilität kommentieren.

2 Fallbeispiel: Umsetzung flexiblen Lernens in einem online-gestützten Studiengang

Die UMIT ist eine Private Universität im Eigentum des Landes Tirol und der Universität Innsbruck. Seit 2017 bietet die UMIT den rein online-gestützten, postgraduellen Universitätslehrgang Health Information Management an (www.umit.at/him).

Werkstattbericht

2.1 Didaktisches Konzept

Das Konzept des Universitätslehrgangs beruht grundsätzlich auf einer sozio-konstruktivistischen Perspektive (VYGOTZKY, 1978), wonach Lernen ein aktiver Prozess ist, der am besten in der Kommunikation mit anderen funktioniert. Ausgehend davon basiert das didaktische Konzept auf folgenden Bausteinen:

- Selbstregulation: Die Förderung der Selbstregulationsfähigkeit der Lernenden sehen wir als Schlüssel für erfolgreiches Lernen. Voraussetzung hierfür ist, dass die Lernenden Wahlmöglichkeiten haben, entsprechend liegt ein starker Fokus des Konzepts auf der Flexibilität des Lernsettings.
- Community of Inquiry (GARRISON, 2007): Erfolgreiches Lernen in online-gestützten Settings basiert auf drei Bedingungen: der kognitiven Präsenz, also dem Ausmaß, mit dem Lernende Wissen konstruieren können; der sozialen Präsenz, also der Fähigkeit, mit anderen zielgerichtet und vertrauensvoll zu kommunizieren; und der Lehrendenpräsenz, also der Ermöglichung und Steuerung bedeutsamer Lernergebnisse. Entsprechend liegt ein starker Fokus des Konzepts auf dem gemeinsamen Lernen an herausfordernden Lernaufgaben.
- Etivities (SALMON, 2013): Etivities sind strukturierte, aktivierende, kooperative Lernaufgaben für online-gestützte Lernsettings. Ziel ist es, den Lernenden klare Rahmenbedingungen zum Lernen zu geben. Die Rolle der Lehrperson ist hier eher die einer Lernprozessbegleitung.

2.2 Konkrete Umsetzung

Jedes der zwölf online-gestützten Module des 5-semestrigen Universitätslehrgangs dauert sechs Wochen. Als virtuelle Lernumgebung wird Moodle eingesetzt. In jedem Modul werden zunächst Metainformationen (z. B. zu Lernzielen, erwartetem Arbeitsaufwand, didaktischem Ansatz) bereitgestellt.

Jedes Modul ist in Wochenblöcke aufgeteilt. Jeder Wochenblock beginnt mit einführenden Informationen, z. B. einem einführenden Videovortrag, und enthält dann strukturierte Etivities als Lernaufgaben. Die Kommunikation erfolgt überwiegend asynchron und schriftlich.

Die Lernaufgaben umfassen anwendungsorientierte, praxisnahe Situationsbeschreibungen oder Probleme. Jede Lernaufgabe beinhaltet auch den Austausch in der Gruppe, insbesondere die Bereitstellung und den kritischen Diskurs der Lösungen. Die Lernaufgaben ermöglichen das Entwickeln eigener Gedanken und Lösungen, erlauben die unmittelbare Anwendung theoretischer Konzepte, fördern den interdisziplinären Austausch in der Gruppe und ermöglichen das Anknüpfen und Weiterentwickeln eigener Vorerfahrungen (vgl. Abbildung 1).

Etivity 2.1: So ist der Auftrag klarer

Montag 10 Uhr hattest Du Dein Gespräch mit Pflegedirektor Huber. Er hat Dir einige Informationen geben können. Vor allem hat er einen Entwurf für einen Projektauftrag zur Einführung von NursingDok vorgelegt. Bist Du mit diesem Projektauftrag zufrieden?

Ziel: Einen gegebenen Projektauftrag auf Vollständigkeit prüfen können (gehört zu: Lernziel 4)

Aufgabe: Lies den Projektauftrag zur Einführung von NursingDok sowie die bereit gestellten Hintergrundinformationen. Diskutiere dann, ob der Auftrag vollständig und klar ist, oder ob Dir Informationen fehlen. Pflegedirektor Huber wird im Forum auf Deine Fragen antworten. Bei Bedarf lies im Buch IT-Projektmanagement oder in einschlägiger Literatur noch einmal zum Thema "Projektauftrag" nach.

Reaktion: Reagiere dabei auf mindestens einen anderen Beitrag - natürlich gern auch auf mehrere. Achtet gemeinsam darauf, dass möglichst jeder eine Reaktion erhält. Antworte auch möglichst auf alle Reaktionen auf Deinen Beitrag.

Ich werde die Diskussionen verfolgen, bei Bedarf in die Rolle von Herrn Huber schlüpfen und Fragen zum Auftrag beantworten.

Weiterführende Literatur:

Ammenwerth E, Haux R, Knaup-Gregori P, Winter A: IT-Projektmanagement im Gesundheitswesen: Lehrbuch und Projektleitfaden. 2. Auflage. Stuttgart: Schattauer-Verlag, 2014. Kapitel 4: Projektinitiierung, insb. S. 37/38 zum Projektauftrag.

Abb. 1: Beispiel für eine Etivity zum Thema „Projektauftrag" aus dem Modul „Einführung in das professionelle Projektmanagement", Woche zwei.

Die Lernerfolgsüberprüfung findet modulbegleitend und kompetenzorientiert statt. Prüfungsleistungen prüfen Verständnis, Anwendung und Transfer in die Praxis, z. B. durch die Präsentation von Analysen oder Konzepten. Formative Zwischentests in Modulen ermöglichen den Lernenden eine (nicht benotete) Wissensüberprüfung. Das Engagement im Kursraum, also z. B. die Qualität von Diskussionsbeiträgen, fließt in allen Modulen in die Note ein. Für summative Prüfungsleistungen werden den Lernenden entsprechende Bewertungsraster bereitgestellt.

2.3 Konkrete Umsetzung des flexiblen Lernens

Die Idee des flexiblen Lernens wird in jedem Modul mit unterschiedlicher Akzentuierung adressiert (Tabelle 1).

Tab. 1: Beispiele für die Umsetzung des flexiblen Lernens

Flexibilität in Bezug auf ...	Beispiele für die Umsetzung
Lernziele	Lernende werden aufgefordert, ihre Vorkenntnisse zu thematisieren und dann individuelle Lernziele zu definieren. Am Modulende reflektieren die Lernenden über die Erreichung ihrer Lernziele.
Zeit	Die asynchrone Kommunikation ermöglicht eine Teilnahme jederzeit und mit individueller Geschwindigkeit.
Lerninhalte	Wahl-Etivities sowie ergänzend bereitgestellte Unterlagen erlauben individuelle Vertiefung. Lernende können ihren beruflichen Erfahrungsschatz einbringen und das Erlernte im beruflichen Kontext anwenden.
Lernmaterialien	Der Zugriff auf die virtuelle Lernumgebung ist von überall möglich. Textuelle und audiovisuelle Medien werden kombiniert genutzt. Videos werden mit Foliensätzen ergänzt.
Kommunikation und Interaktivität	Einige Lernaufgaben können auch in Kleingruppen bearbeitet werden. Einige Prüfungsleistungen können auf Deutsch oder Englisch abgegeben werden.

Kompetenzüberprüfung	In einigen Modulen können Lernende zwischen verschiedenen Prüfungsleistungen wählen. Einige Module enthalten formative Lernerfolgstests zur individuellen Wiederholung.

3 Methodik

Der Universitätslehrgang wurde von Beginn an begleitend wissenschaftlich evaluiert. Ein positives Votum des Ethikboards und Einverständniserklärungen der Lernenden liegen vor.

Folgende Datenerhebungen für das erste Studienjahr wurden durchgeführt:

- Tägliche Workload-Erfassung zur Überprüfung von Studierbarkeit und Arbeitsbelastung. Insgesamt liegen Daten von 13 Studierenden für sechs Module vor (Vollständigkeit: 86 %).
- Analyse der Rückmeldungen zur anonymen studentischen Lehrevaluierung aller Module durch die Lernenden (Rücklaufquote: 83 %).
- Analyse der (nicht-anonymen) schriftlichen studentischen Reflexionen.
- Analyse des studentischen Engagements auf Basis von Log-Daten (AMMENWERTH, HACKL, HÖRBST & FELDERER, 2018). Wichtig: Lernzeiten außerhalb von Moodle werden dabei nicht erfasst.
- Befragung der Lernenden mit dem standardisierten „Community of Inquiry" Survey (ARBAUGH et al., 2008), Ergebnisse sind bereits publiziert (AMMENWERTH, HACKL, FELDERER, SAUERWEIN & HÖRBST 2018).

4   Ergebnisse

Grundsätzlich schätzen die meisten Lernenden die aktivierende und interaktive Art des Lernens: *„Der erste Kontakt mit der Lehrmethode (Etivities) war bereichernd. Ich bin überrascht, wie viel qualitativ hochwertiger Austausch mit meinen Mitstudierenden in einem reinen Online-Austausch möglich war"* (Modul A).

Im Folgenden werden einige Erkenntnisse zum flexiblen Lernen dargestellt, gegliedert analog Tabelle 1. Die Erkenntnisse können aufgrund der niedrigen Fallzahl nur exemplarisch gesehen werden, geben aber erste Anhaltspunkte zu Stärken und Herausforderungen des flexiblen Lernens.

4.1   Flexibilität in Bezug auf Lernziele

Die Lernenden schätzen insgesamt die Möglichkeit, persönlichen Lernziele zu definieren *(„Mir gefällt, am Anfang zu überlegen, was ich schon weiß und was ich lernen will"*, Modul I). Lernende thematisieren aber auch die Herausforderung hierbei, wenn das behandelte Thema noch weitgehend unbekannt ist *(„Es war schwierig für mich, Lernziele zu definieren, da ich zu wenig Vorwissen hatte"*, Modul E). Das Definieren eigener Lernziele fällt den Lernenden tendenziell einfacher, wenn sie bereits einen Bezug zum Thema haben.

4.2   Flexibilität in Bezug auf Zeit

Die Lernenden nutzen die 24/7-Verfügbarkeit der virtuellen Lernumgebung individuell unterschiedlich stark aus. Die intensivsten Lernzeiten sind tendenziell eher am Abend sowie an Sonn- und Montagen (Abbildung 2). Die freie Zeiteinteilung wurde als positiv wahrgenommen *(„Die Tatsache, dass ich in der Strukturierung meines Tagesablaufs hier maximale Freiheit habe, trägt sehr zu einem positiven Studienverlauf bei."*, Modul E)

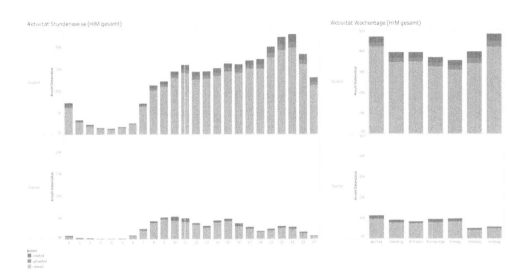

Abb. 2: Lernzeiten aller aktiven Studierenden (oben) und Lehrpersonen (unten) über den Tag (links) und über die Wochentage (rechts). Dargestellt werden die über alle Module kumulierten Lese-Aktivitäten („viewed", türkis), Uploads von Materialien und Ausarbeitungen („uploaded", rot) und Verfassen von Diskussionsbeiträgen („created", blau).

Insgesamt kann man aus den Log-Daten auch Aktivitätsprofile erkennen (Abbildung 3). So sind einige Teilnehmer/innen v. a. zu regulären Geschäftszeiten aktiv (S5), andere eher abends (S4).

Werkstattbericht

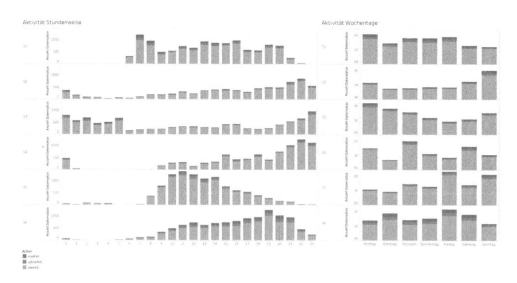

Abb. 3: Lernzeiten von sechs Studierenden aggregiert über die Tageszeit (links)
und Wochentage (rechts). Legende wie Abb. 2.

Abbildung 4 veranschaulicht die Aktivitäten dieser Studierenden über einen Monat.
Man erkennt daraus, wie fast alle Lernenden die Möglichkeit lernfreier Tage nutzen. Sichtbar ist auch, dass oft auf mehrere sehr lernintensive Tage, welche dann
auch das intensive Verfassen von Beiträgen beinhalten, weniger lernintensive Ta-
gen folgen, an denen eher mitgelesen wird.

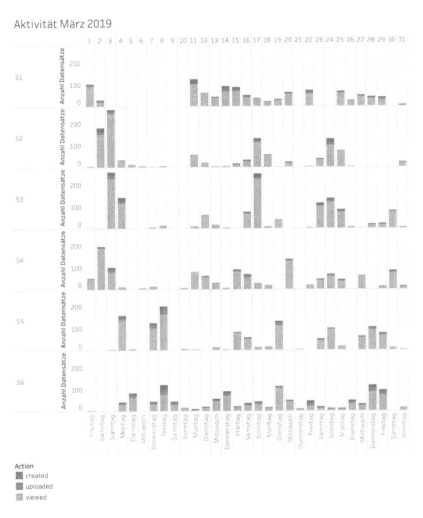

Abb. 4: Lernzeiten von sechs Studierenden im März 2019. Legende wie Abb. 2.

Der Wochenrhythmus aller Module erfordert die Erledigung aller Lernaufgaben bis zum Wochenende, was allerdings die flexible Zeiteinteilung der Studierenden limitiert. Dies kann mit beruflichen oder privaten Verpflichtungen kollidieren: „*Wir sind parallel berufstätig, es ist nicht einfach, die Lernaufgaben in der veranschlag-ten Zeit zu erfüllen."* (Modul G).

Lernende merken an, dass es für den Austausch negativ sei, wenn andere Lernende erst am Wochenende aktiv werden (*„Oft bin ich bis Ende der Woche alleine mit meinen Posts ... Das ist jetzt die Kehrseite der Flexibilität, aber natürlich teilt sich jeder seine Zeit so ein, wie es für ihn am besten ist."*, Modul A).

4.3 Flexibilität in Bezug auf die Lernorte

Insgesamt wird die örtliche Flexibilität, das mobile Lernen, sehr geschätzt: *„Durch Moodle, Office und OneDrive bin ich nicht mehr an meinen Arbeitsplatz im Büro gebunden und ich kann z. B. auch im OP-Büro während etwas Leerlauf etwas für das Studium tun."*, Modul E).

4.4 Flexibilität in Bezug auf Lerninhalte

Die Form der Etivities als abwechslungsreiche und aktivierende Art des Lernens wird von den Lernenden positiv bewertet: *„Unterschiedlichste Form von Etivities, die auch spielerischen und kreativen Charakter aufweisen"* (Modul A).

Die Möglichkeit, Wahl-Etivities entsprechend der eigenen Lernziele zu wählen, wird gerne angenommen: *„Was mit gut gefallen hat: Angepasste Aufgabenstellun-gen für Anfänger und Fortgeschrittene"* (Modul C).

Aber es zeigt sich auch, dass Anfänger Schwierigkeiten haben, geeignete Wahl-Etivities auszuwählen: *„Dies führte dazu, dass ich, aus Angst, etwas Wichtiges oder Hilfreiches zu verpassen, versucht war, in allen Etivities allen Threads zu folgen, was zu viel Teile meiner Zeit auffraß."* (Modul E).

Wenn Etivities ausgelassen werden, entsteht teilweise das Gefühl, etwas zu verpas-sen. Hier halfen die teilweise angebotenen Zusammenfassungen von Inhalten ein-zelner Etivities.

4.5 Flexibilität in Bezug auf die Lernmaterialien

Die generelle Mischung an Medien innerhalb und zwischen Modulen wird positiv kommentiert: „*Guter und interessanter Einsatz unterschiedlicher Medien (Videos, Präsentation, Text)*" (Modul A). Die Lernenden präferieren mehrheitlich schriftliche Lernmaterialien oder Videos als Basisliteratur zu einem Modul.

Sofern besprochene Foliensätze in einem Modul angeboten werden, nimmt die große Mehrheit der Lernenden die Möglichkeit war, diese auch wirklich anzuhören und nicht nur die begleitend bereitgestellten PowerPoint-Dateien anzuschauen.

4.6 Flexibilität in Bezug auf Kommunikation und Interaktivität

Die Kommunikation erfolgt weitgehend asynchron. Verschiedene Versuche, synchrone Kommunikation anzubieten, wie beispielsweise ein Chat zu einem definierten Zeitpunkt, werden kaum angenommen.

Die Möglichkeit, Etivities auch in Kleingruppen zu bearbeiten, wird aufgrund des Koordinationsaufwands eher selten gewählt. Gruppenarbeit erfordert immer zeitliche Koordination der Beteiligten, was eine große Hürde sein kann.

4.7 Flexibilität in Bezug auf die Kompetenzüberprüfung

Wahl-Möglichkeiten bei Prüfungsleistungen werden gerne angenommen und führen zu sehr individuellen Ausarbeitungen. „*Das Mindmap am Ende des Moduls half mir, das gesamte Modul aufzuräumen/zu organisieren und alle relevanten Informationen an einem Platz zu sammeln.*" (Modul D).

Die teilweise genutzten individuellen kognitiven Landkarten werden dabei sowohl von Lernenden als auch von den Lehrpersonen als sehr gute Möglichkeit angesehen, individuelle Lernergebnisse darzustellen. Sie entsprechen daher gut der Idee des flexiblen Lernens.

5 Diskussion

Im Universitätslehrgang versuchen wir, auf unterschiedlichen Wegen flexibles Lernen zu unterstützen. Diese Flexibilität ermöglicht es uns, auf die unterschiedlichen beruflichen Hintergründe und Vorkenntnisse der Lernenden einzugehen.

Für die Analysen wurden insbesondere Logdateien, Workload-Erhebungen, Lehrevaluierungen und Reflexionen verwendet. Eine explizite Befragung der Studierenden zu Aspekten des flexiblen Lernens erfolgte nicht.

Die Lernenden schätzen insgesamt die Flexibilität, vor allem was Zeit, Ort und Inhalt des Lernens angeht. Dies ist nicht überraschend, da die meist berufstätigen Lernenden in diesem Universitätslehrgang dieses flexible Format gezielt gewählt haben und über den Ablauf und die damit verbundenen Anforderungen an Zeitmanagement und Selbstregulation vorab beraten wurden.

Es gibt aber auch Herausforderungen beim flexiblen Lernen:

Lernende mit wenig fachlichen Vorkenntnissen haben teilweise Schwierigkeiten, persönliche Lernziele zu wählen. Als Konsequenz überlegen wir, in Zukunft einen Standardpfad durch ein Modul zu definieren. Dieser Standardpfad beschreibt jene Etivities, die für Anfänger/innen sinnvoll sind.

Die individuellen Lernziele müssen grundsätzlich zu den vom Lehrenden definierten Lehrziele passen; ein „völlig freies" Lernen ist nicht vorgesehen. So enthalten alle Module Pflicht-Etivities. So wird – quasi als Fundamentum – eine gemeinsame Basis-Kompetenz vermittelt. Davon ausgehend haben dann die Lernenden die Flexibilität, Lernziele und Lerninhalte – als Additum – zu wählen.

Um den fachlichen Diskurs in der Lerngruppe zu ermöglichen und das „Dranbleiben" am Lernen zu fördern, erfolgt das Lernen im Wochenrhythmus. Dies schränkt aber die zeitliche Flexibilität für die Lernenden ein und kann bei Zeitmangel zum Gefühl des „Zurückbleibens" führen. Wir ermöglichen daher den Studierenden in begründeten Fällen, mit der Lehrperson eine Verlängerung von Abgabeterminen oder alternative Prüfungsformen abzustimmen.

Nicht alle Lernenden kommen mit flexiblen, selbstregulierten Lernen klar. Zu viele Wahlmöglichkeiten können Lernende verunsichern. Die Lernenden sollten daher die Möglichkeit haben, auf vordefinierte Empfehlungen z. B. zu Lerninhalten oder Lernwegen zurückzugreifen (COLLIES & MOONEN, 2012).

In unserem Universitätslehrgang beraten wir daher sehr intensiv vor Studienbeginn über die Anforderungen des Studiums. Aus unserer Sicht eignen sich derartige flexible Lernsettings, wie wir sie anbieten, sinnvoll eher für lern- und berufserfahrene Lernende.

Insgesamt erscheint es uns notwendig, eine gute Balance zwischen einer klaren thematischen und zeitlichen Struktur und einer gewissen Flexibilität von Zeit, Ort, Zielen und Inhalt des Lernens anzubieten.

Eine „one-size-fits-all"-Lösung für online-gestütztes flexibles Lernen erscheint uns nicht möglich. Vielmehr sind die Lehrpersonen aufgefordert, je nach Komplexität der Lehrinhalte, Vorwissen der Lernenden und individuellen Lernstilen das sinnvolle Ausmaß an Flexibilität in einem Kurs immer wieder neu zu adjustieren.

Damit ist „Flexibilität des Lernens" immer auch mit „Flexibilität des Lehrens" zu kombinieren, da nur so erfolgreiche Lernprozesse in heterogenen Lerngruppen optimal ermöglicht werden können.

6 Literaturverzeichnis

Ammenwerth, E., Hackl, W., Felderer, M., Sauerwein, C., & Hörbst, A. (2018). Building a Community of Inquiry Within an Online-Based Health Informatics Program: Instructional Design and Lessons Learned. *Studies in Health Technology and Informatics, 253*, 196-200.

Ammenwerth, E., Hackl, W. O., Hörbst, A., & Felderer, M. (2018). Indicators for cooperative, online-based learning and their role in quality management of online learning. In M. Boboc & S. Koç (Hrsg.), *Student-Centered Virtual Learning Environments in Higher Education* (S. 1-20). Hershey, PA: IGI Global.

Arbaugh, J. B., Cleveland-Innes, M., Diaz, S. R., Garrison, D. R., Ice, P., Richardson, J. C., & Swan, K. P. (2008). Developing a community of inquiry instrument: Testing a measure of the Community of Inquiry framework using a multi-institutional sample. *Internet and Higher Education, 11*(3-4), 133-136. https://doi.org/10.1016/j.iheduc.2008.06.003

Collis, B., & Moonen, J. (2012). Flexible Learning: It's not just about distance. In *Flexible Learning in a Digital World – Experiences and Expectations* (S. 237). London: Routledge.

Europäische Kommission (2001). *Einen europischen Raum des lebenslangen Lernens schaffen.* Mitteilung der Kommission. Brüssel: Europäische Kommission.

Garrison, D. R. (2007). Online community of inquiry review: Social, cognitive, and teaching presence issues. *Journal of Asynchronous Learning Networks, 11*(1), 61-72.

Higher Education Academy (2015). *Framework for flexible learning in higher education.* http://www.heacademy.ac.uk/transform

Knowles, M. (1984). *Andragogy in action.* San Francisco: Jossey-Bass.

Li, K., Yuen, K., & Wong, B. (2018). *Innovations in Open and Flexible Education.* Singapore: Springer.

Salmon, G. (2013). E-tivities – The key to active online learning. New York: Routledge.

Vygotzky, L. S. (1978). *The development of higher psychological processes.* Cambridge, Massachusetts: Harvard University Press.

Autorin/Autoren

Univ.-Prof. Dr. Elske AMMENWERTH ‖ Priv. Universität für Gesundheitswissenschaften, Medizinische Informatik und Technik, Institut für Medizinische Informatik ‖ Eduard Wallnöfer Zentrum 1, A-6060 Hall in Tirol

http://iig.umit.at

elske.ammenwerth@umit.at

Ass.-Prof. Dr. Werner HACKL ‖ Priv. Universität für Gesundheitswissenschaften, Medizinische Informatik und Technik, Institut für Medizinische Informatik ‖ Eduard Wallnöfer Zentrum 1, A-6060 Hall in Tirol

http://iig.umit.at

werner.hackl@umit.at

PD Dr. Michael FELDERER ‖ Universität Innsbruck, Institut für Informatik ‖ Technikerstr. 21A, A-6020 Innsbruck

http://mfelderer.at

michael.felderer@uibk.ac.at